실전 문제로 중학 내신과 실력 완성에

빠르게 빵통하는

영문법 핵심 1200제

LEVEL

1

빠르게 통하는 영문법 핵심 1200제로
영어 자신감을 키우세요!

- 도표화된 문법 개념 정리로 문법 개념 이해 빠르게 通(통)
- 대표 기출 유형과 다양한 실전 문제로 실전 문제 풀이력 빠르게 通(통)
- 서술형, 고난도, 신유형 문항으로 내신 만점 빠르게 通(통)

학습자의 마음을 읽는 동아영어콘텐츠연구팀

동아영어콘텐츠연구팀은 동아출판의 영어 개발 연구원, 현장 선생님,
그리고 전문 원고 집필자들이 공동 연구를 통해 최적의 콘텐츠를 개발하는 연구 조직입니다.

원고 개발에 참여하신 분들

고미라 김경희 김수현 김유경 송유진 신채영 이남연 이윤희 진선호 진성인 하주영 홍미정

교재 기획·검토에 참여하신 분들

강군필 강선이 강은주 고미선 권동일 김민규 김설희 김은영 김은주 김지영 김하나 김학범
김한식 김호성 김효성 박용근 박지현 설명옥 신명균 안태정 이상훈 이성민 이지혜 정나래
조수진 김시은 최재천 최현진 하주영 한지영 한지원 한희정

빠르게 통하는

영문법 핵심 1200제

LEVEL

1

How to Study 이 책의 구성과 특징

Step **1** 문법 개념을 확인하고 대표 기출 유형으로 연습하세요.

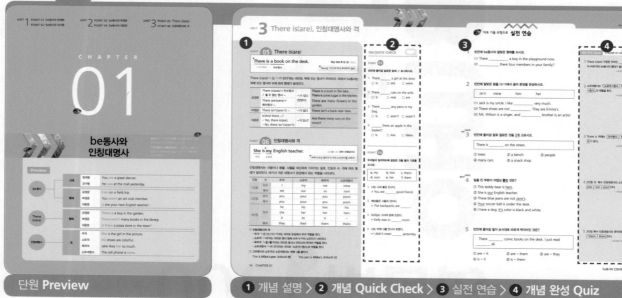

단원 **Preview**

1 개념 설명 > 2 개념 **Quick Check** > 3 실전 연습 > 4 개념 완성 **Quiz**

각 Chapter에서 배우게 될 문법 용어 설명을 쉽게 이해하고, 단원에서 배우게 될 내용과 예문을 도식화하여 한눈에 이해할 수 있습니다.

핵심 문법을 이해하기 쉽게 표로 정리했습니다. 대표 예문으로 문법 사항을 직관적으로 접한 후, 개념 설명으로 내용을 익힙니다.
배운 문법 개념을 잘 이해했는지 개념 Quick Check에서 바로 확인합니다.

학습한 내용을 대표 기출 유형의 실전 문제에 적용합니다. 자주 나오거나 틀리기 쉬운 문제를 통해 실전 감각을 효율적으로 익힙니다. 실전 연습 문제를 풀고 나면, 개념 완성 Quiz를 통해 개념을 다시 한 번 다집니다.

Step **2** 다양한 유형으로 서술형 실전에 대비하세요.

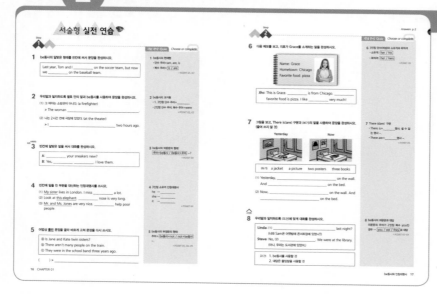

서술형 실전 연습

단계별로 다양한 유형의 서술형 문제를 풀면서 서술형 실전에 대비할 수 있습니다.

- Step 1에서 기본 서술형 문제로 준비 운동을 합니다.

- Step 2에서는 표, 도표, 그림 활용 문제, 조건형 서술형 문제와 같은 응용 문제들을 풀어 봅니다.

- 개념 완성 Quiz로 핵심 개념을 완벽히 이해 합니다.

Step 3

실제 학교 시험 유형으로 내신에 완벽하게 대비합니다.

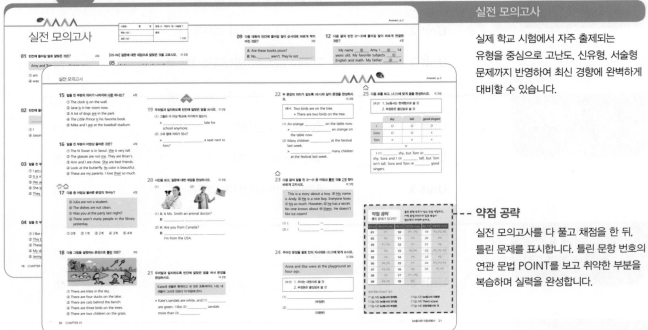

실제 학교 시험에서 자주 출제되는 유형을 중심으로 고난도, 신유형, 서술형 문제까지 반영하여 최신 경향에 완벽하게 대비할 수 있습니다.

약점 공략

실전 모의고사를 다 풀고 채점을 한 뒤, 틀린 문제를 표시합니다. 틀린 문항 번호의 연관 문법 POINT를 보고 취약한 부분을 복습하며 실력을 완성합니다.

Step 4

고난도 신유형 문제와 서술형 문제로 실력을 업그레이드합니다.

Level Up Test

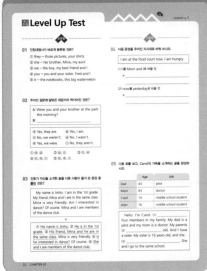

고난도의 신유형 문제와 서술형 실전 문제에 도전! 최고 난이도의 내신 문제를 만나도 당황하지 않을 힘을 길러 줍니다.

Final Test

전체 문법 사항을 고르게 평가할 수 있는 3회분의 Final Test를 통해 실전 감각을 완성할 수 있습니다.

CONTENTS 차례

Before You Begin 문법 기초 다지기

1 8개의 품사

1 명사는 사람이나 동물, 사물의 이름을 나타내는 말이에요.

A cow Jack

2 대명사는 앞에 나온 명사를 대신해서 쓰는 말이에요.

He is Jack.

3 형용사는 사람이나 사물의 생김새나 상태를 나타내며, 주로 명사와 함께 써요.

Jack is a poor boy.

4 동사는 주어의 동작이나 상태를 나타내요.

Jack sells the cow.

5 접속사는 문장과 문장, 단어와 단어, 구와 구를 이어주는 말이에요.

Jack sells the cow and gets a bean.

6 전치사는 명사 앞에서 시간, 장소, 방법 등을 나타내요.

Jack plants the bean under the tree.

7 부사는 동사, 형용사, 다른 부사 등에 덧붙여서 문장의 의미를 풍부하게 하는 말이에요.

The bean grows quickly.

8 감탄사는 말하는 사람의 감정을 표현하는 말이에요.

Wow!

2 문장의 구성 요소

3 구와 절

(1) 구: 구는 두 개 이상의 단어가 모여서 하나의 품사 역할을 해.

(2) 절: 절은 주어와 동사가 포함된 두 개 이상의 단어를 말한다.

The future belongs to those who believe in the beauty of their dreams.

- Eleanor Roosevelt

CHAPTER

01

be동사와
인칭대명사

be동사는 주어의 상태를 나타내는 말로 주어의 인칭과 수에 따라 다르게 쓴다.

인칭대명사(人稱代名詞)는 사람이나 동물, 사물을 대신하여 쓰는 말로 인칭, 격, 수에 따라 다르게 쓴다.

Preview

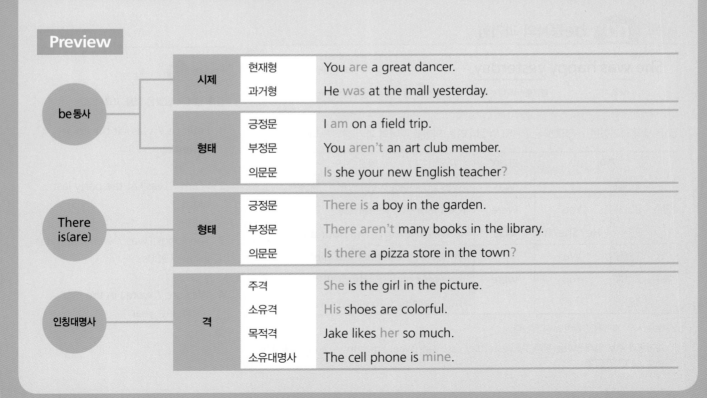

be동사	시제	현재형	You are a great dancer.
		과거형	He was at the mall yesterday.
	형태	긍정문	I am on a field trip.
		부정문	You aren't an art club member.
		의문문	Is she your new English teacher?
There is(are)	형태	긍정문	There is a boy in the garden.
		부정문	There aren't many books in the library.
		의문문	Is there a pizza store in the town?
인칭대명사	격	주격	She is the girl in the picture.
		소유격	His shoes are colorful.
		목적격	Jake likes her so much.
		소유대명사	The cell phone is mine.

UNIT **1** be동사의 현재형과 과거형

POINT **01** be동사의 현재형

> I ***am** a student.
> 주어 be동사 명사
> 나는 학생이다.
> *be동사의 현재형은 주어에 따라 형태가 달라.

be동사의 현재형은 '~이다', '~(하)다', '(~에) 있다'라는 의미를 나타내며, 주어의 수와 인칭에 따라 형태가 바뀐다.

주어			현재형	줄임말	예문
단수	1인칭	I	am	I'm	I **am** 14 years old.
	2인칭	You	are	You're	You **are** very kind.
	3인칭	He / She / It	is	He's / She's / It's	He **is** my brother.
복수	1인칭	We		We're	We **are** friends.
	2인칭	You	are	You're	You **are** all smart.
	3인칭	They		They're	They **are** in China.

ⓘ **be동사의 의미**: be동사 뒤에 오는 내용에 따라 의미가 달라진다.
 • be동사+명사: '~이다'라는 뜻으로 주어가 무엇인지 나타낸다. He **is** my dad.
 • be동사+형용사: '~(하)다'라는 뜻으로 주어의 상태를 나타낸다. I **am** happy.
 • be동사+장소의 부사구: '(~에) 있다'라는 뜻으로 주어의 위치를 나타낸다.
   We **are** in the kitchen.

POINT **02** be동사의 과거형

> She ***was** happy yesterday.
> be동사   과거를 나타내는 부사
> 그녀는 어제 행복했다.
> *be동사의 과거형은 was, were 두 가지야.

be동사의 과거형은 '~였(했)다', '(~에) 있었다'라는 의미로 주어의 과거 상태를 나타낸다.

주어			과거형	예문
단수	1인칭	I	was	I **was** busy last weekend.
	2인칭	You	were	You **were** sick yesterday.
	3인칭	He / She / It	was	He **was** at the gym an hour ago.
복수	1인칭	We		We **were** at the park last night.
	2인칭	You	were	You **were** middle school students.
	3인칭	They		They **were** nice to everyone.

ⓘ be동사의 과거형은 줄여 쓰지 않는다.
ⓘ **과거형과 주로 함께 쓰이는 부사(구)**: yesterday, last year(week/month), ~ ago, 「in+과거 연도」 등 서술형 빈출

개념 QUICK CHECK

POINT **01**

빈칸에 들어갈 알맞은 말에 √ 표시하시오.

1 I _____ from Jeonju.
  ☐ am   ☐ are   ☐ is

2 You _____ very special.
  ☐ am   ☐ are   ☐ is

3 Ms. Lee _____ in the classroom.
  ☐ am   ☐ are   ☐ is

4 Mina and Jane _____ my cousins.
  ☐ am   ☐ are   ☐ is

POINT **02**

괄호 안에서 알맞은 것을 고르시오.

1 Peter (is / was) at the library yesterday.

2 I (am / was) at the party last night.

3 The songs (was / were) popular in the 1980s.

4 We (are / were) in the first grade last year.

대표 기출 유형으로 실전 연습

1 우리말과 일치하도록 빈칸에 알맞은 be동사를 쓰시오.

(1) 너희들은 내 친구들이다. ▸ You _____ my friends.

(2) 나는 2년 전에 교사였다. ▸ I _____ a teacher two years ago.

2 밑줄 친 부분의 의미가 [보기]와 같은 것은?

> [보기] The kitten is in the basket.

① This movie is funny.

② The kids are very smart.

③ The woman is an actress.

④ Lisa and Andy are classmates.

⑤ The newspaper is on the sofa.

자주 나와요!
3 빈칸에 들어갈 말로 알맞지 않은 것은?

> _____ were late for school yesterday.

① You   ② Mike   ③ Sue and I

④ My classmates   ⑤ Kate and Eric

4 빈칸에 들어갈 말이 순서대로 바르게 짝지어진 것은?

> Tim _____ a middle school student now. He _____ an elementary school student last year.

① is – is   ② is – are   ③ is – was

④ was – is   ⑤ were – was

틀리기 쉬워요!
5 빈칸에 was를 쓸 수 없는 문장은?

① I _____ tired last night.

② Last summer _____ very hot.

③ Mr. Davis _____ angry at me.

④ Ann and I _____ at the library now.

⑤ She _____ a fashion model a long time ago.

개념 완성 Quiz   *Choose or complete.*

1 be동사의 현재형은 _____의 인칭과 수에 따라 형태가 변한다.
> POINT 01, 02

2 be동사는 뒤에 [장소의 부사구 / 명사 / 형용사] 가 오면 '~에 있다'라는 의미를 나타낸다.
> POINT 01

3 주어가 복수이거나 [2인칭 / 3인칭] 단수일 때 be동사의 과거형은 were로 쓴다.
> POINT 02

4 주어가 3인칭 단수일 때 be동사의 과거형은 [was / were] 이다.
> POINT 01, 02

5 주어가 복수일 때 be동사의 현재형은 _____로 쓴다.
> POINT 01, 02

UNIT 2 be동사의 부정문과 의문문

POINT 03 be동사의 부정문

I *am not from Canada.
<u>be동사 + not</u>

나는 캐나다 출신이 아니다.

* be동사의 부정문은 be동사 뒤에 not을 붙여서 써.

be동사의 부정문은 「be동사+not」의 형태로 '~이 아니다', '(~에) 없다'라는 의미이다. be 동사의 부정문에서 「be동사+not」 또는 「주어+be동사」를 줄여 쓸 수 있다.

주어		부정형	줄임말		예문
단수	I	am not	–	I'm not	I **am not** busy.
	You	are not	aren't	You're not	You **are not** alone.
	He She It	is not	isn't	He's not She's not It's not	He **is not** my brother. It **is not** my bag.
복수	We You They	are not	aren't	We're not You're not They're not	We **are not** students. They **are not** hungry now.

① am not은 amn't로 줄여 쓰지 않는다. [서술형 빈출]
　I **amn't** hungry. (×)　　I **'m not** hungry. (○)

① **be동사 과거형의 부정문**: 「was(were)+not」의 형태로 '~이 아니었다', '(~에) 없었다'라는 의미이다.
　I **wasn't(was not)** sleepy.　　They **weren't(were not)** in the room.

POINT 04 be동사의 의문문

*Are you happy now?
be동사　주어

너는 지금 행복하니?

* 의문문은 주어와 be동사의 자리를 바꿔서 써.

be동사의 의문문은 「Be동사+주어 ~?」의 형태로 '~이니?', '(~에) 있니?'라는 의미이다.

be동사의 의문문	긍정의 대답	부정의 대답
Am(Was) I ~?	Yes, you are(were).	No, you aren't(weren't).
Are(Were) you ~?	Yes, I am(was).	No, I'm not(I wasn't).
Is(Was) he/she/it ~?	Yes, he/she/it is(was).	No, he/she/it isn't (wasn't).
Are(Were) you/we/ they ~?	Yes, we/you/they are (were).	No, we/you/they aren't (weren't).

① 의문문에 대답을 할 때에는 주어의 인칭과 수에 유의하고 성별에 따라 알맞은 대명사로 답해야 한다.
　A: Are **you** sad?　　　　　　A: Is **Mr. Davis** a painter?
　B: Yes, **I** am. / No, **I'm** not.　B: Yes, **he** is. / No, **he** isn't.

개념 QUICK CHECK

POINT 03

빈칸에 들어갈 알맞은 말에 √ 표시하시오.

1 He _____ at the park.
　□ not is　　　　□ is not

2 _____ thirsty.
　□ I amn't　　　□ I'm not

3 I _____ ready at that time.
　□ wasn't　　　□ weren't

4 My sisters _____ at home now.
　□ aren't　　　□ weren't

POINT 04

주어진 문장이 올바르면 ○, 틀리면 ×에 √ 표시하시오.

1 Is this your pencil?　　[○] [×]

2 Was they in the classroom?
　　　　　　　　　　　[○] [×]

3 Were the English test difficult?
　　　　　　　　　　　[○] [×]

4 Are you 14 years old?　[○] [×]

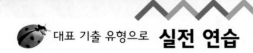

대표 기출 유형으로 **실전 연습**

1 다음 문장에서 not이 들어갈 위치로 알맞은 것은?

(①) Kevin (②) and (③) Julie (④) are (⑤) in the same class.

2 빈칸에 들어갈 말이 순서대로 바르게 짝지어진 것은?

- _____ Canada in North America?
- _____ they in Busan last weekend?

① Is – Are　　② Is – Was　　③ Are – Was
④ Is – Were　　⑤ Are – Are

자주 나와요!
3 밑줄 친 부분이 어법상 틀린 것은?

① My brother isn't tall.
② It's not my favorite movie.
③ They're not in the garden now.
④ I amn't a middle school student.
⑤ Lisa and I aren't on the soccer team.

틀리기 쉬워요!
4 다음 대화의 빈칸에 들어갈 말로 알맞은 것은?

A: Are you from France?
B: _____ I'm from Spain.

① Yes, I am.　　② Yes, you are.　　③ No, I'm not.
④ No, I wasn't.　　⑤ No, you aren't.

5 우리말과 일치하도록 빈칸에 알맞은 말을 쓰시오.

(1) Jenny는 지금 놀이공원에 있니?

> _____ _____ at the amusement park now?

(2) Tim의 부모님은 그때 그에게 화나지 않았었다.

> Tim's parents _____ _____ angry at him then.

개념 완성 **Quiz** *Choose or complete.*

1 be동사의 부정문은 주어 / be동사 뒤에 not을 쓴다.
> POINT 03

2 be동사는 주어 / 목적어 와 시제에 일치시켜서 쓴다.
> POINT 04

3 be동사의 부정문에서 「주어+be동사」 또는 「_____+_____」을(를) 줄여 쓸 수 있다.
> POINT 03

4 be동사 의문문의 주어가 you일 때는 you, they / I, we 로 대답한다.
> POINT 04

5 be동사의 의문문은 「Be동사+주어 / 주어+be동사 ~?」의 형태로 쓴다.
> POINT 03, 04

be동사와 인칭대명사 **13**

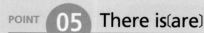

POINT 05 There is(are)

*There is a book on the desk. 책상 위에 책 한 권이 있다.
'~가 있다' 단수명사

* There는 '거기에'라고 해석하지 않아.

There is(are) ~.는 '~가 있다'라는 의미로, 뒤에 오는 명사가 주어이다. 따라서 be동사는 뒤에 오는 명사의 수에 따라 형태가 달라진다.

긍정문	There is(was) + 단수명사 / 셀 수 없는 명사 ~.	~가 있다 (있었다)	There is a boat in the lake. There is some sugar in the kitchen.
	There are(were) + 복수명사 ~.		There are many flowers in the garden.
부정문	There isn't(aren't) ~.	~가 없다	There isn't a bank near here.
의문문	Is(Are) there ~? – Yes, there is(are). – No, there isn't(aren't).	~가 있니?	Are there many cars on the street?

POINT 06 인칭대명사와 격

She is *my English teacher. 그녀는 나의 영어 선생님이다.
주격 소유격

* 뒤에 나오는 명사가 누구의 소유인지를 나타내.

인칭대명사는 사람이나 동물, 사물을 대신하여 가리키는 말로, 인칭과 수, 격에 따라 형태가 달라진다. 여기서 격은 대명사가 문장에서 하는 역할을 나타낸다.

인칭	수	주격	소유격	목적격	소유대명사
1인칭	단수	I	my	me	mine
	복수	we	our	us	ours
2인칭	단수	you	your	you	yours
	복수	you	your	you	yours
3인칭	단수	he	his	him	his
		she	her	her	hers
		it	its	it	–
	복수	they	their	them	theirs

ⓘ 인칭대명사의 격
 • 주격: '~은/는/이/가'라는 의미로 문장에서 주어 역할을 한다.
 • 소유격: '~의'라는 의미로 명사 앞에 쓰여 누구의 소유인지 나타낸다.
 • 목적격: '~을/를'이라는 의미로 동사나 전치사의 목적어 역할을 한다.
 • 소유대명사: '~의 것'이라는 의미로 「소유격+명사」의 역할을 한다.
ⓘ 고유명사의 소유격과 소유대명사는 뒤에 's를 붙인다.
 This is **Mike's pen.** (Mike의 펜) This pen is **Mike's.** (Mike의 것)

개념 QUICK CHECK

POINT 05

빈칸에 들어갈 알맞은 말에 √ 표시하시오.

1 There _____ a girl at the door.
 □ is □ are □ were

2 There _____ cats on the sofa.
 □ is □ was □ are

3 There _____ any pens in my bag.
 □ is □ aren't □ wasn't

4 _____ there an apple in the basket?
 □ Is □ Are □ Were

POINT 06

우리말과 일치하도록 알맞은 것을 골라 기호를 쓰시오.

| a. my | b. him | c. theirs |
| d. ours | e. her | f. them |

1 너는 나의 좋은 친구다.
 > You are _____ good friend.

2 배낭들은 그들의 것이다.
 > The backpacks are _____.

3 Kelly는 그녀의 방에 있었다.
 > Kelly was in _____ room.

4 나는 어제 그를 만나지 못했다.
 > I didn't meet _____ yesterday.

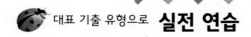 대표 기출 유형으로 **실전 연습**

1 빈칸에 be동사의 알맞은 형태를 쓰시오.

(1) There _____ a boy in the playground now.

(2) _____ there four members in your family?

2 빈칸에 알맞은 말을 〔보기〕에서 골라 문장을 완성하시오.

〔보기〕	mine	him	her

(1) Jack is my uncle. I like _____ very much.

(2) These shoes are not _____. They are Emma's.

(3) Ms. Wilson is a singer, and _____ brother is an actor.

자주 나와요!
3 빈칸에 들어갈 말로 알맞은 것을 **2개** 고르시오.

There is _____ on the street.

① trees   ② a bench   ③ people

④ many cars   ⑤ a snack shop

틀리기 쉬워요!
4 밑줄 친 부분이 어법상 틀린 것은?

① This teddy bear is <u>hers</u>.

② She is <u>our</u> English teacher.

③ These blue jeans are not <u>Jane's</u>.

④ <u>Your</u> soccer ball is under the desk.

⑤ I have a dog. <u>It's</u> color is black and white.

5 빈칸에 들어갈 말이 순서대로 바르게 짝지어진 것은?

There _____ comic books on the desk. I just read _____ all.

① are – it   ② are – them   ③ are – they

④ is – it   ⑤ is – them

개념 완성 Quiz *Choose or complete.*

1 There is〔are〕 구문은 주어인 _____ 의 수에 따라 be동사의 형태가 달라진다.
> POINT 05

2 소유대명사는 「소유격+명사 / 목적격 +명사」의 역할을 한다.
> POINT 06

3 There is 뒤에는 단수명사 / 복수명사 가 온다.
> POINT 05

4 2인칭 단·복수 인칭대명사의 소유격은 you / our / your 이다.
> POINT 06

5 3인칭 복수 인칭대명사의 목적격은 it / them / theirs 이다.
> POINT 05, 06

서술형 실전 연습

Step 1

개념 완성 **Quiz** *Choose or complete.*

1 be동사의 알맞은 형태를 빈칸에 써서 문장을 완성하시오.

> Last year, Tom and I _____ on the soccer team, but now we _____ on the baseball team.

1 be동사의 현재형
- 단수 주어+am, are, is
- 복수 주어+ is / are

> POINT 01, 02

2 우리말과 일치하도록 괄호 안의 말과 be동사를 사용하여 문장을 완성하시오.

(1) 그 여자는 소방관이 아니다. (a firefighter)

> The woman _____.

(2) 나는 2시간 전에 극장에 있었다. (at the theater)

> I _____ two hours ago.

2 be동사의 과거형
- 1, 3인칭 단수 주어+_____
- 2인칭 단수 주어, 복수 주어+were

> POINT 02, 03

자주 나와요!
3 빈칸에 알맞은 말을 써서 대화를 완성하시오.

> **A:** _____ your sneakers new?
> **B:** Yes, _____ _____. I love them.

3 be동사의 의문문의 형태:
주어+be동사 / Be동사+주어 ~?

> POINT 04

4 빈칸에 밑줄 친 부분을 대신하는 인칭대명사를 쓰시오.

(1) My sister lives in London. I miss _____ a lot.

(2) Look at this elephant. _____ nose is very long.

(3) Mr. and Ms. Jones are very nice. _____ help poor people.

4 3인칭 소유격 인칭대명사
he → _____
she → _____
it → _____

> POINT 06

5 어법상 틀린 문장을 골라 바르게 고쳐 문장을 다시 쓰시오.

> ⓐ Is Jane and Kate twin sisters?
> ⓑ There aren't many people on the train.
> ⓒ They were in the school band three years ago.

( ) > _____

5 be동사의 부정문의 형태:
주어+ be동사+not / not+be동사 ~.

> POINT 02, 04, 05

6 다음 메모를 보고, 지호가 Grace를 소개하는 말을 완성하시오.

Name: Grace
Hometown: Chicago
Favorite food: pizza

Jiho: This is Grace. _____ is from Chicago. _____
favorite food is pizza. I like _____ very much!

6 3인칭 단수(여성)의 소유격과 목적격
 · 소유격: her / his
 · 목적격: her / hers
 > POINT 06

7 그림을 보고, There is(are) 구문과 [보기]의 말을 사용하여 문장을 완성하시오.
(줄여 쓰지 말 것)

Yesterday   Now

[보기]   a jacket   a picture   two posters   three books

(1) Yesterday, _____ on the wall.
And _____ on the bed.

(2) Now, _____ on the wall. And
_____ on the bed.

7 There is(are) 구문
 · There is+_____명사, 셀 수 없
는 명사 ~.
 · There are+_____명사 ~.
 > POINT 05

고난도

8 우리말과 일치하도록 [조건]에 맞게 대화를 완성하시오.

Linda: (1) _____ last night?
(너와 Sam은 어젯밤에 콘서트장에 있었니?)

Steve: No, (2) _____. We were at the library.
(아니. 우리는 도서관에 있었어.)

[조건]   1. be동사를 사용할 것
         2. 대답은 줄임말을 사용할 것

8 be동사의 의문문과 대답
의문문의 주어가 2인칭 복수 you인
경우 → you / we / they 로 대답
 > POINT 02~04

실전 모의고사

시험일 :	월	일	문항 수 : 객관식 18 / 서술형 7
목표 시간 :			총점
걸린 시간 :			/ 100

01 빈칸에 들어갈 말로 알맞은 것은?　　　　　2점

> Amy and Tom _____ hungry now.

① am　　　　② is　　　　③ are
④ was　　　　⑤ were

02 빈칸에 들어갈 말로 알맞지 <u>않은</u> 것은?　　2점

> _____ was at the gym this morning.

① I　　　　② You　　　　③ She
④ Jason　　⑤ My sister

03 밑줄 친 부분을 줄여서 쓸 수 <u>없는</u> 것은?　　3점

① I <u>am not</u> happy now.
② <u>It is</u> my sister's hairband.
③ <u>We are</u> in the same class.
④ She <u>is not</u> my music teacher.
⑤ <u>They are</u> not from New Zealand.

04 밑줄 친 부분을 알맞은 인칭대명사로 바꾸지 <u>않은</u> 것은?　　4점

① I like <u>my friends</u>. (→ they)
② <u>This blue bag</u> is Eric's. (→ It)
③ These are not <u>our shoes</u>. (→ ours)
④ <u>My dad</u> is a police officer. (→ He)
⑤ <u>Jenny's mom</u> is kind to me. (→ Her)

[05-06] 질문에 대한 대답으로 알맞은 것을 고르시오.　각 2점

05
> A: Are you ready for the test?
> B: _____

① Yes, I was.　　　② Yes, I am.
③ Yes, you are.　　④ No, you aren't.
⑤ No, they aren't.

06
> A: Is there a post office around here?
> B: _____

① Yes, it is.　　　② Yes, there are.
③ No, it isn't.　　④ No, there isn't.
⑤ No, there weren't.

07 두 문장의 의미가 같도록 할 때 빈칸에 공통으로 들어갈 말로 알맞은 것은?　　3점

> This green pencil case isn't _____.
> = This isn't _____ green pencil case.

① our　　　　② her　　　　③ his
④ your　　　　⑤ theirs

08 다음 문장을 부정문으로 바르게 바꾼 것을 <u>2개</u> 고르시오.　　3점

> We are on the basketball team.

① We not on the basketball team.
② We aren't on the basketball team.
③ We are no on the basketball team.
④ We're not on the basketball team.
⑤ We not are on the basketball team.

09 다음 대화의 빈칸에 들어갈 말이 순서대로 바르게 짝지어진 것은? 3점

> A: Are these books yours?
> B: No, _____ aren't. They're not _____.

① you – them　　② they – me
③ they – mine　　④ you – mine
⑤ they – your

10 빈칸에 들어갈 be동사의 형태가 나머지와 <u>다른</u> 하나는? 4점

① I _____ angry at you now.
② We _____ busy last weekend.
③ My cats _____ very small then.
④ Kate and Ben _____ tired yesterday.
⑤ You _____ not at the party last night.

11 다음 중 대화가 자연스러운 것은? 3점

① A: Is your bike new?
　B: Yes, you are.
② A: Are your gloves warm?
　B: Yes, they are.
③ A: Am I late for the concert?
　B: No, I'm not.
④ A: Is Mr. Davis an actor?
　B: No, she isn't.
⑤ A: Are your children in the pool?
　B: Yes, we are.

12 다음 글의 빈칸 ⓐ~ⓔ에 들어갈 말이 바르게 연결된 것은? 4점

> My name _____ⓐ_____ Amy. I _____ⓑ_____ 14 years old. My favorite subjects _____ⓒ_____ English and math. My father _____ⓓ_____ a chef. My favorite color _____ⓔ_____ red.

① ⓐ – am　　② ⓑ – are　　③ ⓒ – is
④ ⓓ – is　　⑤ ⓔ – are

13 빈칸에 들어갈 질문으로 알맞은 것은? 4점

> A: _____
> B: Yes, it was.

① Was the movie interesting?
② Are you free this afternoon?
③ Is Steve in the second grade?
④ Were they at the beach yesterday?
⑤ Was she in the magic club last year?

14 다음 중 어법상 <u>틀린</u> 문장을 <u>모두</u> 고르시오. 4점

① Are there tigers in the zoo?
② There is four seasons in Korea.
③ Is there any water in the bottle?
④ There weren't many cars on the street.
⑤ There were a fire in the mountain last month.

15 밑줄 친 부분의 의미가 나머지와 다른 하나는?　4점

① The clock <u>is</u> on the wall.
② Jane <u>is</u> in her room now.
③ A lot of dogs <u>are</u> in the park.
④ *The Little Prince* <u>is</u> his favorite book.
⑤ Mike and I <u>are</u> at the baseball stadium.

16 밑줄 친 부분이 어법상 올바른 것은?　4점

① The N Tower is in Seoul. <u>We</u> is very tall.
② The glasses are not <u>me</u>. They are Brian's.
③ Ann and I are close. <u>She</u> are best friends.
④ Look at the butterfly. <u>Its</u> color is beautiful.
⑤ These are my parents. I love <u>their</u> so much.

통합 고난도

17 다음 중 어법상 올바른 문장의 개수는?　4점

> ⓐ Julia are not a student.
> ⓑ The dishes are not clean.
> ⓒ Was you at the party last night?
> ⓓ There aren't many people in the library yesterday.

① 0개　② 1개　③ 2개　④ 3개　⑤ 4개

18 다음 그림을 설명하는 문장으로 틀린 것은?　3점

① There are kites in the sky.
② There are four ducks on the lake.
③ There are cats behind the bench.
④ There are three birds on the trees.
⑤ There are two children on the grass.

서술형

19 우리말과 일치하도록 빈칸에 알맞은 말을 쓰시오.　각 2점

(1) 그들은 더 이상 학교에 지각하지 않는다.
> _____ _____ late for school anymore.

(2) 그의 옆에 자리가 있니?
> _____ _____ a seat next to him?

20 사진을 보고, 질문에 대한 대답을 완성하시오.　각 3점

(1) 　(2)

(1) A: Is Ms. Smith an animal doctor?
　B: _____, _____ _____.

(2) A: Are you from Canada?
　B: _____, _____ _____.
　I'm from the USA.

21 우리말과 일치하도록 빈칸에 알맞은 말을 써서 문장을 완성하시오.　각 2점

> Kate의 샌들은 흰색이고 내 것은 초록색이다. 나는 내 샌들이 그녀의 것보다 더 마음에 든다.

> Kate's sandals are white, and (1) _____ are green. I like (2) _____ sandals more than (3) _____.

22 두 문장의 의미가 같도록 [예시]와 같이 문장을 완성하시오. 각 3점

> [예시] Two birds are on the tree.
> > There are two birds on the tree.

(1) An orange _____ on the table now.

> _____ _____ an orange on the table now.

(2) Many children _____ at the festival last week.

> _____ _____ many children at the festival last week.

고난도

23 다음 글의 밑줄 친 ⓐ~ⓔ 중 어법상 틀린 것을 2개 찾아 바르게 고치시오. 각 3점

> This is a story about a boy. ⓐ His name is Andy. ⓑ He is a nice boy. Everyone loves ⓒ his so much. However, ⓓ he has a secret. No one knows about ⓔ them. He doesn't like ice cream!

(1) ( ) _____ → _____

(2) ( ) _____ → _____

24 주어진 문장을 괄호 안의 지시대로 [조건]에 맞게 쓰시오. 각 3점

> Anna and Elsa were at the playground an hour ago.

> [조건] 1. 주어는 대명사로 쓸 것
> 2. 부정문은 줄임말로 쓸 것

(1) _____
(부정문)

(2) _____
(의문문)

고난도

25 다음 표를 보고, [조건]에 맞게 글을 완성하시오. 각 2점

> [조건] 1. be동사는 현재형으로 쓸 것
> 2. 부정문은 줄임말로 쓸 것

	shy	tall	good singers
I	○	○	○
Sora	○	○	×
Tom	×	×	×

∨

> I (1) _____ shy, but Tom (2) _____ shy. Sora and I (3) _____ tall, but Tom isn't tall. Sora and Tom (4) _____ good singers.

약점 공략
틀린 문제가 있다면?

틀린 문항 번호가 있는 칸을 색칠하고, 어떤 문법 POINT의 집중 복습이 필요한지 파악해 보세요.

문항 번호	연관 문법 POINT	문항 번호	연관 문법 POINT	문항 번호	연관 문법 POINT
01	P1	10	P1~P3	19	P3, P5, P6
02	P2	11	P4	20	P4
03	P1, P3	12	P1	21	P6
04	P6	13	P2, P4	22	P1, P2, P5
05	P4	14	P5	23	P6
06	P4, P5	15	P1	24	P3, P4, P6
07	P3, P6	16	P6	25	P1, P3
08	P3	17	P1~P6		
09	P4, P6	18	P5		

연관 문법 POINT 참고

P1 (p.10) be동사의 현재형   P4 (p.12) be동사의 의문문
P2 (p.10) be동사의 과거형   P5 (p.14) There is(are)
P3 (p.12) be동사의 부정문   P6 (p.14) 인칭대명사와 격

Level Up Test

01 인칭대명사가 바르게 분류된 것은?

① they – those pictures, your shirts

② she – her brother, Mina, my aunt

③ we – the boy, my best friend and I

④ you – you and your sister, Fred and I

⑤ it – the notebooks, this big watermelon

02 주어진 질문에 알맞은 대답끼리 짝지어진 것은?

> **A:** Were you and your brother at the park this morning?
>
> **B:** _____

> ⓐ Yes, they are.　　ⓑ Yes, I am.
>
> ⓒ No, we weren't.　　ⓓ No, I wasn't.
>
> ⓔ Yes, we were.　　ⓕ No, they aren't.

① ⓐ, ⓓ　　② ⓑ, ⓒ　　③ ⓒ, ⓔ

④ ⓒ, ⓔ, ⓕ　　⑤ ⓓ, ⓔ, ⓕ

03 진호가 자신을 소개한 글을 다른 사람이 옮겨 쓴 문장 중 틀린 것은?

> My name is Jinho. I am in the 1st grade. My friend, Mina and I are in the same class. Mina is very friendly. Am I interested in dance? Of course. Mina and I are members of the dance club.

ⱽ

> ① His name is Jinho. ② He is in the 1st grade. ③ His friend, Mina and he are in the same class. Mina is very friendly. ④ Is he interested in dance? Of course. ⑤ She and I are members of the dance club.

04 다음 문장을 주어진 지시대로 바꿔 쓰시오.

> I am at the food court now. I am hungry.

(1) I를 Mom and I로 바꿀 것

> \> _____
>
> _____

(2) now를 yesterday로 바꿀 것

> \> _____
>
> _____

05 다음 표를 보고, Carol의 가족을 소개하는 글을 완성하시오.

	Age	Job
Dad	43	pilot
Mom	43	doctor
Carol	14	middle school student
sister	16	middle school student

> Hello. I'm Carol. (1) _____ four members in my family. My dad is a pilot and my mom is a doctor. My parents (2) _____ old. And I have a sister. My sister is 16 years old, and she (3) _____. She and I go to the same school.

CHAPTER

02

일반동사

일반동사(一般動詞)는 주어의 동작이나 상태를 나타내는 동사로 be동사와 조동사를 제외한 동사이다. 주어의 인칭과 수에 따라 형태가 달라진다.

Preview

시제	현재시제	She likes her yellow scarf.
	과거시제	He played the drums at the concert.
형태	긍정문	They eat spicy food a lot.
	부정문	Mike doesn't like shopping.
	의문문	Do you know the girl in the picture?

일반동사

POINT **01**   일반동사의 현재형

Mom *works* at a middle school.   엄마는 중학교에서 일하신다.

주어	동사 (현재형)	부사구

* 주어가 3인칭 단수이면 동사원형에 -(e)s를 붙여.

일반동사의 현재형은 현재의 사실이나 반복되는 습관 등을 나타낼 때 쓰며, 주어의 인칭과 수에 따라 형태가 변한다.

1인칭, 2인칭, 복수 주어 (I/You/We/They 등)	동사원형	I **jog** every Sunday. We **have** three dogs. They **speak** Korean well.
3인칭 단수 주어 (He/She/It/My dad/Kate 등)	동사원형+-(e)s	He **listens** to music a lot. Sue **goes** to school by bus. The English class **starts** at 4.

① 현재형과 주로 쓰이는 부사(구): usually, always, every day, every Sunday, on Sundays, once a week 등

① 일반동사 현재형의 쓰임
- 현재의 사실: Jamie **lives** in London.
- 반복되는 습관: I usually **go** to bed at 10.
- 일반적인 사실: The Earth **moves** around the sun.

POINT **02**   일반동사의 3인칭 단수 현재형 만들기

Eric *reads* books every day.   Eric은 매일 책을 읽는다.

주어	동사	목적어	부사구

* read는 -s를 붙여서 3인칭 단수 현재형을 만들어.

주어가 3인칭 단수일 때 일반동사의 현재형은 동사원형에 -(e)s를 붙여 만든다.

대부분의 동사	동사원형+-s	likes tells helps eats knows makes	Lily **loves** flowers. My family **eats** dinner at six. He **makes** cakes on Mondays.
-o, -s, -x, -ch, -sh로 끝나는 동사	동사원형+-es	goes does misses fixes finishes watches	Tim **does** yoga every day. My mother **fixes** my bike. She **watches** TV every night.
「자음+y」로 끝나는 동사	y를 i로 바꾸고 +-es	try → tries fly → flies study → studies	He always **tries** hard. The baby **cries** a lot. The kite **flies** high in the sky.
have	불규칙 변화	has	Grace **has** a beautiful smile.

① 「모음+y」로 끝나는 동사: 동사가 y로 끝나도 y 앞에 모음이 있으면 -s만 붙인다.
   buy → buy**s**   stay → stay**s**   play → play**s**

개념 QUICK CHECK

POINT **01**

빈칸에 들어갈 알맞은 말에 √ 표시하시오.

1 I _____ soccer after school.
   ☐ play   ☐ plays

2 She _____ vegetables a lot.
   ☐ eat   ☐ eats

3 Ms. Lee _____ computer science.
   ☐ teach   ☐ teaches

4 They _____ the piano every day.
   ☐ practice   ☐ practices

POINT **02**

밑줄 친 동사의 형태가 올바르면 ○에, 틀리면 ×에 √ 표시하시오.

1 The girl <u>crys</u> loudly.   [○] [×]

2 Paul <u>have</u> a nice car.   [○] [×]

3 My dad <u>drives</u> to work.   [○] [×]

4 Maria <u>misses</u> her old friends.   [○] [×]

대표 기출 유형으로 **실전 연습**

1 괄호 안의 말을 어법상 올바른 형태로 쓰시오.

(1) My dad usually _____ the dishes. (do)

(2) They _____ in the park every day. (run)

2 빈칸에 들어갈 말로 알맞지 <u>않은</u> 것은?

> Julie and I _____ together.

① eat lunch   ② listen to music

③ go to school   ④ exercises in the gym

⑤ study in the library

3 빈칸에 들어갈 말이 순서대로 바르게 짝지어진 것은? (자주 나와요!)

> • The bookstore _____ at 9.
>
> • My brother _____ his teeth after meals.

① closes – brush   ② closes – brushes   ③ closes – brushs

④ close – brush   ⑤ close – brushes

4 빈칸에 have를 쓸 수 <u>없는</u> 문장은? (틀리기 쉬워요!)

① I _____ three best friends.

② The boys _____ brown hair.

③ Mr. Jones _____ two daughters.

④ We _____ six classes on Mondays.

⑤ My sister and I _____ breakfast at 7:30.

5 밑줄 친 동사의 현재형이 바르지 <u>않은</u> 것은?

① Tom <u>swims</u> very fast.

② I <u>like</u> chocolate cookies.

③ My cats usually <u>sleep</u> in my bed.

④ He <u>studyes</u> history at college now.

⑤ Kate <u>goes</u> to the movies every weekend.

개념 완성 Quiz *Choose or complete.*

1 주어가 3인칭 단수인 경우 일반동사의 현재형은 동사원형에 -(e)s / -(e)d 를 붙인다.
> POINT 01, 02

2 주어가 3인칭 단수가 아닌 경우 일반동사의 현재형은 _____ 을(를) 쓴다.
> POINT 01

3 -o, -s, -x, -ch, -sh로 끝나는 동사의 3인칭 단수 현재형은 동사원형에 -s / -es 를 붙인다.
> POINT 02

4 동사 have는 주어가 3인칭 단수이고 현재시제일 때 _____ 로 불규칙 변화한다.
> POINT 02

5 「자음+y」로 끝나는 동사의 3인칭 단수 현재형은 y를 _____ 로 바꾸고 -es를 붙인다.
> POINT 01, 02

UNIT 일반동사의 과거형

POINT 03 일반동사의 과거형

I *watched a TV show last night.   나는 어젯밤에 TV 프로그램을 봤다.

동사 (과거형)   부사구   * 대부분의 일반동사 과거형은 동사원형 뒤에 -(e)d를 붙여.

일반동사의 과거형은 과거에 일어난 일이나 역사적 사실 등을 나타낼 때 쓰며, 주어의 인칭이나 수에 관계없이 형태가 같다.

| 현재형 | We | live | in Busan now. |
| 과거형 | | lived | in Busan two years ago. |

ⓘ 과거형과 주로 쓰이는 부사(구): yesterday, then, last week(year), ~ ago 등 [서술형 빈출]
ⓘ 일반동사 과거형의 쓰임
- 과거의 동작: I **dropped** my phone yesterday.
- 과거의 상태: She **stayed** at home last night.
- 역사적 사실: King Sejong **invented** Hangeul in 1443.

POINT 04 일반동사의 과거형 만들기

We *ate sandwiches for lunch.   우리는 점심으로 샌드위치를 먹었다.

동사 (과거형)   * eat은 불규칙 변화 동사로 과거형을 ate로 써.

일반동사의 과거형은 동사원형에 -e(d)를 붙인 규칙 변화와 형태가 불규칙하게 변하는 불규칙 변화가 있다.

규칙 변화	대부분의 동사	동사원형+-ed	wanted	learned	finished
	-e로 끝나는 동사	동사원형+-d	liked	loved	lived
	「자음+y」로 끝나는 동사	y를 i로 바꾸고 +-ed	studied worried	cried carried	tried fried
	「단모음+단자음」으로 끝나는 동사	마지막 자음을 한 번 더 쓰고 +-ed	stopped clapped	planned shopped	dropped occurred
불규칙 변화	형태가 같은 경우	put read hurt hit cut set ➕ read는 현재형과 과거형의 형태는 같지만 발음이 다르다. [riːd] (현재형) – [red] (과거형)			
	모음만 다른 경우	get → got run → ran come → came grow → grew write → wrote know → knew			
	형태가 완전히 다른 경우	do → did have → had go → went see → saw hear → heard find → found tell → told feel → felt fly → flew think → thought make → made teach → taught			

➕ 추가 자료

개념 QUICK CHECK

POINT 03

빈칸에 들어갈 알맞은 말에 √ 표시하시오.

1 He _____ his dog yesterday.
☐ walks   ☐ walked

2 Mina _____ a movie last Sunday.
☐ watches   ☐ watched

3 My cousin _____ in China now.
☐ lives   ☐ lived

4 They _____ to Paris three years ago.
☐ move   ☐ moved

POINT 04

괄호 안에서 알맞은 것을 고르시오.

1 I (put / putted) my bag on the chair.

2 Mr. Woods (teached / taught) English at a middle school.

3 Laura (planed / planned) a trip to Canada.

4 The blue bird (flew / flied) away.

대표 기출 유형으로 **실전 연습**

1 빈칸에 들어갈 말을 (보기)에서 골라 어법상 올바른 형태로 쓰시오.

(보기)	eat	watch	cut

(1) Jane _____ a movie last night.

(2) We _____ dinner together yesterday.

(3) My dad _____ the grass a few days ago.

2 동사와 과거형이 <u>잘못</u> 연결된 것은?

① come – came   ② like – liked

③ stop – stoped   ④ think – thought

⑤ play – played

자주 나와요!
3 빈칸에 들어갈 말로 알맞지 <u>않은</u> 것은?

I bought a bike _____.

① yesterday   ② last month

③ last Sunday   ④ every weekend

⑤ two days ago

4 밑줄 친 부분을 바르게 고친 것은?

Billy <u>carries</u> all the bags during the last trip.

① carry   ② carryes   ③ carryd

④ carried   ⑤ carryed

쉬워요! 틀리기
5 빈칸에 들어갈 말이 순서대로 바르게 짝지어진 것은?

• Edison _____ the light bulb in 1879.

• I _____ my student card a few minutes ago.

① invent – finds   ② invents – find

③ invents – found   ④ invented – finds

⑤ invented – found

개념 완성 **Quiz**   *Choose or complete.*

1 대부분의 일반동사의 과거형은 「동사원형+_____」 형태로 쓴다.
> POINT 03, 04

2 「단모음+단자음」으로 끝나는 일반동사의 과거형은 자음 / 모음 을 한 번 더 쓰고 -ed를 붙인다.
> POINT 04

3 일반동사의 과거형은 주로 과거를 나타내는 명사(구) / 부사(구) 와 함께 쓰인다.
> POINT 03

4 「자음+y」로 끝나는 일반동사의 과거형은 y를 한 번 더 쓰고 / i로 바꾸고 -ed를 붙인다.
> POINT 04

5 역사적 사실을 나타낼 때는 일반동사의 현재형 / 과거형 을 쓴다.
> POINT 03, 04

POINT 05 일반동사의 부정문

I *don't wear glasses. 나는 안경을 쓰지 않는다.

주어 don't+동사원형

* 일반동사의 부정문은 동사원형 앞에
don't/doesn't/didn't를 써.

(1) 현재시제

1인칭, 2인칭, 복수 주어	don't(do not) +동사원형	I **don't like** grape juice. We **don't go** to school on Saturdays.
3인칭 단수 주어	doesn't(does not) +동사원형	He **doesn't have** a pet. The dress **doesn't look** good on you.

(2) 과거시제

모든 주어	didn't(did not)+동사원형	Ann **didn't clean** her room last week.

POINT 06 일반동사의 의문문

*Do you have a pen? 너는 펜을 가지고 있니?

Do+주어+동사원형

* 일반동사의 의문문은 주어 앞에
Do/Does/Did를 써.

(1) 현재시제

1인칭, 2인칭, 복수 주어	Do+주어+동사원형 ~?	Do you **play** the guitar?
	Yes, 주어+do. / No, 주어+don't.	**Yes**, I **do**. / **No**, I **don't**.
3인칭 단수 주어	Does+주어+동사원형 ~?	Does he **like** French food?
	Yes, 주어+does. / No, 주어+doesn't.	**Yes**, he **does**. / **No**, he **doesn't**.

(2) 과거시제

모든 주어	Did+주어+동사원형 ~?	Did Sarah **know** the boy?
	Yes, 주어+did. / No, 주어+didn't.	**Yes**, she **did**. / **No**, she **didn't**.

① 의문문에 대한 대답은 의문문에 쓰인 주어를 알맞은 대명사로 바꾸고, 인칭이나 수, 시제에 맞게 do/does/did를 사용한다.

① 의문문과 대답에서 1, 2인칭 주어 변화 서술형 빈출
의문문의 주어가 1인칭 I, we일 때에는 2인칭 you로 대답하고, 주어가 2인칭 you일 때에는 1인칭 I, we로 대답한다.
A: Do **I** have time for lunch?   A: Do **you** know the song?
B: Yes, **you** do.   B: No, **I** don't.

POINT 05

우리말과 일치하도록 알맞은 것을 골라 기호를 쓰시오.

a. don't	b. doesn't	c. didn't

1 나는 그녀의 이름이 기억나지 않는다.
> I _____ remember her name.

2 그는 오늘 아침에 그 버스를 타지 않았다.
> He _____ take the bus this morning.

3 Chris는 중국 음식을 좋아하지 않는다.
> Chris _____ like Chinese food.

POINT 06

괄호 안에서 알맞은 말을 고르시오.

1 (Do / Does) he use his smartphone a lot?

2 (Do / Did) you go to Mike's birthday party yesterday?

3 Do you (want / wants) some ice cream?

4 Did Julian (draw / drew) the picture?

대표 기출 유형으로 **실전 연습**

1 우리말과 일치하도록 할 때 빈칸에 들어갈 말로 알맞은 것은?

> 우리는 어젯밤에 체육관에 가지 않았다.
>
> > We _____ go to the gym last night.

① do   ② don't   ③ didn't

④ does   ⑤ doesn't

2 다음 질문에 대한 대답으로 알맞은 것은?

> Did you visit your grandmother last Sunday?

① Yes, I do.   ② Yes, I did.   ③ Yes, you did.

④ No, I wasn't.   ⑤ No, you didn't.

자주 나와요!
3 다음 문장을 부정문으로 바르게 바꾼 것은?

> Sumin and Jina exercise every day.

① Sumin and Jina not exercise every day.

② Sumin and Jina don't exercise every day.

③ Sumin and Jina don't exercises every day.

④ Sumin and Jina didn't exercise every day.

⑤ Sumin and Jina doesn't exercise every day.

4 다음 대화의 빈칸에 공통으로 알맞은 말을 쓰시오.

> A: _____ Anna go hiking on weekends?
>
> B: Yes, she _____.

틀리기 쉬워요!
5 다음 대화의 빈칸에 들어갈 말이 순서대로 바르게 짝지어진 것은?

> A: Did you _____ to the park with Peter yesterday?
>
> B: No. I _____ there with him.

① go – went   ② went – go

③ go – didn't goes   ④ go – didn't go

⑤ went – didn't go

개념 완성 Quiz   *Choose or complete.*

1 일반동사의 부정문은 과거일 때 「_____+not+동사원형」의 형태로 쓴다.

> POINT 05

2 일반동사의 과거형이 쓰인 의문문에 대한 대답은 긍정이면 「Yes, 주어+_____.」, 부정이면 「No, 주어+_____.」로 한다.

> POINT 06

3 일반동사의 현재형이 쓰인 부정문은 동사원형 앞에 don't 또는 doesn't / didn't 를 쓴다.

> POINT 05

4 일반동사의 현재형이 쓰인 의문문은 주어 앞에 _____ 나 _____ 를 쓴다.

> POINT 06

5 일반동사의 과거형이 쓰인 의문문에서는 주어 다음에 일반동사의 원형 / 과거형 을 쓴다.

> POINT 05, 06

서술형 실전 연습

개념 완성 **Quiz** *Choose or complete.*

1 우리말과 일치하도록 괄호 안의 말을 사용하여 문장을 완성하시오. (필요시 단어를 추가하거나 형태를 바꿀 것)

(1) 나는 오이를 먹지 않는다. (eat)

> I _____ cucumbers.

(2) 내 여동생은 매운 음식을 아주 잘 먹는다. (eat, spicy food)

> My sister _____ very well.

1 일반동사의 현재형
• 주어가 3인칭 단수가 아닌 경우:
  동사원형 / 동사원형+-(e)s
• 주어가 3인칭 단수인 경우:
  동사원형 / 동사원형+-(e)s
> POINT 01, 05

2 괄호 안의 말을 어법상 올바른 형태로 바꿔 다음 글을 완성하시오.

> Jenny usually _____ (start) her days at 7. After breakfast, she _____ (do) exercises and _____ (go) to school.

2 일반동사의 3인칭 단수 현재형
• -o, -s, -x, -ch, -sh로 끝나는 동사:
  동사원형+-s / 동사원형+-es
> POINT 01, 02

3 자주 나와요! 주어진 문장을 바꿔 쓸 때 빈칸에 알맞은 말을 쓰시오.

> Amy and I go to the library and read books every weekend.

> Amy and I _____ to the library and _____ books last weekend.

3 일반동사의 과거형 불규칙 변화
• 동사원형과 형태가 같은 경우:
  go, do, see / put, cut, read
> POINT 04

4 빈칸에 알맞은 말을 써서 대화를 완성하시오.

> A: Mina, (1) _____ you like the *Harry Potter* books?
> B: Yes, I (2) _____. I really like them.
> A: (3) _____ Roald Dahl write them?
> B: No. J. K. Rowling (4) _____ them.

4 일반동사의 의문문과 대답의 주어 변화
• 의문문의 주어가 you / I, we 인 경우 → I, we로 대답
> POINT 04, 06

5 밑줄 친 ⓐ~ⓒ 중 어법상 **틀린** 것을 골라 바르게 고쳐 쓰시오.

> Grace always ⓐ fixes her bike, but Jimin ⓑ doesn't. Last week, Jimin ⓒ breaks his bike, so he took it to Grace.

( ) _____ > _____

5 일반동사의 현재형이 쓰인 부정문:
「주어+do/does+not+_____」
> POINT 02, 04, 05

Step **2**

6 괄호 안의 지시대로 문장을 바꿔 쓰시오.

(1) Naomi sends a letter to her parents. (과거시제)

> _____

(2) He takes the subway every morning. (의문문)

> _____

(3) Jason had a party on his birthday. (부정문)

> _____

6 일반동사의 현재형이 쓰인 의문문:
「Do/Does+ 주어+동사원형 / 동사원형+주어 ~?」

> POINT 03~06

7 밑줄 친 부분이 어법상 틀린 문장을 **2개** 골라 바르게 고쳐 문장을 다시 쓰시오.

ⓐ I heard the bad news last night.
ⓑ Did Tom studies hard for the math test?
ⓒ Does Julie take piano lessons twice a week?
ⓓ She leaves her notebook in her classroom yesterday.

(   ) > _____

(   ) > _____

7 일반동사 과거형의 불규칙 변화
• hear → _____
• take → _____
• leave → _____

> POINT 04, 06

고난도

8 [보기]의 단어를 어법에 맞게 사용하여 다음 글을 완성하시오. (필요시 중복 사용할 것)

| [보기] | run | take | miss | disappear |

   I lost my dog. Her name is Ruby. I (1) _____ a walk with her every Sunday morning. I (2) _____ a walk with her yesterday at Green Park. A big dog suddenly (3) _____ towards Ruby, and she just (4) _____ . I (5) _____ her so much now.

8 일반동사 과거형의 규칙 변화:
동사원형+-(e)s / 동사원형+-(e)d

> POINT 01, 03, 04

실전 모의고사

시험일 :	월	일	문항 수 : 객관식 18 / 서술형 7	
목표 시간 :			총점	
걸린 시간 :				/ 100

[01-02] 빈칸에 들어갈 말로 알맞은 것을 고르시오. 각 2점

01

_____ wakes up at 7 every morning.

① I ② He ③ They
④ My parents ⑤ Emily and I

02

Dave and I _____ a movie at the theater yesterday.

① watch ② watching ③ watches
④ watched ⑤ to watch

03 빈칸에 들어갈 do의 형태가 순서대로 바르게 짝지어진 것은? 3점

• _____ you sleep well last night?
• Ted _____ his homework every day.

① Did – do ② Do – do
③ Did – does ④ Do – does
⑤ Does – does

04 빈칸에 들어갈 말로 알맞지 <u>않은</u> 것은? 3점

Jake _____ last weekend.

① read a book ② went on a trip
③ wrote a story ④ heard the song
⑤ meets his friends

05 대화의 빈칸에 들어갈 말로 알맞은 것은? 3점

A: Does the TV show start at 6?
B: _____ It starts at 6:30.

① Yes, I do. ② Yes, it does.
③ No, it didn't. ④ No, it doesn't.
⑤ No, you don't.

06 빈칸에 들어갈 말이 순서대로 바르게 짝지어진 것은? 3점

Andrew _____ to bed late yesterday, so he _____ tired now.

① went – feel ② goes – felt
③ went – felt ④ goes – feels
⑤ went – feels

07 우리말을 영어로 바르게 옮긴 것은? 3점

Chris는 형제자매가 없다.

① Chris has not brothers or sisters.
② Chris don't has brothers or sisters.
③ Chris don't have brothers or sisters.
④ Chris doesn't has brothers or sisters.
⑤ Chris doesn't have brothers or sisters.

08 다음 문장을 의문문으로 바르게 바꾼 것은? 3점

> Kate and Mike live in New York.

① Are Kate and Mike live in New York?
② Do Kate and Mike live in New York?
③ Do Kate and Mike lives in New York?
④ Did Kate and Mike live in New York?
⑤ Does Kate and Mike live in New York?

09 빈칸에 didn't를 쓸 수 있는 문장은? 4점

① Mr. Davis _____ has a red car.
② Lisa _____ draw these pictures.
③ Ted and I _____ looked up the sky.
④ Joe _____ found his glasses under the sofa.
⑤ My parents _____ bought a new computer.

10 다음 대화의 밑줄 친 ①~⑤ 중 어법상 올바른 것은? 4점

A: ① Does Chris and Sally love sports?
B: Yes, they ② does.
A: ③ Does Chris like soccer?
B: No, he ④ don't. He ⑤ like basketball.

11 밑줄 친 동사의 과거형이 바르지 않은 것은? 4점

① The baby cried a lot last night.
② James kept his diary in a drawer.
③ Mark teached English two years ago.
④ Emily liked her new jeans very much.
⑤ I read the comic book a long time ago.

12 다음 중 어법상 올바른 문장은? 4점

① Bears sleeps in the winter.
② Jenny doesn't wear blue jeans.
③ My twin brother love chocolate.
④ Mary clean her room every weekend.
⑤ Does your father likes comedy shows?

13 다음 글의 밑줄 친 ①~⑤ 중 어법상 틀린 것은? 4점

> ① My English teacher, Ryan, is from Canada. ② He lives in an apartment. ③ He watches movies a lot. ④ He doesn't works on Sundays. ⑤ He rides a bike on weekends.

14 우리말을 영어로 옮길 때 네 번째로 오는 단어는? (줄임말을 쓰지 말 것) 4점

> Brandon은 수영 강습을 받지 않는다.
> > (take, not, a, does, swimming, Brandon, lesson)

① take   ② not   ③ does
④ a   ⑤ swimming

15 다음 중 어법상 틀린 문장은? 4점

① Does Jenny go to bed at 10?
② I droped the plate on the floor.
③ My brother has a lot of hobbies.
④ Kevin didn't study hard for the exam.
⑤ Jim and Ross played computer games last night.

고난도

16 어법상 올바른 것끼리 짝지어진 것은?　　5점

> ⓐ The sun rise in the east.
> ⓑ I walk my dog every evening.
> ⓒ They see the horror movie last night.
> ⓓ We don't have lunch at that food court.

① ⓐ, ⓑ 　② ⓐ, ⓓ 　③ ⓑ, ⓒ
④ ⓑ, ⓓ 　⑤ ⓒ, ⓓ

17 다음 대화의 빈칸 (A)~(C)에 들어갈 말이 순서대로 바르게 짝지어진 것은?　　4점

> **A:** ___(A)___ you ___(B)___ a good trip last week?
> **B:** No, I ___(C)___ . I missed my flight.

	(A)		(B)		(C)
①	Do	…	had	…	did
②	Do	…	have	…	didn't
③	Did	…	has	…	didn't
④	Did	…	have	…	didn't
⑤	Didn't	…	have	…	did

18 다음 글의 밑줄 친 ①~⑤ 중 어법상 틀린 것은?　　4점

> Jessica ① <u>gets</u> up at 6 a.m. Her father ② <u>make</u> breakfast for her every day. She ③ <u>goes</u> swimming after school. She ④ <u>listens</u> to music after dinner. She ⑤ <u>finishes</u> her homework before 10 p.m.

· · · · · · · · · · · · · · · **서술형** · · · · · · · · · · · · · · ·

19 빈칸에 알맞은 말을 써서 대화를 완성하시오.　　각 2점

(1) **A:** _____ you enjoy the musical yesterday?
　　B: No, _____ _____ . It was boring.

(2) **A:** _____ your sister wear glasses?
　　B: Yes, _____ _____ . She has bad eyes.

20 다음 문장에서 어법상 틀린 부분을 찾아 바르게 고쳐 쓰시오.　　3점

> The movie star arrives at the stadium two hours ago.

_____ > _____

21 밑줄 친 부분을 괄호 안의 단어로 바꿔 문장을 다시 쓰시오.　　각 3점

(1) <u>They</u> study fashion design at college. (He)
　　> _____

(2) Mom and I make cookies <u>on Saturdays</u>. (last Saturday)
　　> _____

22 우리말과 일치하도록 (조건)에 맞게 영어로 쓰시오. 4점

Tom과 Jenny는 어젯밤에 집에 늦게 돌아왔다.

(조건) 1. 괄호 안의 표현을 어법에 맞게 사용할 것
        2. 총 8단어의 완전한 문장으로 쓸 것

> _____
(late, come home, last night)

23 다음 문장을 주어진 지시대로 바꿔 쓰시오. 각 3점

Mike grows vegetables in his garden.

(1) 현재시제 부정문

_____

(2) 과거시제 의문문

_____

24 Nick의 지난주 일정표를 보고, 다음 문장을 완성하시오.
각 2점

Mon.	watch a soccer game
Wed.	do homework with Jake
Fri.	eat dinner with family
Sat.	play computer games

(1) Nick _____ a soccer game last Monday.
(2) Nick _____ his homework with Jake last Wednesday.
(3) Nick _____ dinner with his family last Friday.
(4) Nick _____ computer games last Saturday.

25 다음 글을 읽고, 물음에 답하시오. 각 3점

Charlie was sick, so 그는 오늘 학교에 가지 않았다. Charlie had a terrible cold. He had a high fever and a sore throat. His mother made chicken soup for him. He feels better now.

(1) 밑줄 친 우리말을 괄호 안의 말을 사용하여 영어로 쓰시오.

> _____
(go to school)

(2) 다음 질문에 괄호 안의 말을 사용하여 두 문장으로 답하시오.

Q: Did Charlie have a runny nose?

A: _____
(a high fever, a sore throat)

약점 공략
틀린 문제가 있다면?

틀린 문항 번호가 있는 칸을 색칠하고, 어떤 문법 POINT의 집중 복습이 필요한지 파악해 보세요.

문항 번호	연관 문법 POINT	문항 번호	연관 문법 POINT	문항 번호	연관 문법 POINT
01	P1	10	P1, P6	19	P6
02	P3	11	P3, P4	20	P3, P4
03	P1, P2, P6	12	P1, P2, P5, P6	21	P2, P4
04	P3, P4	13	P2, P5	22	P3, P4
05	P6	14	P5	23	P5, P6
06	P1~P4	15	P1~P6	24	P4
07	P5	16	P1, P4, P5	25	P3~P6
08	P6	17	P6		
09	P3, P5	18	P1, P2		

연관 문법 POINT 참고

P1 (p.24) 일반동사의 현재형
P2 (p.24) 일반동사의 3인칭 단수 현재형 만들기
P3 (p.26) 일반동사의 과거형
P4 (p.26) 일반동사의 과거형 만들기
P5 (p.28) 일반동사의 부정문
P6 (p.28) 일반동사의 의문문

내신만점 Level Up Test

01 두 문장의 빈칸에 공통으로 들어갈 수 있는 것끼리 짝지어진 것은?

- Did your sister _____ a sandwich?
- Andy and I didn't _____ drinks for the guests.

ⓐ buys ⓑ order
ⓒ had ⓓ likes
ⓔ prepare ⓕ make

① ⓐ, ⓒ ② ⓑ, ⓓ ③ ⓑ, ⓒ, ⓕ
④ ⓑ, ⓔ, ⓕ ⑤ ⓒ, ⓓ, ⓔ

02 빈칸에 들어갈 말로 알맞지 <u>않은</u> 것을 <u>모두</u> 고르시오.

Sally _____ two years ago.

① learned Chinese
② doesn't study hard
③ lived near my house
④ didn't like Mexican food
⑤ enjoys many kinds of sports

03 다음 중 어법상 올바른 문장의 개수는?

ⓐ I take this picture last Saturday.
ⓑ My sister doesn't like fried chicken.
ⓒ Ann weared glasses several months ago.
ⓓ Does the movie director speak Spanish?
ⓔ We didn't went to the museum together.

① 1개 ② 2개 ③ 3개
④ 4개 ⑤ 5개

04 주어 I를 Tony로 바꿔 밑줄 친 부분을 다시 쓰시오.

I am from Sydney, Australia. I live in Seoul now. (1) <u>I go to Green Middle School.</u> (2) <u>I have a sister, but I don't have any brothers.</u> I like sports. My favorite sport is basketball. (3) <u>I play basketball with my friends every weekend.</u>

> Tony is from Sydney, Australia. He lives in Seoul now. (1) _____
_____ (2) _____
_____
He likes sports. His favorite sport is basketball. (3) _____
_____

05 Katy의 일정표를 보고, 글을 완성하시오.

Mon.	read a recipe book
Tue.	buy some flour and eggs
Wed. (today)	take a baking class

Katy (1) _____
every Wednesday. For today's class, (2) ____
_____
yesterday. (3) _____
two days ago. Katy made chocolate cookies today. She really likes the class!

CHAPTER

03

명사와 관사

명사(名詞)는 사람이나 동물, 사물의 이름을 나타내는 말로 셀 수 있는 명사와 셀 수 없는 명사로 나뉜다.
관사(冠詞)는 명사 앞에 사용하며 명사의 수나 성격을 나타낸다.

Preview

명사	셀 수 있는 명사	I have a dog and two cats.
	셀 수 없는 명사	I want a glass of water.
관사	부정관사 a(an)	I have a sandwich and an apple for breakfast.
	정관사 the	Can you open the window on your left?
	관사 생략	I played basketball with my friends yesterday.

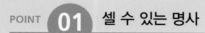

POINT 01 셀 수 있는 명사

I have two *tickets for the concert. 나는 두 장의 콘서트 표가 있다.

셀 수 있는 명사   *ticket은 셀 수 있는 명사로 복수로 나타낼 때 –s를 붙여.

구체적인 수를 나타낼 수 있는 명사로, 하나일 때는 명사 앞에 a(an)을 붙이고 둘 이상일 때는 복수형으로 쓴다. 명사의 복수형에는 규칙 변화와 불규칙 변화가 있다.

대부분의 명사	명사+-s	girls	boys	dogs	houses
-o, -s, -ss, -x, -ch, -sh로 끝나는 명사	명사+-es	buses tomatoes	classes watches	foxes dishes	boxes brushes
	⊕ 예외: photo → photos piano → pianos video → videos				
「자음+y」로 끝나는 명사	y를 i로 바꾸고 +-es	city → cities story → stories		baby → babies hobby → hobbies	
-f, -fe로 끝나는 명사	-f, -fe를 v로 바꾸고+-es	leaf → leaves shelf → shelves		thief → thieves knife → knives	
불규칙 변화	man → men foot → feet	child → children woman → women		tooth → teeth mouse → mice	
형태가 같은 것	sheep → sheep	fish → fish		deer → deer	

① 항상 복수로 쓰이는 명사: pants, jeans, glasses, scissors와 같이 둘이 항상 짝을 이루는 명사는 복수로 쓰고, a pair of를 사용하여 수량을 표현한다. ◁ 추가 자료 ▷
I need scissors.   He bought a pair of pants at the store.

POINT 02 셀 수 없는 명사

I ate two slices of *cheese. 나는 치즈 두 장을 먹었다.

단위   셀 수 없는 명사   *cheese는 수량을 나타낼 때 단위를 함께 써.

수를 셀 수 없는 명사로, a(an)을 붙일 수 없고 항상 단수형으로 쓴다. ◁ 추가 자료 ▷

물질명사	일정한 모양이 없는 물질	water	sugar	money	paper
추상명사	추상적 의미	love	hope	beauty	friendship
고유명사	사람의 이름, 지명, 월, 요일 등 고유한 것	Grace	Seoul	October	Monday
	⊕ 고유명사의 첫 철자는 항상 대문자이다.				

셀 수 없는 명사는 담는 용기나 형태 등의 단위를 사용하여 수량을 나타낸다. 서술형 빈출

a cup of	한 컵의	tea, coffee	a piece of	한 장(조각)의	paper, cake
a glass of	한 잔의	water, milk, juice	a slice of	한 조각의	pizza, cheese
a bottle of	한 병의	oil, wine, water	a bowl of	한 그릇의	rice, soup

개념 QUICK CHECK

POINT 01

빈칸에 들어갈 알맞은 말에 √ 표시하시오.

1 I have three _____.
   ☐ dog   ☐ dogs

2 My sister got some _____ from her friends.
   ☐ candys   ☐ candies

3 The _____ stole a diamond ring.
   ☐ thiefs   ☐ thieves

4 Many _____ are in the field.
   ☐ sheep   ☐ sheeps

POINT 02

빈칸에 알맞은 표현을 골라 기호를 쓰시오.

a. a cup of	b. a bottle of
c. a bowl of	d. a slice of

1 I want _____ potato pizza.

2 He ordered _____ tea at the café.

3 Michelle ate _____ soup this morning.

4 I put _____ oil on the table.

대표 기출 유형으로 **실전 연습**

1 명사의 단수형과 복수형이 바르게 짝지어지지 <u>않은</u> 것은?

① story – stories   ② knife – knifes   ③ bench – benches

④ photo – photos   ⑤ class – classes

2 셀 수 없는 명사와 세는 단위가 바르게 연결되지 <u>않은</u> 것은?

① a piece of – paper, cake   ② a bottle of – oil, water

③ a glass of – juice, milk   ④ a slice of – pizza, cheese

⑤ a bowl of – soup, bread

자주
나와요!
3 빈칸에 들어갈 말이 순서대로 바르게 짝지어진 것은?

> Three _____ moved all the heavy _____.

① man – box   ② man – boxs   ③ men – boxes

④ mens – boxies   ⑤ mans – boxies

4 빈칸에 들어갈 말로 알맞지 <u>않은</u> 것은?

> She bought ten _____ for the birthday party.

① juices   ② spoons   ③ balloons

④ dishes   ⑤ baskets

틀리기 쉬워요!
5 밑줄 친 명사의 형태가 어법상 <u>틀린</u> 것은?

① We saw four <u>deer</u> in the forest.

② I brush my <u>teeth</u> three times a day.

③ The students helped the old <u>ladies</u>.

④ Kelly and James are from <u>a Canada</u>.

⑤ There are many <u>children</u> in the swimming pool.

개념 완성 **Quiz**   *Choose or complete.*

1 「자음+y」로 끝나는 명사의 복수형은 y 를 _____로 바꾸고 -es를 붙여 만든다.

> POINT 01

2 셀 수 없는 명사의 수량은 _____ 을(를) 나타내는 말을 사용하여 표현한다.

> POINT 02

3 -x로 끝나는 명사의 복수형은 명사에 _____ 을(를) 붙여 만든다.

> POINT 01

4 셀 수 없는 명사는 a(an)을 쓸 수 없고 항상 │단수형 / 복수형│으로 쓴다.

> POINT 01, 02

5 │deer, sheep / child, tooth│은(는) 단수와 복수의 형태가 같은 명사이다.

> POINT 01, 02

POINT 03 관사 a(an), the

She is *a singer.
관사 셀 수 있는 명사

그녀는 가수이다.

* 부정관사 a(an)은 불특정한 하나를 나타낼 때 써.

부정관사 a(an)은 셀 수 있는 명사의 단수형 앞에 쓴다. 정관사 the는 특정하거나 명확한 대상 앞에 쓴다.

	하나(개수)	Bob has **a** smartphone.
a(an)	불특정한 하나	My aunt is **a** flight attendant.
	~마다	I visit the museum once **a** month.

➕ a는 첫 발음이 자음인 명사 앞에, an은 첫 발음이 모음인 명사 앞에 쓴다.
- a를 쓰는 명사: a sister, a pencil, a uniform
- an을 쓰는 명사: an egg, an apple, an hour

	앞에 나온 명사를 반복할 때	I have a ring. **The** ring is expensive.
	정황상 가리키는 것이 분명할 때	Can you pass me **the** salt?
the	수식어가 명사를 뒤에서 꾸며줄 때	I like **the** cap on your right.
	유일한 것 앞	**The** moon moves around **the** Earth.
	악기 이름 앞	Sarah plays **the** flute very well.

POINT 04 관사의 생략

I don't eat *breakfast.
명사

나는 아침 식사를 하지 않는다.

* 식사를 나타내는 명사 앞에서는 관사를 생략해.

관사는 그 쓰임에 따라 생략되는 경우가 있다.

식사, 과목, 운동 경기를 나타내는 명사 앞	I usually have **lunch** at noon. My favorite subject is **English**. Mike loves to play **soccer** after school.
장소가 원래 목적으로 쓰일 때	I go to **school** on time. [등교하는 목적] *cf.* Mom went to **the school**. [등교 외 다른 목적] ➕ 자주 쓰는 표현으로 go to bed(잠자리에 들다), after school(방과 후에) 등이 있다. 서술형 빈출
교통수단 앞	I go to work **by subway**. She went to New York **by plane**.

개념 QUICK CHECK

POINT 03

괄호 안에서 알맞은 관사를 고르시오.

1 I saw (a / an) elephant at the zoo.

2 Tony calls his father once (a / the) week.

3 (A / The) bag with a ribbon is pretty.

4 Julia played (a / the) piano at the concert.

POINT 04

밑줄 친 부분이 어법상 올바르면 ○, 틀리면 ×에 √ 표시하시오.

1 I like the math and science.
[○] [×]

2 We go to school by bus.
[○] [×]

3 Sam plays baseball on Saturdays.
[○] [×]

4 Jessica went to bed early last night. [○] [×]

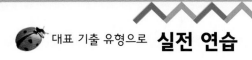

대표 기출 유형으로 **실전 연습**

1 우리말과 일치하도록 할 때 빈칸에 들어갈 말로 알맞은 것은?

> 나는 이모가 한 분 있는데 그분의 이름은 Susan이다.
>
> > I have _____ aunt and her name is Susan.

① a   ② an   ③ the

④ two   ⑤ 필요 없음

2 빈칸에 공통으로 들어갈 말을 쓰시오.

> • _____ flowers in the vase are roses.
> • She bought a jacket. _____ jacket is very nice.

틀리기 쉬워요!

3 빈칸에 the를 쓸 수 있는 문장은?

① Please open _____ door behind you.

② There is _____ tall tower on the hill.

③ Dr. Lee's hometown is _____ small city.

④ Tracy has _____ sister and two brothers.

⑤ My sister and I clean our rooms twice _____ week.

4 다음 문장에서 어법상 틀린 부분을 찾아 바르게 고쳐 쓰시오.

> Eric is a student. He goes to the school at 8 every morning.

_____ > _____

자주 나와요!

5 밑줄 친 부분이 어법상 틀린 것은?

① We went to Jeju-do by ship.

② My dad played guitar at the concert.

③ Jessica and I ate Italian food for lunch.

④ Peter's favorite subject is social studies.

⑤ Chris played soccer yesterday afternoon.

개념 완성 Quiz   *Choose or complete.*

1 부정관사 a(an)은 셀 수 있는 명사의 단수형 / 복수형 앞에 쓴다.
> POINT 03

2 수식어구가 명사를 뒤에서 꾸며 줄 때는 명사 앞에 관사 a(an) / the 을(를) 쓴다.
> POINT 03

3 기간을 나타내는 말 앞에 a(an) / the 을(를) 쓰면 '~마다'라는 의미를 나타낸다.
> POINT 03

4 장소가 원래 목적으로 쓰일 때는 _____을(를) 생략한다.
> POINT 04

5 식사 / 과목 / 악기 앞에는 관사 the 를 쓴다.
> POINT 03, 04

서술형 실전 연습

Step 1

개념 완성 **Quiz** *Choose or complete.*

1 우리말과 일치하도록 괄호 안의 말을 사용하여 문장을 완성하시오.

(1) 네 강아지들은 매우 귀엽다. (puppy)

> Your _____ are very cute.

(2) 호수 옆에 네 마리의 양이 있다. (sheep)

> There are _____ _____ next to the lake.

1 셀 수 있는 명사의 복수형
· 단수형과 복수형이 같은 명사: baby, puppy / sheep, deer
> POINT 01

2 그림을 보고, 쇼핑 목록을 완성하시오.

My Shopping List
☑ a piece of cake
☑ _____
☑ _____
☑ _____

2 셀 수 없는 명사의 수량 단위
· a _____ of: 한 잔의
· a _____ of: 한 병의
> POINT 01, 02

자주 나와요!

3 다음 문장에서 밑줄 친 부분을 바르게 고쳐 쓰시오.

(1) Don't put sugars in my food. → _____

(2) He played the tennis last weekend. → _____

(3) My sister wants two slice of pizzas. → _____

3 관사를 생략하는 경우: 악기, 유일한 것 앞 / 과목, 운동 경기 앞
> POINT 02, 04

4 빈칸에 a, an, the를 한 번씩만 써서 글을 완성하시오.

I go on a school trip twice _____ year. Last time, we went to _____ amusement park. I got a red balloon there. I liked _____ balloon very much.

4 관사 a와 an의 활용
· a / an +첫 발음이 자음인 명사
· a / an +첫 발음이 모음인 명사
> POINT 03

5 괄호 안의 지시대로 문장을 바꿔 쓰시오.

(1) I saw a child at the playground. (a를 three로)

> I saw _____.

(2) Kelly had a hamburger for lunch. (hamburger를 soup으로)

> Kelly had _____.

5 불규칙 변화하는 명사의 복수형
· man → _____
· tooth → _____
· child → _____
> POINT 01, 02

6 다음은 미나와 유진이의 가방 안에 있는 물건의 개수를 조사한 표이다. 표를 보고 빈칸에 알맞은 말을 쓰시오.

	pen	photo	toothbrush	book
Mina	4	2	0	3
Yujin	4	0	2	3

(1) Mina has four _____, two _____ and three _____. But she doesn't have a _____ in her backpack.

(2) Yujin has four _____, two _____ and three _____. But she doesn't have a _____ in her backpack.

6 셀 수 있는 명사의 복수형:
-o, -s, -ss, -x, -ch, -sh로 끝나는 명사+ -s / -es
> POINT 01

7 다음 대화의 빈칸에 들어갈 말을 〈조건〉에 맞게 쓰시오.

A: Hi, Clara. I like your jeans. Where did you get them?
B: Thanks. I bought them at Star Mall yesterday.
A: I really like (1) _____ jeans. I want to buy
(2) _____ for me and my sister.
B: They are on sale now.

〔조건〕 1. (1)에는 알맞은 관사를 쓸 것
2. (2)에는 '청바지 두 벌'을 뜻하는 말을 쓸 것

7 항상 복수로 쓰이는 명사
• shoes, shirts / pants, glasses
등 둘이 항상 짝을 이루는 명사
• 수량 표현: 「a _____ of+명사」
> POINT 01, 03

고난도
8 다음 글의 밑줄 친 ⓐ~ⓔ 중 어법상 틀린 것을 2개 찾아 바르게 고쳐 쓰시오.

My family often goes on a picnic to the park. My dad makes ⓐ three egg sandwichs and ⓑ a chicken burger for lunch. We also have ⓒ a bottle of juice. My parents like ⓓ coffee very much. So, they buy ⓔ two coffee on the way to the park.

(1) ( ) _____ > _____
(2) ( ) _____ > _____

8 셀 수 없는 명사의 수량 단위
• a cup / slice of+tea, coffee
• a piece / bottle of+water,
milk, juice
> POINT 01, 02

실전 모의고사

시험일 :	월	일	문항 수 : 객관식 18 / 서술형 7
목표 시간 :			총점
걸린 시간 :			/ 100

[01-02] 빈칸에 들어갈 말로 알맞은 것을 고르시오. 각 2점

01

Mike read _____ interesting book.

① a   ② an   ③ many
④ two   ⑤ a lot of

02

Can you give me _____ water?

① a glasses of   ② a piece of
③ two cup of   ④ a bottle of
⑤ three slices of

03 빈칸에 들어갈 leaf의 형태로 알맞은 것은?   3점

The _____ of the trees turn red in fall.

① leaf   ② leafs
③ leafes   ④ leaves
⑤ leafies

04 밑줄 친 단어의 형태가 **틀린** 것은?   3점

① Which <u>buses</u> do you take?
② I want to visit famous big <u>citys</u>.
③ She took some <u>photos</u> of the boy.
④ Dad and I have the same <u>hobbies</u>.
⑤ The <u>boxes</u> on the desk look heavy.

[05-06] 빈칸에 들어갈 말로 알맞지 **않은** 것을 고르시오. 각 2점

05

I bought an _____ at the market.

① egg   ② onion
③ apple   ④ pineapple
⑤ orange

06

Kate put _____ in a big bowl.

① flours   ② cheese
③ carrots   ④ strawberries
⑤ potatoes

07 빈칸에 들어갈 말이 순서대로 바르게 짝지어진 것은? 4점

• There are five _____ in the park.
• Some _____ are eating on the hill.

① rabbit – sheep   ② rabbit – sheeps
③ rabbits – sheep   ④ rabbits – sheeps
⑤ rabbites – sheeps

08 다음 중 어법상 올바른 문장은?   4점

① Can I have two slice of pizza?
② How much is a bottle of juices?
③ Please give me a piece of paper.
④ The guests want two cups of coffees.
⑤ Mom made me an bowl of chicken soup.

09 우리말을 영어로 바르게 옮긴 것은?　3점

> 지호는 오전 8시에 아침 식사를 한다.

① Jiho has breakfast at 8 a.m.
② Jiho has breakfasts at 8 a.m.
③ Jiho has a breakfast at 8 a.m.
④ Jiho has an breakfast at 8 a.m.
⑤ Jiho has the breakfast at 8 a.m.

10 빈칸에 관사 a나 an을 쓸 때, 나머지와 <u>다른</u> 하나는?　4점

① Her cousin is _____ artist.
② Jake is _____ famous actor.
③ They arrived _____ hour late.
④ My dad is _____ English teacher.
⑤ How long does _____ elephant live?

11 밑줄 친 부분의 쓰임이 어법상 <u>틀린</u> 것은?　4점

① <u>The</u> girl next to me is Susan.
② He is good at playing <u>the</u> flute.
③ <u>The</u> sun always rises in the east.
④ Seoul is the capital of <u>the</u> Korea.
⑤ Joe has a cat. <u>The</u> cat has blue eyes.

12 빈칸에 공통으로 들어갈 말로 알맞은 것은?　3점

> • My favorite subject is _____ math.
> • Andy plays _____ badminton on Saturdays.
> • We traveled across Europe by _____ train.

① a　　② an　　③ the
④ this　　⑤ 관사 없음

13 다음 대화의 빈칸에 공통으로 들어갈 말로 알맞은 것은?　3점

> **A:** I'm hungry now.
> **B:** I have three _____ of cake. Do you want some?
> **A:** Sure! Give me two _____, please.

① bowls　　② pieces　　③ cups
④ bottles　　⑤ glasses

[14-15] 다음 중 어법상 <u>틀린</u> 문장을 고르시오.　각 4점

14 ① Children ride bikes in the park.
② There are many kinds of pianos.
③ My grandmother grows tomatoes.
④ I need three chairs for the meeting.
⑤ Do you brush your tooths after meals?

15 ① Did you open the door?
② We don't go there by bus.
③ I visit her house twice month.
④ There are a lot of stars in the sky.
⑤ I finished my homework before dinner.

<신유형>
16 다음 대화의 빈칸 ⓐ~ⓔ에 들어갈 말이 바르게 연결된 것은?　5점

> **A:** There are many _____ⓐ at the zoo!
> **B:** Look at those _____ⓑ. They are drinking _____ⓒ.
> **A:** Wow! Let's take _____ⓓ of them.
> **B:** Please hurry up! I'm hungry now.
> **A:** Okay. Let's have _____ⓔ first.

① ⓐ – person　　② ⓑ – deers
③ ⓒ – waters　　④ ⓓ – pictures
⑤ ⓔ – the lunch

17 다음 글의 밑줄 친 ①~⑤ 중 어법상 **틀린** 것을 바르게 고친 것은? 5점

> I went to ① <u>a</u> piano concert with my ② <u>family</u>. My friend Sumi played ③ <u>the</u> piano at ④ <u>a</u> concert. She played very well. I was so proud of ⑤ <u>her</u>.

① a → an
② family → families
③ the → a
④ a → the
⑤ her → she

18 다음 중 어법상 올바른 것끼리 짝지어진 것은? 5점

> ⓐ The rings show their loves.
> ⓑ Some monkeys are eating banana.
> ⓒ Jenny is an honest and kind student.
> ⓓ My sister usually goes to bed at 10.
> ⓔ Ladies and gentlemans, listen carefully.

① ⓐ, ⓒ
② ⓑ, ⓒ
③ ⓑ, ⓓ
④ ⓒ, ⓓ
⑤ ⓒ, ⓔ

•••••••••••••••••••• 서술형 ••••••••••••••••••••

19 우리말과 일치하도록 괄호 안의 말을 사용하여 문장을 완성하시오. (필요시 단어를 추가할 것) 4점

> 지구는 태양의 주위를 돈다.
> (sun, Earth, go around)

> _____

20 빈칸에 알맞은 말을 [보기]에서 골라 문장을 완성하시오. (필요시 형태를 바꿀 것) 각 2점

> [보기] sheet   slice   cup   bowl

(1) I ate a sandwich with a _____ of tea.

(2) Mom prepared two _____ of soup for dinner.

(3) He wants three _____ of cheese on his bread.

21 그림을 보고, 질문에 대한 답을 완성하시오. 각 3점

(1)   (2)

(1) **Q**: What are flying in the garden?
   A: _____ are flying in the garden.

(2) **Q**: What is she looking at?
   A: She is looking at _____.

22 다음 [예시]와 같이 빈칸에 알맞은 말을 쓰시오. 각 2점

> [예시] Ms. Lee has one child, and Ms. Davis has three children.

(1) Jack has one fish, and Emily has five _____.

(2) There are many _____ in the zoo. The baby fox is cute.

(3) The cat catches a mouse. It caught two _____ yesterday.

23 다음은 Rio의 저녁 일과표이다. 빈칸에 알맞은 말을 써서 글을 완성하시오.　　　　　　　　각 2점

Time	Activity
6:00 p.m.	dinner
8:00 p.m.	homework
10:00 p.m.	TV
11:00 p.m.	sleep

　　Rio eats (1) _____ at 6 p.m. Then, he starts doing his (2) _____ at 8:00. After finishing his homework, he watches TV for (3) _____ hour. He usually goes to bed at 11:00.

고난도

24 다음 글의 빈칸에 알맞은 관사를 쓰시오. (필요하지 않으면 × 표시할 것)　　　　　　　　각 1점

　　This morning, I had (1) _____ glass of orange juice and two doughnuts for (2) _____ breakfast. (3) _____ juice was fresh and tasty. At school, I played (4) _____ guitar with my classmates in music class. After school, I played (5) _____ tennis with Sam.

25 다음 대화의 밑줄 친 우리말과 일치하도록 (조건)에 맞게 문장을 완성하시오.　　　　　　　　5점

> (조건)　1. 7단어로 쓸 것
> 　　　　2. oil과 orange를 사용할 것

A: Mike, I need your help.
B: OK, Mom. What is it?
A: <u>기름 한 병과 오렌지 한 개를 사다 줄 수 있니?</u>
B: Sure.
A: Thank you so much.

> Can you buy me _____
> _____?

약점 공략
틀린 문제가 있다면?

틀린 문항 번호가 있는 칸을 색칠하고, 어떤 문법 POINT의 집중 복습이 필요한지 파악해 보세요.

문항 번호	연관 문법 POINT	문항 번호	연관 문법 POINT	문항 번호	연관 문법 POINT
01	P3	**10**	P3	**19**	P3
02	P2	**11**	P3, P4	**20**	P2
03	P1	**12**	P4	**21**	P1
04	P1	**13**	P2	**22**	P1
05	P3	**14**	P1	**23**	P3, P4
06	P1, P2	**15**	P1, P3, P4	**24**	P2~P4
07	P1	**16**	P1, P2, P4	**25**	P2, P3
08	P2, P3	**17**	P1, P3		
09	P4	**18**	P1~P4		

연관 문법 POINT 참고

P1 (p.38) 셀 수 있는 명사　　　　P3 (p.40) 관사 a(an), the
P2 (p.38) 셀 수 없는 명사　　　　P4 (p.40) 관사의 생략

Level Up Test

01 밑줄 친 부분의 쓰임이 (보기)와 같은 것의 개수는?

> (보기) Tina visits her aunt once a month.

> ⓐ Mr. Green is an astronaut.
> ⓑ Do you exercise twice a week?
> ⓒ Jenny ordered a cheeseburger.
> ⓓ He travels abroad several times a year.

① 없음 ② 1개 ③ 2개
④ 3개 ⑤ 4개

02 빈칸 ①~⑤ 중 관사를 생략할 수 없는 것을 모두 고르시오.

> **A:** Do you have _____①_____ breakfast every day?
> **B:** Sure. I had _____②_____ sandwich this morning.
> **A:** Do you go to school by _____③_____ subway?
> **B:** No, I don't. I walk to school.
> **A:** What do you usually do after _____④_____ school?
> **B:** I usually practice _____⑤_____ piano.

03 밑줄 친 부분을 어법상 바르게 고쳐 쓴 것 중 틀린 것은?

① Is your birthday in the July?
    → in a July
② Does James wear a glasses?
    → wear glasses
③ We need two bag of flours.
    → two bags of flour
④ The CEO made much moneys.
    → much money
⑤ A friendship is very important to me.
    → Friendship

04 그림을 보고, 괄호 안의 말을 사용하여 글을 완성하시오. (반드시 수량을 표현할 것)

> Mina prepared dinner for her parents. She made (1) _____ (salad). She put (2) _____ (bread) in the basket. Then, she put (3) _____ (water) and (4) _____ (orange juice) on the table.

05 밑줄 친 ⓐ~ⓔ 중 명사의 복수형이 틀린 것을 2개 찾아 바르게 고쳐 쓰시오.

> Dad and I went to the zoo today. We saw ⓐ sheep, rabbits, and donkeys in the Children's Zoo. We moved to the Africa area and saw ⓑ giraffes and zebras. I wanted to see ⓒ foxs and wolfs, but I couldn't. Then, we saw a dolphin show. It was wonderful. Many ⓓ childs liked the ⓔ dolphins. Today was an exciting day!

(1) ( ) ▶ _____

(2) ( ) ▶ _____

CHAPTER 04

대명사

대명사(代名詞)는 '명사를 대신하는 말'이라는 의미로 사람이나 사물에 구체적인 이름을 사용하지 않고 대신 가리키는 말이다.

Preview

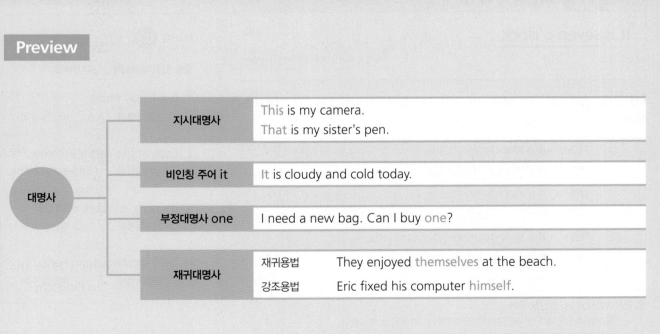

대명사	지시대명사	This is my camera. That is my sister's pen.
	비인칭 주어 it	It is cloudy and cold today.
	부정대명사 one	I need a new bag. Can I buy one?
	재귀대명사 재귀용법	They enjoyed themselves at the beach.
	강조용법	Eric fixed his computer himself.

UNIT **1** 지시대명사와 비인칭 주어 it

POINT **01** 지시대명사

***This** is my favorite T-shirt.*

지시대명사

이것은 내가 가장 좋아하는 티셔츠다.

*this는 가까이에 있는 것을 가리키는 말이야.

지시대명사는 '이것(이 사람)', '저것(저 사람)'이라는 의미로 특정한 사람이나 사물을 가리킬 때 쓴다.

거리상 가까이 있는 것	this(단수)	이것, 이 사람	**This** is my jacket.
	these(복수)	이것들, 이 사람들	**These** are my notebooks.
	⊕ this는 다른 사람을 소개하거나, 전화 통화 시 자신을 밝힐 때도 쓴다. **This** is my friend, Jason. Hello. **This** is Kate.		
거리상 떨어져 있는 것	that(단수)	저것, 저 사람	**That** is Mike's bike.
	those(복수)	저것들, 저 사람들	**Those** are my friends.

① this(these)와 that(those)은 명사를 앞에서 수식하는 지시형용사로도 쓰인다.
  This spaghetti is delicious.   **Those** books are interesting.

① 의문문에 대답할 때 this와 that은 it으로, these와 those는 they로 받는다.
  A: Is **this**(that) your cell phone?   A: Are **these**(those) your cards?
  B: Yes, **it** is.   B: Yes, **they** are.

POINT **02** 비인칭 주어 it

***It** is seven o'clock.*

비인칭 주어   시간

7시다.

*비인칭 주어는 우리말로 해석하지 않아.

비인칭 주어 it은 시간, 요일, 날짜, 날씨, 계절, 거리, 명암 등을 나타낼 때 쓴다. 이때 it은 의미가 없으므로 '그것'이라고 해석하지 않는다.

	시간	It is two thirty.
	요일	It is Wednesday today.
	날짜	It is April 10th.
It	날씨	It is rainy(sunny/cloudy/snowy/hot/cold) outside.
	계절	It is spring(summer/fall/winter).
	거리	It is about 10 km from my school.
	명암	It is very bright in the room.

① 인칭대명사 it *vs.* 비인칭 주어 it
  • 인칭대명사 it: 앞에 나온 특정한 대상을 가리키며 '그것'으로 해석한다.
  • 비인칭 주어 it: 특정한 대상을 가리키지 않고, 아무 뜻 없이 주어의 역할을 한다.
    This is my new watch. I like **it** very much. (it = my new watch) [인칭대명사]
    It's windy outside today. [비인칭 주어]

POINT **01**

괄호 안에서 알맞은 것을 고르시오.

1 (This / These) are my new pants.

2 Who is (that / this) over there?

3 (This / Those) picture is mine.

4 Are (that / those) sandals yours?

POINT **02**

밑줄 친 <u>It</u>의 쓰임에 √ 표시하시오.

1 It is Friday today.
  □ 인칭대명사   □ 비인칭 주어

2 Look at this cat! It's so cute.
  □ 인칭대명사   □ 비인칭 주어

3 It's rainy and dark outside.
  □ 인칭대명사   □ 비인칭 주어

4 It's 5 km away from here.
  □ 인칭대명사   □ 비인칭 주어

대표 기출 유형으로 **실전 연습**

1 괄호 안에서 알맞은 것을 골라 그림의 학생들이 할 말을 완성하시오.

(1)  (2)  (3)

(1) (These / Those) look comfortable.

(2) I like (this / that) blue T-shirt.

(3) My friend Billy drew (this / that) picture.

2 우리말과 일치하도록 빈칸에 알맞은 말을 쓰시오.

> 여기에서 지하철역까지는 3 km이다.

> _____ is 3 km from here to the subway station.

3 다음 대화의 빈칸에 들어갈 말로 알맞은 것은?

> **A:** Are these Brian's shoes?
> **B:** Yes, _____ are.

① it ② that ③ they
④ these ⑤ those

자주 나와요!
4 밑줄 친 <u>It</u>의 쓰임이 나머지와 <u>다른</u> 하나는?

① <u>It</u> is my sister's backpack.
② <u>It</u> is raining. Let's go inside.
③ <u>It</u> is not far from my house.
④ <u>It</u> is winter in Australia now.
⑤ <u>It</u> was dark in the classroom.

틀리기 쉬워요!
5 빈칸에 들어갈 말이 순서대로 바르게 짝지어진 것은?

> • Was _____ October 24th yesterday?
> • I bought _____ cookies from Sam's Cookie House.

① it – this ② it – these ③ this – that
④ that – this ⑤ this – those

개념 완성 **Quiz** *Choose or complete.*

1 거리상 떨어진 대상을 가리킬 때 단수이면 this / that , 복수이면 these / those 를 쓴다.
> POINT 01

2 시간, 요일, 날짜, 날씨, 계절, 거리, 명암 등을 나타낼 때는 비인칭 주어 _____ 을(를) 사용한다.
> POINT 02

3 의문문에 대답할 때 this와 that은 it / they (으)로, these와 those는 it / they (으)로 받는다.
> POINT 01

4 비인칭 주어 it은 특정한 대상을 가리키지 않으며 우리말로 '그것'이라고 해석한다 / 해석하지 않는다 .
> POINT 02

5 this(these)와 that(those)은 명사 / 동사 를 앞에서 수식하는 지시형용사로 쓰이기도 한다.
> POINT 01, 02

UNIT 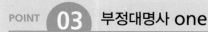 **2 부정대명사 one과 재귀대명사**

POINT **03** 부정대명사 one

I don't have a cap. I need*one.
나는 모자가 없다. 모자가 하나 필요하다.
= a cap
* one은 특정한 모자를 가리키는 게 아니야.

부정대명사는 정해지지 않은 불특정한 대상을 가리키는 대명사이다. 부정대명사 one은 앞에 나온 명사와 종류는 같지만 불특정한 명사(사람이나 사물)를 가리킨다.

| one | ~것, 하나 | 단수 | Do you need a pencil? I have **one**. |
| | | 복수 | My socks are too old. I need new **ones**. |

① one vs. it
  • 부정대명사 one: 앞에 나온 명사와 같은 종류의 불특정한 것을 가리킨다.
  • 인칭대명사 it: 앞에 나온 특정 명사와 동일한 것을 가리킨다.
  I need a notebook. I'll buy **one**. [불특정한 공책]
  I have a notebook. You can use **it**. [내가 가지고 있는 공책]
① 부정대명사 one은 막연한 일반인을 가리킬 때도 사용한다.
  One should keep promises.

POINT **04** 재귀대명사

He introduced*himself to the class.
그는 반에 자신을 소개했다.
주어   목적어(재귀대명사)
└────── (=) ──────┘
* 주어와 목적어가 같은 사람일 때 목적어 자리에 재귀대명사를 써.

재귀대명사는 인칭대명사의 소유격이나 목적격에 -self 또는 -selves를 붙인 형태로, '~ 자신, ~ 자체'라는 의미이다.

(1) 재귀대명사의 형태

	단수	복수	예문
1인칭	myself	ourselves	We painted the wall **ourselves**.
2인칭	yourself	yourselves	You can do it **yourself**.
3인칭	himself herself itself	themselves	She made the dress **herself**.

(2) 재귀대명사의 쓰임

재귀용법	문장의 주어와 목적어가 같을 때 목적어 대신 사용, 생략 불가	She talked to **herself**.
강조용법	'스스로'라는 의미로 문장의 주어, 목적어를 강조, 생략 가능	He (**himself**) makes this pasta. She can solve the problem (**herself**).

➕ 강조용법의 재귀대명사는 강조하려는 명사 뒤나 문장 끝에 온다.

개념 QUICK CHECK

POINT **03**

빈칸에 알맞은 말을 골라 기호를 쓰시오.

| a. one | b. ones | c. it |

1 I lost my gloves. I need new
  _____.

2 Mina ordered an apple pie.
  I want the same _____.

3 I bought a pencil case.
  I really like _____.

4 I need a red pen. Do you have
  _____?

POINT **04**

밑줄 친 단어의 쓰임에 ✓ 표시하시오.

1 I saw myself in the mirror.
  ☐ 재귀용법   ☐ 강조용법

2 She made the cake herself.
  ☐ 재귀용법   ☐ 강조용법

3 Dave cleans his room himself.
  ☐ 재귀용법   ☐ 강조용법

4 They hurt themselves during
  practice.
  ☐ 재귀용법   ☐ 강조용법

대표 기출 유형으로 **실전 연습**

1 빈칸에 들어갈 말로 알맞은 것은?

> I don't have an eraser. Do you have _____?

① it   ② this   ③ them   ④ ones   ⑤ one

2 다음 대화의 빈칸에 들어갈 알맞은 말을 쓰시오.

> **A:** What did you do yesterday?
> **B:** I went to the school festival with Michael. We enjoyed _____ there.

자주 나와요!
3 빈칸에 들어갈 말이 나머지와 <u>다른</u> 하나는?

① I lost my umbrella. I can't find _____.
② My bed is too old. I need a new _____.
③ I'd like a hot dog. Do you want _____, too?
④ I don't have a swimming suit. I'll buy _____.
⑤ This spoon is dirty. Please give me a clean _____.

틀리기 쉬워요!
4 밑줄 친 부분을 생략할 수 <u>없는</u> 것은?

① I drew the cartoon <u>myself</u>.
② Did you write the story <u>yourself</u>?
③ Lisa made the flowerpot <u>herself</u>.
④ Some people don't love <u>themselves</u>.
⑤ Mr. Lee <u>himself</u> made a dish for his family.

5 우리말과 일치하도록 빈칸에 알맞은 말을 쓰시오.

> Alex는 자신의 자전거를 직접 수리한다. 그의 자전거는 낡았지만 그는 새것을 사지 않을 것이다.

> Alex fixes his bike _____. His bike is old, but he won't buy a new _____.

개념 완성 Quiz *Choose or complete.*

1 | 인칭대명사 / 부정대명사 |는 정해지지 않은 불특정한 대상을 가리키는 대명사이다.
> POINT 03

2 we의 재귀대명사는 _____이다.
> POINT 04

3 앞에 나온 명사와 같은 종류의 불특정한 사람이나 사물을 가리키는 대명사는 | one / it |이다.
> POINT 03

4 주어와 목적어가 같을 때는 | 목적어 / 주어 |를 재귀대명사로 쓴다.
> POINT 04

5 재귀대명사의 강조용법은 주어 또는 목적어를 강조하며 생략이 | 가능하다 / 불가능하다 |.
> POINT 03, 04

서술형 실전 연습

1 사진 속의 가족을 소개하는 말을 완성하시오.

_____ is a picture of my family. _____ are my parents.

2 빈칸에 공통으로 들어갈 말을 쓰시오.

Kelly and Max went to the movie theater. _____ was so dark there. They watched a horror movie. _____ was scary but exciting.

3 다음 대화의 빈칸에 들어갈 알맞은 말을 쓰시오.

A: Did you find your wallet?
B: No. I can't find _____. I have to buy a new _____.

4 우리말과 일치하도록 괄호 안의 말을 사용하여 문장을 완성하시오. (필요시 단어를 추가하거나 형태를 바꿀 것)

(1) Tom은 자기 자신을 공책에 그렸다. (draw, in the notebook)

> Tom _____.

(2) 저기 있는 저 꽃들을 봐! (look at, flowers)

> _____ over there!

5 그림을 보고, 질문에 알맞은 대답을 쓰시오. (줄임말을 사용할 것)

(1)

Q: What season is it?
A: _____ _____.

(2)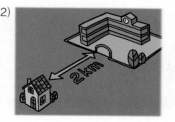

Q: How far is your school from home?
A: _____ _____.

1 가까이 있는 대상을 가리키는 지시대명사
- 단수일 때: | this / that |
- 복수일 때: | those / these |

> POINT 01

2 비인칭 주어 _____ : 특정 명사를 지칭하지 않고 아무 뜻 없이 문장에서 주어 역할을 함

> POINT 02

3 부정대명사 _____ : 앞에 나온 명사와 같은 종류의 불특정한 대상을 가리키는 대명사

> POINT 03

4 재귀대명사의 재귀용법: 주어와 목적어가 같을 때 _____로 사용

> POINT 01, 04

5 비인칭 주어 _____
- 시간, 요일, 거리, | 계절 / 색깔 |, 명암 등을 나타냄
- '그것'이라고 해석하지 않음

> POINT 02

6 다음 글의 ⓐ~ⓓ 중 어법상 틀린 문장을 골라 바르게 고쳐 쓰시오.

> ⓐ It was Flea Market Day yesterday. ⓑ My classmates and I made a poster for the market myself. ⓒ There were old clothes and books. ⓓ I invited my parents, and I showed the market to them.

(   ) **>** _____

6 재귀대명사의 강조용법: '_____' 라는 뜻으로 주어, 목적어를 강조할 때 사용

> POINT 04

7 다음 대화를 요약한 글을 대명사를 사용하여 완성하시오.

> **A:** Hi, Sujin. I like your rings. They're so pretty!
> **B:** Thank you, Lisa. I made these myself.
> **A:** Really? I thought you bought them.
> **B:** It's not that difficult. I can make them for you.
> **A:** You're so kind! Thank you so much.

>   Sujin made (1) _____ _____ _____. Lisa

likes the rings a lot. So, Sujin will make the same (2) _____

_____ _____.

7 3인칭 단수 재귀대명사
• he → _____
• she → _____
• it → _____

> POINT 03, 04

8 우리말과 일치하도록 [조건]에 맞게 영어로 쓰시오.

> **A:** Mike, how's the weather today?
> **B:** (1) 비가 오고 바람이 불어.
> **A:** Oh, no. I don't have an umbrella.
> **B:** (2) 내가 하나 갖고 있어. You can share mine.
> **A:** Thank you so much.

> [조건]   1. 비인칭 주어와 부정대명사를 사용할 것
>   2. (1)에는 rainy, windy를 사용할 것
>   3. 주어와 be동사는 줄여서 쓸 것

(1) _____

(2) _____

8 날씨를 나타낼 때 쓰는 주어:
| it / that / this |

> POINT 02, 03

실전 모의고사

시험일 :	월	일	문항 수 : 객관식 18 / 서술형 7
목표 시간 :		총점	
걸린 시간 :			/ 100

[01-02] 대화의 빈칸에 들어갈 말로 알맞은 것을 고르시오.

각 2점

01

A: Is this your pencil case?
B: Yes, _____ is.

① it   ② this   ③ that
④ they   ⑤ mine

02

A: Is there a bookstore around here?
B: Yes, there's _____ next to the bank.

① it   ② one   ③ this
④ that   ⑤ them

03 빈칸에 들어갈 말로 알맞은 것을 <u>모두</u> 고르시오.   2점

Look at _____ dogs. They are so cute.

① they   ② this   ③ these
④ that   ⑤ those

04 빈칸에 들어갈 말로 알맞지 <u>않은</u> 것은?   2점

I like _____. Who made it?

① the doll   ② the bag
③ that soup   ④ this cake
⑤ these cookies

05 빈칸에 공통으로 들어갈 말로 알맞은 것은?   3점

- _____ is Tuesday today.
- _____ is almost two o'clock.

① It   ② This   ③ That
④ There   ⑤ One

06 밑줄 친 부분이 어법상 <u>틀린</u> 것은?   3점

① He cooked the spaghetti <u>himself</u>.
② I fell down, but I didn't hurt <u>myself</u>.
③ Judy looked at <u>herself</u> in the mirror.
④ We enjoyed <u>themselves</u> at the party.
⑤ Dad <u>himself</u> moved a lot of heavy boxes.

07 다음 대화의 빈칸에 들어갈 말이 순서대로 바르게 짝지어진 것은?   4점

A: Are these your new jeans?
B: Yes, _____ are. How do I look?
A: Nice! I want to buy the same _____.

① they – it   ② they – ones
③ they – one   ④ these – one
⑤ these – ones

08 다음 중 어법상 올바른 문장은?   4점

① That is sunny today.
② This is my grandparents.
③ That girl is my classmate.
④ I wash me every morning.
⑤ I lost my watch. I have to buy it.

09 우리말을 영어로 바르게 옮긴 것은? 3점

> 그는 자기 자신을 매우 사랑한다.

① He loves him a lot.
② He loves himself a lot.
③ He loves herself a lot.
④ He himself loves a lot.
⑤ Himself loves him a lot.

10 다음 질문에 대한 대답으로 알맞은 것은? 3점

> What's the weather like today?

① That's windy.
② They're sunny.
③ This is very hot.
④ It's cold and windy.
⑤ These are windy and rainy.

[11-12] 밑줄 친 부분의 쓰임이 (보기)와 다른 것을 고르시오.
각 4점

11
> (보기) I myself made the dog house.

① I introduced myself to my class.
② Did Jake draw this picture himself?
③ Mom baked the chocolate cake herself.
④ Why don't you do the dishes yourself?
⑤ We ourselves can finish the project soon.

12
> (보기) It is spring in Korea now.

① Is it Wednesday today?
② It is still bright outside.
③ It is a very exciting game.
④ It is too cold. Where is my coat?
⑤ It is not far from here to your school.

13 다음 중 어법상 틀린 문장은? 4점

① These are my new glasses.
② That baby monkey is cute.
③ My shoes are old. I want a new one.
④ I don't have a pen. Can I borrow one?
⑤ The children hid themselves under the tree.

14 빈칸에 It(it)을 쓸 수 없는 문장은? 4점

① We saw a movie. _____ was fun.
② I lost my hat. I'll buy a new _____.
③ Time flies. _____ is already October.
④ Kate liked the bag, so she bought _____.
⑤ Today is sports day, but _____ is raining now.

15 빈칸에 들어갈 말이 나머지와 다른 하나는? 4점

① Clean your room _____.
② You should take care of _____.
③ Did you solve the puzzles _____?
④ Please enjoy _____ at the concert.
⑤ This present is for you. I made it _____.

고난도 신유형
16 다음 글의 빈칸 ⓐ~ⓔ에 들어갈 말이 바르게 연결되지 않은 것은? 4점

> _____ⓐ_____ is my room. _____ⓑ_____ is my favorite place. _____ⓒ_____ are model airplanes. My father and I made them _____ⓓ_____. _____ⓔ_____ is my soccer uniform. I play soccer after school.

① ⓐ – This   ② ⓑ – It   ③ ⓒ – These
④ ⓓ – myself   ⑤ ⓔ – That

17 다음 대화의 빈칸 (A)와 (B)에 들어갈 말이 순서대로 바르게 짝지어진 것은? 4점

> **A:** Hello. May I help you?
> **B:** Yes, please. I'm looking for an alarm clock.
> **A:** How about this yellow ___(A)___?
> **B:** That looks very nice. I'll take ___(B)___.

    (A)   (B)
① it   …   this
② it   …   one
③ one …   it
④ one …   those
⑤ ones …   these

통합 고난도

18 다음 중 어법상 올바른 것끼리 짝지어진 것은? 4점

> ⓐ The man prepared the food him.
> ⓑ It's a long way from here to my house.
> ⓒ This cup is dirty. Can I have a clean one?
> ⓓ What kinds of flowers do you want, these or those?

① ⓐ, ⓑ   ② ⓐ, ⓒ
③ ⓐ, ⓒ, ⓓ   ④ ⓑ, ⓒ, ⓓ
⑤ ⓒ, ⓓ

········· 서술형 ·········

19 다음 대화의 밑줄 친 우리말과 일치하도록 괄호 안의 말을 사용하여 영어로 쓰시오. 3점

> **A:** What time is it now?
> **B:** <u>3시 40분이야.</u> (three forty)

> ＞ _____

20 다음 질문에 대한 대답을 세 단어로 쓰시오. 4점

> **A:** Are those your glasses?
> **B:** _____ They are Ruby's.

21 빈칸에 알맞은 말을 (보기)에서 골라 문장을 완성하시오.
각 2점

> (보기) her   myself
>   himself   ourselves

(1) Don't worry. I'll do it _____.
(2) Don't tell _____ our secret.
(3) My uncle painted the wall _____.
(4) We had a good time at the beach. We enjoyed _____.

22 다음 글에서 어법상 틀린 부분을 두 군데 찾아 바르게 고쳐 쓰시오. 각 3점

> Hi, I'm Yubin. This is a picture of my classmates. This are my close friends, Somi and Jina. That is my best friend, Minho. He made the jacket him. His dream job is a fashion designer.

(1) _____ ＞ _____
(2) _____ ＞ _____

고난도

23 〈A〉와 〈B〉에 주어진 표현을 각각 한 번씩 사용하여 (예시)와 같이 의문문을 쓰시오.　　　각 3점

〈A〉	〈B〉
that	her coat
this	your shoes
these	your gloves
those	your brother's bat

(예시)　**A:** Is that her coat?
B: Yes, it is.

(1) **A:** _____

　　 B: Yes, it is.

(2) **A:** _____

　　 B: No, my shoes are here.

(3) **A:** _____

　　 B: Yes, they're mine.

　　 A: I found them over there. Here you are.

24 다음 대화를 읽고, 물음에 답하시오.　　　각 3점

> **A:** Happy birthday to you! Here you are.
> 　(1) _____ a present for you.
> **B:** Today is not my birthday.
> **A:** Really? (2) _____ today, isn't it?
> 　　　(오늘이 9월 20일이지, 그렇지 않니?)
> **B:** No, today is September 19th.

(1) 빈칸에 알맞은 말을 지시대명사를 사용하여 두 단어로 쓰시오.

　　> _____

(2) 괄호 안의 우리말과 일치하도록 빈칸에 알맞은 말을 써서 문장을 완성하시오.

　　> _____

고난도

25 다음 ①~⑤ 중 어법상 틀린 문장을 찾아 바르게 고치고 틀린 이유를 쓰시오.　　　4점

> **A:** ① Are those boys your classmates?
> **B:** ② <u>Yes, these are.</u> They are Kevin and Jack.
> **A:** ③ <u>Are they baseball players on the school's team?</u>
> **B:** ④ No, they aren't. ⑤ <u>They are on the school's soccer team.</u>

(　　) **>** _____

틀린 이유: _____

_____

약점 공략
틀린 문제가 있다면?

틀린 문항 번호가 있는 칸을 색칠하고, 어떤 문법 POINT의 집중 복습이 필요한지 파악해 보세요.

문항 번호	연관 문법 POINT	문항 번호	연관 문법 POINT	문항 번호	연관 문법 POINT
01	P1	10	P2	19	P2
02	P3	11	P4	20	P1
03	P1	12	P2	21	P4
04	P1	13	P1, P3, P4	22	P1, P4
05	P2	14	P2, P3	23	P1
06	P4	15	P4	24	P1, P2
07	P1, P3	16	P1, P4	25	P1
08	P1~P4	17	P3		
09	P4	18	P1~P4		

연관 문법 POINT 참고

P1 (p.50) 지시대명사　　　　　　　P3 (p.52) 부정대명사 one

P2 (p.50) 비인칭 주어 it　　　　　　P4 (p.52) 재귀대명사

내신 만점 Level Up Test

•••••••••••• 신유형 ••••••••••••

01 (보기)의 단어를 배열하여 다음 대화의 밑줄 친 우리말을 영어로 옮길 때, 네 번째로 오는 단어는?

> **A:** 이 빨간 비옷은 네 여동생의 것이니?
> **B:** No, it isn't. Her raincoat is over there.

> (보기) your   this   red   is
>   raincoat   sister's

① is   ② red   ③ this
④ sister's   ⑤ raincoat

02 다음 중 어법상 올바른 문장의 개수는?

> ⓐ That is warm and sunny today.
> ⓑ We are very proud of ourselves.
> ⓒ These sunglasses are not Andrew's.
> ⓓ This flowers are for her birthday party.
> ⓔ Jim lost his wallet. He left one on the bus.

① 1개   ② 2개   ③ 3개
④ 4개   ⑤ 5개

03 빈칸에 들어갈 말이 같은 것끼리 짝지어진 것은?

> ⓐ I lost my hairband. I'll buy _____.
> ⓑ _____ was very dark inside the cave.
> ⓒ Do you have an umbrella? _____ is raining.
> ⓓ _____ is about 2 km from the subway station.
> ⓔ The kid made two snowballs, a small one and a large _____.

① ⓐ, ⓒ - ⓑ, ⓓ, ⓔ   ② ⓐ, ⓔ - ⓑ, ⓒ, ⓓ
③ ⓑ, ⓓ - ⓐ, ⓒ, ⓔ   ④ ⓒ, ⓓ - ⓐ, ⓑ, ⓔ
⑤ ⓓ, ⓔ - ⓐ, ⓑ, ⓒ

•••••••••••• 서술형 ••••••••••••

04 우리말과 일치하도록 (조건)에 맞게 영어로 쓰시오.

> (조건)   1. 재귀대명사를 사용할 것
>   2. 괄호 안의 말을 사용하고 (1)과 (2) 모두 5단어로 쓸 것

(1) 우리는 우리 자신을 소개하지 않았다. (introduce)

> > _____

(2) 그는 직접 파이를 구웠다. (bake a pie)

> > _____

05 다음 대화를 읽고, 빈칸에 알맞은 말을 써서 요약문을 완성하시오.

> **A:** Hi, Sue. Did you buy a new bike?
> **B:** Yes, my bike is too old, so I bought one.
> **A:** That's good! I like the color. By the way, what's in the basket?
> **B:** Oh, it's a lemon pie. I made it yesterday.
> **A:** Did you really make it?
> **B:** Sure, I did. It took about three hours.
> **A:** Wow, you're a good cook.

> ∨

(1) Sue's bike was too old, so she bought
   _____ _____ _____.

(2) Sue made a lemon pie _____ and it took her about three hours.

CHAPTER

05

시제

시제(時制)란 일이 언제, 어떻게 일어난 것인지를 동사의 형태를 바꾸어서 문장에 나타내는 것을 말한다.

Preview

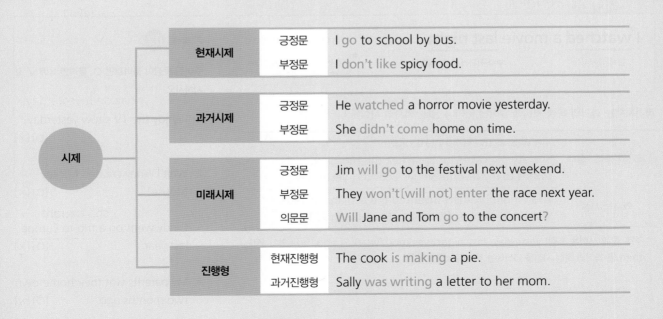

시제	현재시제	긍정문	I go to school by bus.
		부정문	I don't like spicy food.
	과거시제	긍정문	He watched a horror movie yesterday.
		부정문	She didn't come home on time.
	미래시제	긍정문	Jim will go to the festival next weekend.
		부정문	They won't(will not) enter the race next year.
		의문문	Will Jane and Tom go to the concert?
	진행형	현재진행형	The cook is making a pie.
		과거진행형	Sally was writing a letter to her mom.

POINT **01** 현재시제

I *like cheese sandwiches.
동사(현재시제)

나는 치즈샌드위치를 좋아해.
*현재 시점에서 '좋아한다'는 사실을 나타내.

현재시제는 현재의 상태나 사실, 반복되는 일이나 현재의 습관, 일반적인 사실이나 변하지 않는 진리를 나타낸다.

현재의 상태나 사실	My dog **is** very smart. Emma and Sam **like** Korean bands. Mr. Jones **makes** and **fixes** things well. ➕ 주어가 3인칭 단수일 경우에는 일반동사 뒤에 -s나 -es를 붙인다.
반복되는 일이나 현재의 습관	I **study** English every day. My sister **exercises** every morning. We usually **stay** home on weekends. ➕ 주로 함께 쓰이는 표현: always, usually와 같은 빈도부사나 every day, on Sundays 등과 같이 반복을 나타내는 부사(구) 등 서술형 빈출
일반적인 사실이나 변함없는 진리	Water **boils** at 100℃. The moon **goes** around the Earth. ➕ 현재시제는 격언이나 속담에도 쓰인다. Honesty **is** the best policy.

POINT **02** 과거시제

I *watched a movie last night.
동사(과거시제)   부사구(과거 특정 시점)

나는 어젯밤에 영화를 봤어.
*시간을 나타내는 부사(구)와 동사의 시제는 일치해야 해.

과거시제는 과거의 특정 시점에 일어난 일이나 상태, 역사적 사실을 나타낸다.

과거의 동작·상태	Jim **was** at the library last night. She **ate** pancakes for breakfast this morning. I **went** to my favorite singer's concert yesterday.
역사적 사실	The Wright brothers **invented** the airplane in 1903. Kim Yuna **won** an Olympic gold medal in 2010.

① 주로 함께 쓰이는 표현: yesterday, last night(weekend/year), ~ ago, 「in+과거 연도」, then 등 과거의 특정 시점을 나타내는 부사(구) 서술형 빈출

개념 QUICK CHECK

POINT **01**

괄호 안에서 알맞은 것을 고르시오.

1 They (are / were) very sad now.

2 She always (eat / eats) an apple for breakfast.

3 Beijing (is / was) the capital city of China.

4 It usually (rains / rained) a lot in summer in Korea.

POINT **02**

주어진 문장이 올바르면 ○, 틀리면 ✕에 √ 표 시하시오.

1 I enjoy the TV show yesterday.
[○][✕]

2 Walt Disney created Mickey Mouse.
[○][✕]

3 Cindy went on a trip to Europe last year.
[○][✕]

4 My parents visit their hometown two months ago.
[○][✕]

대표 기출 유형으로 **실전 연습**

1 빈칸에 공통으로 알맞은 동사 go의 형태를 쓰시오.

> • The Earth _____ around the sun.
> • Sarah _____ to concerts every month.

자주 나와요!
2 빈칸에 들어갈 말로 알맞지 <u>않은</u> 것은?

> Kate _____ yesterday.

① wasn't busy   ② didn't meet Harry

③ watered the plants   ④ studies in the library

⑤ finished her homework

3 밑줄 친 <u>now</u>를 last year로 바꿀 때 빈칸에 알맞은 말을 쓰시오.

> Dad teaches chemistry at a high school <u>now</u>.

> > Dad _____ chemistry at a high school last year.

4 빈칸에 알맞은 말을 [보기]에서 골라 어법상 올바른 형태로 바꿔 쓰시오.

> [보기]   win   send   freeze

(1) Water _____ at 0℃.

(2) Jack _____ second prize in the contest last month.

(3) Russia _____ the first spaceship into space in 1957.

틀리기 쉬워요!
5 밑줄 친 부분이 어법상 <u>틀린</u> 것은?

① I usually <u>get</u> up late on weekends.

② He <u>arrived</u> at the concert hall an hour ago.

③ The sun <u>rises</u> in the east and sets in the west.

④ My uncle's family <u>visits</u> my home last summer.

⑤ Look at the tower on the hill. Its name <u>is</u> N Seoul Tower.

개념 완성 Quiz   *Choose or complete.*

1 일반적인 사실이나 변함없는 진리는 현재 / 과거 / 미래 시제로 나타낸다.
> POINT 01

2 yesterday는 현재 / 과거 / 미래 시제와 함께 쓰이는 부사이다.
> POINT 02

3 last year는 현재 / 과거 / 미래 시제와 함께 쓰이는 부사구이다.
> POINT 02

4 역사적 사실은 현재 / 과거 / 미래 시제로 나타낸다.
> POINT 01, 02

5 an hour ago와 last summer는 현재 / 과거 시제와 함께 쓰이는 부사구이다.
> POINT 01, 02

UNIT 2 미래시제

POINT 03 미래시제

I *will take the train tomorrow.
will + 동사원형   부사(미래의 시점)

나는 내일 기차를 탈 것이다.

* will은 '~할 것이다'라는 의미로 미래의 일을 나타내.

미래시제는 앞으로 일어날 일이나 계획을 나타낼 때 쓰며, 동사원형 앞에 will이나 be going to를 써서 표현한다.

will+동사원형	~할 것이다, ~하겠다	It will be sunny tomorrow. I will study English hard.
	➕ 미래에 대한 예측이나 주어의 의지를 나타내며, 조동사 will은 주어의 인칭이나 수에 따라 형태가 바뀌지 않는다.	
be going to+ 동사원형	~할 것이다, ~할 예정이다	Look outside! It is going to rain soon. We are going to eat out tonight.
	➕ 이미 정해 놓은 가까운 미래의 계획이나 미래에 대한 예측을 나타내며, 주어의 인칭이나 수에 따라 be동사의 형태를 맞춰 쓴다.	

ⓘ **주로 함께 쓰이는 표현**: tomorrow, next year(week/month), soon 등 미래의 시점을 나타내는 부사(구)

POINT 04 미래시제의 부정문과 의문문

I *will not watch TV tonight.
will not+동사원형

나는 오늘 밤에 TV를 보지 않을 거야.

* will not은 won't로 줄여 쓸 수 있어.

(1) 부정문

will not(won't)+ 동사원형	~하지 않을 것이다, ~하지 않겠다	She will not go to the concert next Saturday. I won't skip breakfast again.
be동사+not going to+ 동사원형	~하지 않을 것이다, ~하지 않을 예정이다	It isn't going to rain tonight. They're not going to take the bus.

(2) 의문문

Will+주어+동사원형 ~?	~할 거니?	Will he come to my birthday party? – Yes, he will. / No, he won't.
Be동사+주어+going to+ 동사원형 ~?	~할 거니?, ~할 예정이니?	Are you going to go camping? – Yes, I am. / No, I'm not.

개념 QUICK CHECK

POINT 03

괄호 안에서 알맞은 것을 고르시오.

1 It (will / is going) rain soon. The sky is dark.

2 I'm going to (read / reading) books in the library.

3 She (gets / will get) up early tomorrow.

4 He (is going / will) to enter the contest with his friend.

POINT 04

주어진 문장이 올바르면 ○, 틀리면 ×에 √ 표시하시오.

1 He will not drinks coffee. [○][×]

2 Mark isn't going to meet Erica this Friday. [○][×]

3 Will Ricky sing on the stage? [○][×]

4 Is Kelly and Amy going to wash their car this afternoon? [○][×]

대표 기출 유형으로 **실전 연습**

1 두 문장의 의미가 같도록 빈칸에 알맞은 말을 쓰시오.

Dad will make dinner for us tomorrow.

= Dad _____ _____ _____ _____
   dinner for us tomorrow.

2 빈칸에 들어갈 말로 알맞은 것을 2개 고르시오.

My cousin will buy a new cell phone _____.

① soon   ② yesterday   ③ next week
④ last night   ⑤ two hours ago

3 우리말과 일치하도록 괄호 안의 말을 배열하여 문장을 완성하시오.

우리는 오늘 오후에 회의를 하지 않을 것이다. (have, are, going, not, to)

> We _____ a meeting this afternoon.

쉬워요!
틀리기
4 밑줄 친 부분이 어법상 올바른 것은?

① Is it going <u>rain</u> this afternoon?
② My French friend is going to <u>calls</u> me soon.
③ Mr. Baker won't <u>goes</u> on a trip this summer.
④ Will she <u>stays</u> at the dormitory during the holidays?
⑤ There will <u>be</u> a baseball game at the stadium tonight.

나와요!
자주
5 다음 대화의 빈칸에 들어갈 말이 순서대로 바르게 짝지어진 것은?

A: It _____ snow tomorrow. Are you going to stay home?
B: Yes, I _____. I'll get some rest.

① is – won't   ② is – am   ③ will – won't
④ will – am   ⑤ will – am not

개념 완성 Quiz *Choose or complete.*

1 미래에 일어날 일이나 계획은 조동사 _____(이)나 _____ _____ 을(를) 사용해 나타낼 수 있다.
> POINT 03

2 will은 soon / last / ago 와(과) 같은 과거 / 현재 / 미래 시점을 나타내는 표현과 자주 쓰인다.
> POINT 03

3 be going to가 쓰인 문장의 부정문은 be동사 / going / to 뒤에 not을 써서 나타낸다.
> POINT 04

4 will과 be going to 뒤에는 현재시 제 / 동사원형 을(를) 쓴다.
> POINT 03, 04

5 '너는 ~할 예정이니?'라고 물을 때는 「_____ _____ _____+동사원형 ~?」으로 말한다.
> POINT 03, 04

POINT **05** 진행형

He *is talking on the phone now.
그는 지금 전화 통화 중이다.

be동사+동사원형-ing

* 지금 일어나고 있는 동작을 나타내.

(1) 현재진행형: 지금 일어나고 있는 일이나 동작을 나타낼 때 쓴다.

am/are/is+ 동사원형-ing	~하고 있다	Dad **is doing** the dishes now. The cats **are sleeping** on the sofa.

(2) 과거진행형: 과거의 특정 시점에 일어나고 있던 일이나 동작을 나타낼 때 쓴다.

was/were+ 동사원형-ing	~하고 있었다	I **was cooking** at that time. The children **were playing** soccer then.

(3) 동사원형-ing형 만드는 법

대부분의 동사	동사원형+-ing	work → work**ing** call → call**ing**
-e로 끝나는 동사	e를 빼고+-ing	come → com**ing** make → mak**ing**
-ie로 끝나는 동사	ie → y+-ing	lie → **lying** die → **dying** tie → **tying**
「단모음+단자음」 으로 끝나는 동사	마지막 자음을 한 번 더 쓰고+-ing	run → run**ning** swim → swim**ming** stop → stop**ping** plan → plan**ning**

ⓘ have, own, know, understand, like, hate, want 등 소유나 상태, 감정을 나타내는 동사는
진행형으로 쓰이지 않는다. 단, have가 '먹다'의 의미일 때는 진행형으로 쓸 수 있다.
I <u>am having</u> two computers. (×)   They **are having** lunch now. (○)

POINT **06** 진행형의 부정문과 의문문

She *isn't cleaning her room.
그녀는 방을 청소하고 있지 않다.

be동사+not+동사원형-ing

* isn't는 is not을 줄여서 쓴 표현이야.

(1) 부정문

be동사+not+ 동사원형-ing	~하고 있지 않다(않았다)	Sue **is not playing** the piano now. They **were not reading** textbooks.

(2) 의문문

Be동사+주어+ 동사원형-ing ~?	~하고 있니(있었니)?	**Are** you **making** paper flowers? – Yes, I am. / No, I'm not.

POINT **05**

빈칸에 들어갈 알맞은 말에 √ 표시하시오.

1 Sujin _____ computer games now.
☐ playing   ☐ is playing

2 We _____ on the street then.
☐ are walking   ☐ were walking

3 I _____ my scarf at that time.
☐ was tieing   ☐ was tying

4 James _____ me well.
☐ knows   ☐ is knowing

POINT **06**

주어진 문장이 올바르면 ○, 틀리면 ×에 √ 표시하시오.

1 They're not having dinner now.
[○][×]

2 Is he cleaning the living room yesterday?
[○][×]

3 My mom wasn't waiting for me at the bus stop.
[○][×]

4 Are they using the copy machine now?
[○][×]

대표 기출 유형으로 **실전 연습**

1 빈칸에 알맞은 말을 [보기]에서 골라 어법상 올바른 형태로 바꿔 쓰시오.

| [보기] | take | lie | jog |

(1) Ted is _____ along the river.
(2) A dog is _____ on the chair.
(3) My parents are _____ a walk in the park.

틀리기 쉬워요!
2 빈칸에 공통으로 들어갈 말을 쓰시오.

- Dad is _____ breakfast now.
- Were they _____ a good time at the beach?

3 빈칸에 알맞은 말을 써서 대화를 완성하시오.

A: _____ your sister listening to music now?
B: No, she _____. She's drawing a picture.

자주 나와요!
4 빈칸에 들어갈 말이 순서대로 바르게 짝지어진 것은?

- We _____ moving the boxes at that time.
- Are Sam and Judy _____ dinner in the kitchen?

① are – prepare ② are – preparing ③ were – prepares
④ were – preparing ⑤ were – prepared

5 밑줄 친 부분이 어법상 올바른 것은?

① Some birds <u>was flying</u> in the sky.
② <u>Was</u> Grandma baking a cake for us?
③ My brother <u>are writing</u> a science report.
④ They <u>don't eating</u> out in a restaurant then.
⑤ The mechanic <u>was repairing</u> Dad's car now.

개념 완성 **Quiz** *Choose or complete.*

1 -ie로 끝나는 동사는 [ie를 y로 바꾸고 / e를 빼고] -ing를 붙여 동사원형-ing 형을 만든다.
> POINT 05

2 진행형은 「be동사+_____」 형태로 나타낸다.
> POINT 05, 06

3 진행형의 의문문은 [Be동사 / Do (Does)]가 문장의 맨 앞에 온다.
> POINT 06

4 at that time은 [미래시제 / 현재진 행형 / 과거진행형] 와(과) 주로 함께 쓰 인다.
> POINT 05, 06

5 과거진행형의 부정문은 _____(이) 나 _____ 뒤에 _____을(를) 써서 나타낸다.
> POINT 05, 06

서술형 실전 연습

1 괄호 안의 말을 어법상 올바른 형태로 바꿔 문장을 완성하시오. (필요시 단어를 추가할 것)

(1) Van Gogh _____ *The Starry Night* in 1889. (paint)

(2) The students _____ 14 years old next year. (be)

(3) Mike is a famous pianist. He _____ the piano very well. (play)

1 • 일반적인 사실: _____ 시제 사용
   • 역사적인 사실: _____ 시제 사용

   > POINT 01, 02, 03

2 우리말과 일치하도록 괄호 안의 말을 배열하여 문장을 완성하시오.

> 너는 이번 주말에 야시장에 갈 예정이니?
> (go, you, are, to, the night market, to, going)

> _____ this weekend?

2 미래시제 의문문의 형태
   • ~할 예정이니?:
   _____+주어+_____
   _____+동사원형 ~?

   > POINT 04

3 다음 문장에서 어법상 **틀린** 부분을 찾아 바르게 고쳐 쓰시오.

(1) They build the house a long time ago.

_____ > _____

(2) Joshua is having a lot of baseball caps.

_____ > _____

3 진행형으로 쓸 수 있는 동사:
   상태 / 동작 / 소유 을(를) 나타내는 동사

   > POINT 02, 05

4 주어진 문장을 괄호 안의 지시대로 바꿔 쓰시오.

(1) Amy will play badminton with her friend. (부정문)

> _____

(2) Jay is waiting for the next train. (의문문)

> _____

4 미래시제 부정문의 형태
   • ~하지 않을 것이다:
   _____ _____+동사원형

   > POINT 04, 06

5 빈칸에 알맞은 말을 써서 대화를 완성하시오.

(1) **A:** _____ Daniel taking a bath now?
   B: Yes, he _____.

(2) **A:** _____ you swimming in the sea?
   B: No, I _____. I was lying in the sunbed.

5 • 현재진행형의 형태:
   _____+동사원형-ing
   • 과거진행형의 형태:
   _____+동사원형-ing

   > POINT 05, 06

6 다음 대화를 읽고, 밑줄 친 부분을 어법상 바르게 고쳐 쓰시오.

> **A:** Joel, I called you yesterday, but nobody answered the phone. What were you doing then?
>
> **B:** Oh, I'm sorry. I (1)<u>am listening</u> to loud music in my room. Dad and Sam (2)<u>cook</u> dinner together.

(1) _____ (2) _____

7 영어 공부 계획을 나타내는 다음 글을 〔조건〕에 맞게 완성하시오.

> **My English Study Plan**
>
> English is important to me. I will do two things during this summer vacation.
>
> First, (1) _____.
> (watch English movies a lot)
>
> Second, (2) _____.
> (make international friends online)

> 〔조건〕   1. be동사를 포함한 미래 표현을 사용할 것
>   2. 괄호 안의 말을 사용할 것

고난도

8 다음 표를 보고, 학생들이 Green Earth Week에 할 일을 나타낸 문장을 각각 5단어로 완성하시오.

To-Do List for Green Earth Week	
Monday	walk to school
Tuesday	don't use paper cups
Wednesday	don't eat meat
Thursday	collect old bottles

> Next week is "Green Earth Week" for our class.
> On Monday, we will walk to school.
> On Tuesday, (1) _____.
> On Wednesday, (2) _____.
> On Thursday, (3) _____.

---

6 진행 중인 동작: 〔동사의 현재형 / be going to / be동사+동사원형-ing〕 사용

> POINT 05

7 계획이나 예정된 미래를 나타내는 표현: _____ _____ _____ + 동사원형

> POINT 03

8 〔현재진행형 / 과거시제 / 미래시제〕와(과) 함께 쓰이는 부사(구): tomorrow, next week, next time 등

> POINT 03, 04

[01-02] 빈칸에 들어갈 말로 알맞은 것을 고르시오.　각 2점

01

Cathy _____ math in her room now.

① is studying 　② studied
③ was studying 　④ will study
⑤ is going to study

02

Will Jenny and Tom _____ to the movies tomorrow?

① go 　② goes 　③ to go
④ going 　⑤ is going to

03 밑줄 친 부분이 어법상 틀린 것은?　2점

① Dad is lying on the sofa.
② The baby is smiling at me.
③ Mom is buying some pears.
④ My dog is running at the park.
⑤ We are planing our vacation trip.

04 빈칸에 들어갈 말로 알맞지 <u>않은</u> 것은?　2점

Did they go on a picnic _____?

① this morning 　② yesterday
③ next Tuesday 　④ last month
⑤ a few days ago

[05-06] 질문에 대한 대답으로 알맞은 것을 고르시오.　각 3점

05

What do you usually do on Sundays?

① I was riding a bike.
② I walk my dog at the park.
③ I'm going to the bookstore.
④ I'll finish my homework soon.
⑤ I made sandwiches for my family.

06

What are you going to eat for dinner?

① I have Bibimbap.
② I'm going to have pizza.
③ We are going to cook dinner.
④ We are having lunch together.
⑤ I'm going to the restaurant now.

07 우리말을 영어로 옮길 때 빈칸에 들어갈 말이 순서대로 바르게 짝지어진 것은?　3점

너와 네 남동생은 만화책을 읽고 있었니?
> _____ you and your brother _____ comic books?

① Are – reading 　② Are – read
③ Were – read 　④ Were – reads
⑤ Were – reading

08 밑줄 친 yesterday를 tomorrow로 바꿔 쓸 때 빈칸에 들어갈 말로 알맞은 것은? 3점

> I didn't eat dinner at home <u>yesterday</u>.
> > I _____ eat dinner at home tomorrow.

① did not
② going not to
③ am going not to
④ am not going to
⑤ will not going to

09 빈칸에 들어갈 start의 형태가 순서대로 바르게 짝지어진 것은? 3점

> Our class _____ at 9:00 every day, but it _____ 30 minutes late yesterday.

① starts – starts
② starts – started
③ starts – will start
④ started – starts
⑤ started – will start

통합

10 다음 중 어법상 올바른 문장은? 4점

① Gary loses his umbrella yesterday.
② Ann won't go shopping tomorrow.
③ Mia was eating breakfast every day.
④ Jonny isn't making a cheesecake then.
⑤ Andy doesn't take a shower last night.

통합

11 다음 중 어법상 틀린 문장은? 4점

① Are you having lunch now?
② David goes to school on foot.
③ They know each other very well.
④ Shakespeare writes *Romeo and Juliet*.
⑤ He won't be late for the meeting again.

12 다음 중 진행형으로 바꿔 쓸 수 있는 문장은? 4점

① Sam dislikes insects.
② They make plastic toys.
③ Grandpa has a big farm.
④ Do you know the boy next door?
⑤ My brother doesn't like vegetables.

고난도

13 다음 문장에 이어질 문장으로 알맞은 것은? 4점

> Alex was awake. _____

① He reads many books.
② He makes model airplanes.
③ He won't talk to his friends.
④ He is going to get up early.
⑤ He was waiting for his mom.

14 빈칸에 들어갈 read의 형태가 나머지와 <u>다른</u> 것은? 4점

① I _____ a book every month.
② I'm _____ an interesting book.
③ Did you _____ all the books here?
④ Peter _____ your email an hour ago.
⑤ My parents _____ the newspaper every morning.

15 다음 대화의 밑줄 친 부분과 쓰임이 <u>다른</u> 하나는? 4점

> **A:** Are you <u>going</u> to eat out tonight?
> **B:** Yes, I am.

① We are <u>going</u> to send some pictures.
② They are not <u>going</u> to arrive there soon.
③ My sister is <u>going</u> to study math tonight.
④ Is he <u>going</u> to borrow a book from there?
⑤ My brother and I are <u>going</u> to school now.

16 빈칸에 들어갈 말로 알맞지 <u>않은</u> 것은?   4점

> It's raining heavily outside, so _____.

① we won't paint the fence

② we'll paint the fence tomorrow

③ we were just painting the fence

④ we're not painting the fence now

⑤ we aren't going to paint the fence

17 다음 중 어법상 올바른 문장의 개수는?   4점

> ⓐ Mozart lived from 1756 to 1791.
> ⓑ We don't see the movie last week.
> ⓒ Emily is packing her suitcase now.
> ⓓ He won't be in New York this weekend.

① 0개   ② 1개   ③ 2개

④ 3개   ⑤ 4개

△△
고난도 신유형
18 다음 글의 밑줄 친 ①~⑤ 중 어법상 <u>틀린</u> 것을 바르게 고친 것은?   5점

> I ① <u>am staying</u> in San Francisco now. Yesterday, I ② <u>went</u> to the Golden Gate Bridge. It ③ <u>is</u> a lot of fun. Tomorrow, I ④ <u>am going to visit</u> some beautiful houses on the hills. I ⑤ <u>will take</u> a lot of pictures there.

① am staying → stayed

② went → go

③ is → was

④ am going to visit → visited

⑤ will take → was taking

◆ 서술형 ◆

19 빈칸에 공통으로 들어갈 말을 쓰시오.   3점

> • Where are you _____?
> • It is _____ to snow this evening.

20 대화의 흐름에 맞게 괄호 안의 말을 사용하여 문장을 완성하시오. (필요시 단어를 추가하거나 변형할 것)   4점

> A: I saw Brian a few minutes ago.
> B: _____
>   (what, he, do, then)
> A: He was looking for someone.

21 다음 대화에서 어법상 <u>틀린</u> 부분을 찾아 바르게 고쳐 쓰시오.   3점

> A: Jisu, do you have any plans for this weekend?
> B: Yes, I'm going go fishing with my father.

_____ > _____

22 밑줄 친 동사 (A)와 (B)를 어법상 바르게 써서 글을 완성하시오.   각 3점

> I (A) <u>see</u> Somi at school this morning, but she didn't see me. She (B) <u>talk</u> with her teacher then.

(A) _____

(B) _____

23 다음 하준이의 저녁 일과표 내용과 일치하도록 빈칸에 알맞은 말을 써서 문장을 완성하시오.   각 3점

6:00 p.m.	have dinner
Now (7:00 p.m.)	watch a soccer match
9:00 p.m.	play online games with Jisu

(1) Hajun _____ now.

(2) He _____ an hour ago.

(3) He _____
two hours later.

24 다음 대화의 빈칸에 알맞은 말을 (조건)에 맞게 쓰시오.   각 3점

> A: I (1) _____ to your classroom yesterday, but you (2) _____ there.
> B: Really? When did you come?
> A: Around two o'clock.
> B: Oh, I (3) _____ badminton at that time.

> [조건] 1. 동사 be, go, play를 한 번씩 사용할 것
>   2. 대화의 흐름과 어법에 맞게 형태를 바꿔 쓸 것
>   3. 필요시 단어를 추가할 것

고난도

25 다음 수미의 일기를 읽고, 질문에 대한 답을 괄호 안의 단어 수에 맞게 영어로 쓰시오.   각 3점

> May 20, 2020
> Today, I left my cell phone on the bus. I went to the police station and asked for help. Luckily, the police officer found my cell phone. I will write a letter to him tomorrow.

(1) **Q:** What did Sumi lose today?

   A: _____ (5단어)

(2) **Q:** What is she going to do tomorrow?

   A: _____

   _____ (11단어)

약점 공략
틀린 문제가 있다면?

틀린 문항 번호가 있는 칸을 색칠하고, 어떤 문법 POINT의 집중 복습이 필요한지 파악해 보세요.

문항 번호	연관 문법 POINT	문항 번호	연관 문법 POINT	문항 번호	연관 문법 POINT
01	P5	10	P1~P6	19	P3, P6
02	P4	11	P1~P6	20	P6
03	P5	12	P5, P6	21	P3
04	P2	13	P5	22	P2, P5
05	P1	14	P1, P2, P5	23	P2, P3, P5
06	P3, P4	15	P3, P4, P5	24	P2, P5
07	P6	16	P3~P6	25	P2~P4
08	P4	17	P2, P4, P5		
09	P1, P2	18	P2, P3, P5		

연관 문법 POINT 참고

P1 (p.62) 현재시제   P4 (p.64) 미래시제의 부정문과 의문문

P2 (p.62) 과거시제   P5 (p.66) 진행형

P3 (p.64) 미래시제   P6 (p.66) 진행형의 부정문과 의문문

Level Up Test

·········· 신유형 ··········

01 다음 대화의 빈칸 ⓐ~ⓔ에 들어갈 말이 바르게 연결되지 않은 것은?

> **A:** Where _____ⓐ_____ Sue and Alice?
> **B:** They _____ⓑ_____ in their rooms.
> **A:** What are they ____ⓒ____ ?
> **B:** Sue ____ⓓ____ to music, and Alice _____ⓔ_____ on the phone.

① ⓐ – are 　　　② ⓑ – are
③ ⓒ – do 　　　④ ⓓ – is listening
⑤ ⓔ – is talking

02 우리말을 영어로 바르게 옮긴 것은?

① J. Watt는 증기 기관을 발명했다.
　→ J. Watt invents the steam engine.
② 나는 Jack과 그의 여동생을 알고 있다.
　→ I'm knowing Jack and his sister.
③ 태양은 동쪽에서 뜬다.
　→ The sun rises in the east.
④ Jenny는 내일 숙제를 제출할 예정이다.
　→ Jenny is going to hands in her homework tomorrow.
⑤ 나는 지난주 금요일에 콘서트에 가지 않았다.
　→ I won't go to the concert last Friday.

03 다음 글의 흐름상 빈칸에 공통으로 들어갈 말로 알맞은 것은?

> I'm waiting for my friend Betty. We are going to go shopping this afternoon. She _____ buy blue jeans. I _____ buy sneakers. On the way home, we _____ have ice cream.

① was　　② were　　③ is going to
④ will　　⑤ won't

·········· 서술형 ··········

04 괄호 안의 말을 바르게 배열하여 문장을 완성하시오.

(1) (wear, I'm, the black jacket, to, going)
　> _____

(2) (not, were, then, the guitar, we, practicing)
　> _____

(3) (having, is, breakfast, now, Amy, ?)
　> _____

05 다음 대화의 빈칸 ⓐ~ⓓ에 들어갈 말을 [보기]에서 골라 알맞은 형태로 쓰시오. (한 번씩만 쓸 것)

> [보기]　exercise　　go　　do　　swim

> **A:** What is Sarah ____ⓐ____ ?
> **B:** She is ____ⓑ____ in the pool.
> **A:** Is she ____ⓒ____ to compete in the swimming contest next month?
> **B:** Yes, she is. So she is training hard and ____ⓓ____ a lot these days.

ⓐ _____
ⓑ _____
ⓒ _____
ⓓ _____

CHAPTER

06

조동사

조동사(助動詞)는 동사를 도와 그 의미를 다양하게 하는 역할을 한다. 조동사는 주어의 인칭, 수에 따라 형태가 바뀌지 않으며 조동사 뒤에는 항상 동사원형이 온다.

Preview

조동사	**can**	능력·가능	I can speak Korean and English.
		허가	You can take pictures in the museum.
	may	허가	You may use the copy machine.
		약한 추측	She may know her new teacher.
	must	강한 의무	You must stop at a red light. = You have to stop at a red light.
		강한 추측	The bag must be expensive.
	should	약한 의무·충고	You should exercise more.

POINT **01** can

Jimin ***can** ride a bike.	지민이는 자전거를 탈 수 있다.
조동사+동사원형	*can은 '~할 수 있다'라는 능력이나 가능의 의미로도 쓰여.

현재형	can	능력·가능: ~할 수 있다 (= be able to)	Sue **can** play the piano. = Sue **is able to** play the piano.
		허가: ~해도 된다	You **can** use my pen.
		요청: ~해 줄래요?	**Can** you do me a favor?
과거형	could	능력·가능: ~할 수 있었다	I **could** move the boxes alone.
		요청: ~해 주시겠어요?	**Could** you close the door?
		❹ 요청할 때 can보다 could를 사용하면 더 정중한 표현이 된다.	
부정형	cannot(can't)		Dogs **can't** see some colors.
의문문	Can+주어+동사원형 ~?		**Can** you speak Chinese? – Yes, I can. / No, I can't.

① 조동사는 두 개를 연달아 쓸 수 없지만, can이 '능력·가능'의 의미로 쓰일 때 바꿔 쓸 수 있는 be able to는 다른 조동사와 함께 쓸 수 있다. 서술형 빈출
I **will be able to** go there. [능력·가능의 미래 표현]
I **was able to** write a letter. [능력·가능의 과거 표현]

POINT **02** may

Kelly ***may** be busy right now.	Kelly는 지금 바쁠지도 모른다.
조동사+동사원형	*may는 확실하지 않은 일에 대한 추측을 나타낼 때도 쓰여.

긍정문	may	허가: ~해도 된다	You **may** go out and play. **May** I use your laptop?
		약한 추측: ~일지도 모른다	The rumor **may** be false.
부정형	may not	~하면 안 된다	You **may not** enter the building.
		~이 아닐지도 모른다	Ted **may not** know the password.

개념 QUICK CHECK

POINT **01**

괄호 안에서 알맞은 것을 고르시오.

1 I (can / am) speak three different languages.

2 Sarah (cannot / not can) answer the phone now.

3 He could (climb / climbed) the tree two years ago.

4 They will (can / be able to) come to the party.

POINT **02**

밑줄 친 부분이 어떤 의미로 쓰였는지 골라 기호를 쓰시오.

a. 허가	b. 약한 추측

1 It <u>may</u> get cold after the rain. ( )

2 <u>May</u> I try this T-shirt on? ( )

3 You <u>may</u> use your cell phones in the classroom. ( )

4 Chris <u>may</u> be tired because of the trip. ( )

대표 기출 유형으로 **실전 연습**

1 두 문장의 의미가 같도록 빈칸에 알맞은 말을 쓰시오.

My sister can solve the problem easily.

= My sister _____ _____ _____ _____

    the problem easily.

2 우리말과 일치하도록 빈칸에 알맞은 말을 쓰시오.

> 그 기사는 사실이 아닐지도 모른다.

> The article _____ _____ be true.

자주 나와요!
3 밑줄 친 **may**의 의미가 나머지 넷과 <u>다른</u> 하나는?

① It <u>may</u> snow this afternoon.

② He <u>may</u> remember your name.

③ You <u>may</u> go to the bathroom now.

④ They <u>may</u> not know my phone number.

⑤ Your friends <u>may</u> not agree with your opinion.

4 주어진 질문에 대한 대답을 어법에 맞게 완성하시오.

(1) **A:** Can she read a book in Spanish?

    B: No, _____ _____.

(2) **A:** May I go back to my seat?

    B: _____, _____ may.

(3) **A:** Are you able to be here in ten minutes?

    B: Yes, _____ _____.

틀리기 쉬워요!
5 다음 중 어법상 올바른 문장은?

① We can speak not German.

② Can you come to my birthday party?

③ Eddie could not went abroad by himself.

④ He can solves the difficult math problems.

⑤ Could you showed me the way to the subway station?

개념 완성 Quiz *Choose or complete.*

1 can은 주어의 [능력 / 의무]을(를) 나타내는 조동사이다.
> POINT 01

2 '~일지도 모른다'라는 의미를 나타내는 조동사는 [will / may]이다.
> POINT 02

3 may는 _____ 또는 _____ 의 의미를 나타낸다.
> POINT 02

4 요청할 때는 [May / Can] you ~?, 허가를 물을 때는 [May / Will] I ~? 를 사용한다.
> POINT 01, 02

5 조동사 뒤에는 항상 _____을(를) 쓴다.
> POINT 01

POINT **03** must, should

I *must* wear a school uniform.
나는 교복을 입어야 한다.

조동사 + 동사원형

* must는 '~해야 한다'라는 강한 의무를 나타내기도 해.

must	강한 의무: ~해야 한다 (= have to)	You **must** listen to your parents. = You **have to** listen to your parents.
	➊ must로는 다양한 시제를 나타낼 수 없으므로 과거나 미래의 의무를 나타낼 때는 have to를 사용한다. I **had to** get up early yesterday. [과거의 의무] Mike **will have to** return the book by Friday. [미래의 의무]	
	강한 추측: ~임에 틀림없다	Sally **must** be happy right now.
should	약한 의무·충고: ~해야 한다	You **should** be kind to your guests. You **should** take his advice.

POINT **04** must, should의 부정문과 의문문

We *must not* swim in the river.
우리는 그 강에서 수영해서는 안 된다.

must의 부정형

* must not은 '~ 해서는 안 된다'라는 금지의 의미를 나타내.

(1) must, should의 부정문

must not (mustn't)	금지: ~해서는 안 된다	We **must not** eat the old food.
	➊ '~일 리가 없다'라는 강한 부정적 추측은 cannot을 사용해 나타낸다. She **cannot** be Kate. Kate has short hair.	
	➊ have to의 부정형인 don't have to는 '~할 필요가 없다'라는 의미로 불필요함을 나타낸다. 서술형 빈출 You **don't have to** leave early. (일찍 떠날 필요가 없다) You **must not** leave early. (일찍 떠나서는 안 된다)	
should not (shouldn't)	~해서는 안 된다	You **should not** tell a lie.

(2) must, should의 의문문

Must+주어+동사원형 ~? = Do(Does)+주어+have to+동사원형 ~?	**Must** I pass the exam this time? = **Do** I **have to** pass the exam this time?
Should+주어+동사원형 ~?	**Should** I call Mom and Dad?

개념 **QUICK CHECK**

POINT **03**

밑줄 친 부분이 어떤 의미로 쓰였는지 골라 기호를 쓰시오.

a. 의무	b. 추측

1 You <u>must</u> take off your shoes.
              (   )

2 I <u>have to</u> take some medicine.
              (   )

3 Ms. Kim <u>must</u> be our new math teacher.   (   )

4 Tim <u>should</u> eat more vegetables.
              (   )

POINT **04**

주어진 문장이 올바르면 ○, 틀리면 ✕에 √표 시하시오.

1 I have to not be late for school.
                 [○] [✕]

2 We must not go into the room.
                 [○] [✕]

3 Should I said my opinion?
                 [○] [✕]

4 Do I have to drink milk?   [○] [✕]

대표 기출 유형으로 **실전 연습**

1 밑줄 친 부분과 바꿔 쓸 수 있는 것은?

> You <u>have to</u> fasten your seat belts.

① must ② can ③ may
④ must not ⑤ don't have to

2 밑줄 친 ⓐ~ⓒ 중 어법상 틀린 것을 바르게 고쳐 쓰시오.

> You ⓐ <u>should</u> ⓑ <u>not</u> ⓒ <u>to look</u> into the box.

( ) _____ > _____

자주 나와요!
3 밑줄 친 must가 〈보기〉와 같은 의미로 쓰인 것을 2개 고르시오.

> 〈보기〉 You <u>must</u> wear swimming goggles in the pool.

① The kids <u>must</u> be hungry.
② Chris <u>must</u> be sad at the news.
③ We <u>must</u> follow the traffic rules.
④ Eric <u>must</u> be in his friend's house.
⑤ You <u>must</u> be careful when you cross the street.

4 우리말과 일치하도록 빈칸에 알맞은 말을 쓰시오.

(1) 너는 밤 10시 이후에 외출하면 안 된다.

> You _____ _____ go out after 10 p.m.

(2) Andy는 자신의 방을 청소할 필요가 없었다.

> Andy _____ _____ _____ clean his room.

틀리기 쉬워요!
5 다음 중 어법상 틀린 문장은?

① Your parents must be happy.
② They had to stay on the island.
③ Everybody has to be quiet here.
④ Mr. Brown will has to take the first train.
⑤ She doesn't have to attend the meeting.

개념 완성 **Quiz** *Choose or complete.*

1 「have to+동사원형」은 의무 / 허가 / 금지 의 의미를 나타낸다.
> POINT 03

2 '~해서는 안 된다'는 의미는 「should _____ + _____」(으)로 나타낸다.
> POINT 04

3 조동사 must는 허락 / 의무 또는 가능 / 추측 의 의미를 나타낸다.
> POINT 03

4 금지하는 표현은 don't have to / must not 을(를) 사용하여 나타낸다.
> POINT 04

5 과거나 미래의 의무는 _____ 을(를) 사용하여 나타낸다.
> POINT 03, 04

서술형 실전 연습

Step
1

1 괄호 안의 의미를 가진 조동사를 사용하여 문장을 완성하시오.

(1) Erin _____ work from 9 to 6 every day. (가능)

(2) Erin _____ work from 9 to 6 every day. (약한 추측)

> **1** 조동사의 의미
> · can / should : 능력 · 가능
> · must / may : 약한 추측
> > POINT 01, 02

2 우리말과 일치하도록 [보기]에서 알맞은 말을 골라 문장을 완성하시오.

[보기]	cannot	don't have to	may not

(1) 그것은 사실일 리가 없다. > It _____ be true.

(2) Jane은 오늘 안 올 수도 있다. > Jane _____ come today.

(3) 우리는 서두를 필요가 없다. > We _____ hurry.

> **2** ~일 리가 없다:
> cannot / must not +동사원형
> > POINT 01, 02, 04

3 어법상 틀린 부분을 바르게 고쳐 문장을 다시 완성해 쓰시오.

(1) You must not told a lie.

> You _____ a lie.

(2) David have to go see a doctor.

> David _____ see a doctor.

> **3** 강한 의무를 나타낼 때:
> _____ 또는 _____ 사용
> > POINT 03, 04

4 문맥에 맞는 표현을 [보기]에서 골라 괄호 안의 말과 함께 문장을 완성하시오.

자주 나와요!

[보기]	have to	don't have to

(1) It's free. You _____ for it. (pay)

(2) It's very cold. You _____ a coat. (wear)

> **4** don't have to+동사원형:
> ~해서는 안 된다 / ~할 필요가 없다
> > POINT 03, 04

5 우리말과 일치하도록 알맞은 조동사를 사용하여 문장을 완성하시오.

(1) Brown 선생님은 오늘 바쁘실 것임에 틀림없다.

> Ms. Brown _____ _____ busy today.

(2) 나는 그곳에 제시간에 도착할 수 없을 것이다.

> I _____ _____ _____ _____ get there on time.

> **5** 강한 추측을 나타낼 때:
> have to / must 사용
> > POINT 01, 03

Step 2

6 다음 대화를 읽고, Eric에게 해 줄 적절한 충고를 괄호 안의 말과 should 또는 have to를 사용하여 완성하시오.

> **A:** Eric, what's the matter? You don't look well.
> **B:** I caught a cold and had a very tiring day.

(1) You _____.
(get enough sleep)

(2) You _____.
(stay up late)

6 ~해서는 안 된다:

should not / don't have to + 동사원형

> POINT 03, 04

고난도

7 다음 표를 보고, 아래 글을 완성하시오.

이름	Kitty
잘하는 것	• climb a tree well • run fast and jump high
못 하는 것	• chase mice

> I have a cat. Her name is Kitty. She can (1) _____
> _____, and she (2) _____.
> But she is not (3) _____.

7 능력·가능을 나타내는 조동사 can과 바꿔 쓸 수 있는 표현:

_____ _____ _____

> POINT 01

8 다음 표지판이 의미하는 것을 (조건)에 맞게 쓰시오.

(1)

(2)

[조건] 1. 주어를 You로 하는 완전한 문장으로 쓸 것
      2. 조동사 may나 must를 의미에 맞게 한 번씩 사용할 것
      3. park here와 take pictures를 각각 사용할 것

(1) _____

(2) _____

8 허가를 나타내는 조동사:

_____ , _____

> POINT 02, 04

시험일 :	월	일	문항 수 : 객관식 18 / 서술형 7
목표 시간 :		총점	
걸린 시간 :			/ 100

[01-02] 빈칸에 들어갈 말로 알맞은 것을 고르시오. 각 2점

01

Jina _____ do magic tricks.

① is　　　　　　② can
③ don't　　　　　④ have to
⑤ are able to

02

He is honest. He _____ be a liar.

① must　　　　　② can
③ has to　　　　 ④ cannot
⑤ doesn't have to

03 밑줄 친 부분과 바꿔 쓸 수 있는 것은? 2점

You have to keep your promises.

① may　　　　　 ② must
③ can　　　　　 ④ are going to
⑤ are able to

04 두 문장의 의미가 같도록 할 때 빈칸에 들어갈 말로 알맞은 것은? 3점

My parents can ski very well.
= My parents _____ ski very well.

① may　　　　　 ② must
③ should　　　　④ are able to
⑤ will have to

05 빈칸에 들어갈 말로 알맞지 <u>않은</u> 것은? 3점

Joe _____ study English hard.

① must　　　　　② may
③ should　　　　④ have to
⑤ is going to

06 우리말을 영어로 바르게 옮긴 것은? 3점

그녀는 내 여동생을 알지도 모른다.

① She will know my sister.
② She may know my sister.
③ She must know my sister.
④ She should know my sister.
⑤ She had to know my sister.

07 다음 대화의 빈칸에 들어갈 말로 알맞지 <u>않은</u> 것은? 4점

A: May I turn on the TV?
B: _____

① Yes, you may.
② Sure, you can.
③ I'm sorry, I can't.
④ No, you must not.
⑤ I'm afraid you can't.

통합

08 다음 중 어법상 올바른 문장은? 4점

① Should we all go there?
② You have to told him the truth.
③ Can I able to borrow the book?
④ I must do a lot of work yesterday.
⑤ Eric doesn't may have time for studying.

[09-10] 밑줄 친 부분의 의미가 (보기)와 다른 하나를 고르시오. 각 4점

09

> (보기) Can you ride a skateboard?

① They can make cookies.
② Eric can play the guitar.
③ You can go home now.
④ How can you run so fast?
⑤ Can you understand French?

10

> (보기) You must have your passport with you at the airport.

① You must wear a helmet.
② You must buy a ticket first.
③ He must be Yuna's boyfriend.
④ You must be quiet in the library.
⑤ I must go now. It's already 12 o'clock.

11 다음 대화의 빈칸에 들어갈 말이 순서대로 바르게 짝지어진 것은? 4점

> **A:** _____ you swim now?
> **B:** Yes. I _____ swim last summer, so I took lessons.

① Can – can't   ② Can – couldn't
③ May – can   ④ May – couldn't
⑤ Must – couldn't

12 다음 중 빈칸에 can을 쓸 수 없는 문장은? 4점

① You _____ try it again.
② Kate _____ drive a car.
③ I'll _____ get there soon.
④ How _____ you be so kind?
⑤ We _____ meet at the bus stop.

13 다음 표지판이 나타내는 내용으로 알맞지 않은 것은? 4점

① Do not swim here.
② You cannot swim here.
③ You may not swim here.
④ You must not swim here.
⑤ You don't have to swim here.

통합
14 다음 중 어법상 틀린 문장은? 4점

① He mustn't sit here.
② You have not to hurry.
③ Can I use your smartphone?
④ Jake should go to bed early.
⑤ They may not know anything about it.

고난도
15 다음 중 두 문장의 의미가 같지 않은 것은? 4점

① You may leave now.
  = You can leave now.
② I have to finish my homework.
  = I must finish my homework.
③ You should take some medicine.
  = You have to take some medicine.
④ You don't have to go there today.
  = You can't go there today.
⑤ Could David solve the problem?
  = Was David able to solve the problem?

16 다음 문장에 이어질 말로 알맞은 것은? 4점

> Judy is crying now. _____

① She can't have a problem.
② She must have a problem.
③ She may not have a problem.
④ She shouldn't have a problem.
⑤ She was able to have a problem.

17 다음 중 어법상 올바른 것끼리 짝지어진 것은? 4점

> ⓐ The woman must rich.
> ⓑ We don't have to leave now.
> ⓒ He is able to arriving here in time.
> ⓓ You shouldn't play the piano at night.

① ⓐ, ⓑ
② ⓐ, ⓑ, ⓓ
③ ⓑ, ⓒ
④ ⓑ, ⓓ
⑤ ⓒ, ⓓ

통합 고난도
18 주어진 문장을 부정문으로 바꾼 것 중 올바른 것은? 5점

① I must do the laundry now.
> I must not do the laundry now.
② The news must be true.
> The news doesn't have to be true.
③ They had to come back home by 7.
> They don't have to come back home by 7.
④ Sue can run 100 meters in 15 seconds.
> Sue can't runs 100 meters in 15 seconds.
⑤ We may take pictures in the museum.
> We may take not pictures in the museum.

서술형

19 빈칸에 공통으로 알맞은 조동사를 쓰시오. 3점

> • You _____ follow the traffic rules.
> • He _____ be hungry. He is eating so fast!

20 괄호 안의 말을 바르게 배열하여 문장을 완성하시오. 4점

> **A:** I already paid for your book.
> _____
> (have, it, don't, you, pay for, to)
> **B:** Thank you so much.

21 다음 글의 밑줄 친 우리말과 일치하도록 괄호 안의 말을 사용하여 5단어로 문장을 쓰시오. 4점

> Jenny was sick, so she went to see a doctor. The doctor said, "<u>당신은 매일 운동을 해야 합니다.</u>" (exercise, every day)

> _____

22 빈칸에 알맞은 조동사를 〈보기〉에서 골라 쓰시오. (한 번씩만 사용하고 필요시 단어를 추가할 것) 각 3점

〈보기〉	should	may

(1) Jason, take your umbrella with you. It _____ rain this afternoon.

(2) You _____ eat too much food at night. It's not good for your health.

23 주어진 문장의 밑줄 친 부분을 문맥에 맞게 바르게 고쳐 쓰시오.   각 3점

(1)
> Mr. Lee lives far from his office, so he __must not__ get up early every day.

> _____

(2)
> It was warm yesterday, so I __must not__ wear my coat.

> _____

25 우리말과 일치하는 문장을 (조건)에 맞게 쓰시오.   4점

> 우리는 내일 체육복을 입어야 하나요?
> (wear gym clothes)

> (조건) 1. 알맞은 조동사와 괄호 안의 표현을 사용할 것
>   2. 6단어로 쓸 것

> _____

고난도

24 〈A〉와 〈B〉에 주어진 표현을 각각 한 번씩 사용하여 대화를 완성하시오.   각 3점

〈A〉	〈B〉
may	be really tired
must	be her brother
have to	wait for an hour

(1) **A:** Dad worked 12 hours today.
   B: He _____.

(2) **A:** Who is the man next to Jane?
   B: I'm not sure. He _____.

(3) **A:** What time is the next train?
   B: It's two. We'll _____.

약점 공략
틀린 문제가 있다면?

틀린 문항 번호가 있는 칸을 색칠하고,
어떤 문법 POINT의 집중 복습이
필요한지 파악해 보세요.

문항 번호	연관 문법 POINT	문항 번호	연관 문법 POINT	문항 번호	연관 문법 POINT
01	P1	10	P3	19	P3
02	P1	11	P1	20	P4
03	P3	12	P1	21	P3
04	P1	13	P1, P2, P4	22	P2, P4
05	P2, P3	14	P1~P4	23	P3, P4
06	P2	15	P1~P3	24	P2, P3
07	P1~P3	16	P3	25	P4
08	P1~P4	17	P1, P3, P4		
09	P1	18	P1~P4		

연관 문법 POINT 참고

P1 (p.76) can   P3 (p.78) must, should
P2 (p.76) may   P4 (p.78) must, should의 부정문과 의문문

내신 만점 **Level Up Test**

········· 신유형 ·········

01 밑줄 친 ⓐ, ⓑ와 바꿔 쓸 수 있는 말이 순서대로 바르게 짝지어진 것은?

> • The movie star ⓐ <u>can</u> dance well.
> • Ben ⓑ <u>must</u> go to the dentist today.

① may – had to   ② should – will
③ must – has to   ④ is able to – has to
⑤ has to – is able to

02 다음 대화의 밑줄 친 ①~⑤ 중 쓰임이 <u>어색한</u> 것은?

> **A:** What time does the train depart?
> **B:** It departs at 5:30.
> **A:** Then, do I ① <u>have to</u> arrive at the train station 30 minutes early?
> **B:** No, you ② <u>cannot</u>. We won't ③ <u>be able to</u> get on the train before 5:20.
> **A:** OK. See you at 5:15 then.
> **B:** You ④ <u>should</u> bring a sweater. It ⑤ <u>may</u> be cold in the train.

03 다음 대화의 빈칸 ⓐ~ⓔ에 들어갈 말이 바르게 연결되지 <u>않은</u> 것은?

> **A:** ___ⓐ___ you do me a favor?
> **B:** Sure. How can I help you?
> **A:** I need your camera. ___ⓑ___ I borrow it?
> **B:** Oh, I'm sorry, but you ___ⓒ___. It is broken. I ___ⓓ___ fix it. You ___ⓔ___ ask Mary. She has the same camera.

① ⓐ – Could   ② ⓑ – Can
③ ⓒ – shouldn't   ④ ⓓ – have to
⑤ ⓔ – can

········· 서술형 ·········

04 [보기]에서 알맞은 표현을 골라 적절한 조동사를 사용하여 대화를 완성하시오. (조동사는 should, may, can 중 하나를 쓸 것)

> [보기]   take a lot of water
>   visit my grandparents
>   help me with my homework

(1) **A:** _____?
     B: Sorry, I'm not good at history.

(2) **A:** I'm going to drive across the hot desert.
     B: _____

(3) **A:** What are you going to do this evening?
     B: I don't know. _____

05 다음 글의 빈칸에 알맞은 말을 [조건]에 맞게 쓰시오.

> I went to an amusement park with my friends. After a few hours, I wanted to get some rest. I found a bench. A man was already sitting there, so I asked him, "_____" He said, "Sure, have a seat."

> [조건]   1. 조동사 may를 사용할 것
>   2. 의문문으로 쓸 것
>   3. 4단어로 쓸 것

> _____

CHAPTER

07

의문사

의문사(疑問詞)는 '누가', '무엇을', '언제', '어디에서', '왜', '어떻게' 등을 물을 때 쓰이는 것으로, 특정한 정보를 묻기 위해 문장의 맨 앞에 쓰는 말이다. 의문사가 있는 의문문으로 물으면 구체적으로 답해야 한다.

Preview

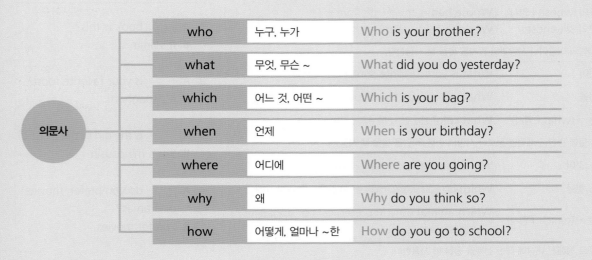

의문사	who	누구, 누가	Who is your brother?
	what	무엇, 무슨 ~	What did you do yesterday?
	which	어느 것, 어떤 ~	Which is your bag?
	when	언제	When is your birthday?
	where	어디에	Where are you going?
	why	왜	Why do you think so?
	how	어떻게, 얼마나 ~한	How do you go to school?

POINT **01** 의문사가 있는 의문문

*Who is she? – She's my sister.

의문사 be동사 주어

그녀는 누구니? – 내 여동생이야.

* 의문사는 의문문 맨 앞에 와.

be동사가 있는 경우	의문사+be동사+주어 ~?	**Who** is that man? – He's my uncle.
일반동사가 있는 경우	의문사+do/does/did+주어+ 동사원형 ~?	**Where** did you go? – I went to the library.
조동사가 있는 경우	의문사+조동사+주어+동사원형 ~?	**When** will you leave? – I'll leave tomorrow.
의문사가 주어인 경우	의문사+be동사/일반동사 ~?	**What** is your favorite subject? – Science is my favorite subject.
	➕ 의문사가 주어일 때는 3인칭 단수로 취급한다. **Who lives** here? – The zookeeper lives here.	

ⓘ 의문사가 있는 의문문에 대한 대답은 Yes나 No로 하지 않고, 의문사의 의미에 맞게 구체적인
정보로 답한다.

POINT **02** who, what, which

What are you eating? – I'm eating a cookie.

의문사 be동사 주어

너는 무엇을 먹고 있니? – 쿠키를 먹고 있어.

	누구, 누가	**Who** is your English teacher? – It's Mr. Brown.
who	누구를 (= whom)	**Who(m)** did you meet? – I met a doctor.
	누구의 (whose+명사), 누구의 것 (whose)	**Whose** bag is this? – It's Tom's. **Whose** is this wallet? – It's mine.
	➕ 사람의 이름이나 사람과의 관계를 물을 때 사용한다.	
what	무엇이	**What** is your favorite song? – It's *Rain*.
	무엇을	**What** will you do tomorrow? – I'll play soccer.
	무슨 ~ (what+명사)	**What** color do you like? – I like blue.
	➕ 사물에 관한 구체적인 정보나 사람의 이름, 직업을 물을 때 사용한다.	
which	어느 것이	**Which** is your textbook? – This one.
	어느 것을	**Which** do you want, milk or juice? – I want milk.
	어떤 ~ (which+명사)	**Which** animal do you prefer, cats or dogs? – I prefer cats.
	➕ 주로 정해진 대상에 대한 선택을 물을 때 사용한다.	

ⓘ 선택을 물을 때 정해진 범위가 없으면 what을 쓰고, 정해진 범위가 있으면 which를 쓴다.
What is your favorite subject?   **Which** do you prefer, English or math?

개념 QUICK CHECK

POINT **01**

괄호 안에서 알맞은 것을 고르시오.

1 Who (is / are) your math
teacher?

2 When (can we / we can)
meet?

3 Who (is like / likes) the movie?

4 What (did you / did you do)
yesterday?

POINT **02**

빈칸에 알맞은 의문사를 골라 기호를 쓰시오.

a. What	b. Who
c. Whose	d. Which

1 **A:** _____ book is this?
B: It's Jimin's.

2 **A:** _____ is your favorite food?
B: It's spaghetti.

3 **A:** _____ is the girl in the picture?
B: She's my cousin.

4 **A:** _____ do you prefer, movies
or dramas?
B: I prefer movies.

대표 기출 유형으로 실전 연습

틀리기 쉬워요!

1 우리말과 일치하도록 괄호 안의 말을 바르게 배열하여 문장을 완성하시오.

> 너는 그 가게에서 무엇을 샀니? (buy, what, you, did)

> _____ at the shop?

자주 나와요!

2 빈칸에 알맞은 의문사를 써서 대화를 완성하시오.

> **A:** _____ do you prefer, soccer or baseball?
>
> **B:** I prefer soccer.

3 다음 질문에 대한 대답으로 알맞은 것은?

> **A:** Whose watch is this?
>
> **B:** _____

① Yes, it's mine.　　　② It's Andrew's.

③ No, it's not yours.　　④ I like the yellow one.

⑤ It's under the desk.

4 다음 대화의 빈칸에 들어갈 말이 순서대로 바르게 짝지어진 것은?

> **A:** _____ do you want to be in the future?
>
> **B:** I want to be a painter.
>
> **A:** _____ is your favorite painter?
>
> **B:** I like Vincent van Gogh.

① Who – What　　② Who – Whom　　③ What – Who

④ What – Whose　　⑤ Which – Whose

5 다음 중 어법상 틀린 문장은?

① What you will do tomorrow?

② Which cap is yours, this or that?

③ Whom did you invite to the party?

④ Who knows Steve's phone number?

⑤ What do you have in your backpack?

개념 완성 Quiz *Choose or complete.*

1 일반동사가 있는 의문문은 의문사와 주어 사이에 _____가 온다.
> POINT 01

2 제한된 범위의 대상 중에서 선택을 물을 때는 의문사 [what / which]을(를) 쓴다.
> POINT 02

3 whose는 뒤에 명사와 함께 쓸 때 ['누구의' / '누구를'](이)라는 의미로 쓰인다.
> POINT 02

4 사람의 이름이나 사람과의 관계를 물을 때는 의문사 [who / which]를 쓴다.
> POINT 02

5 [what / who]은(는) 사물에 관한 구체적인 정보를 물을 때 쓴다.
> POINT 01, 02

UNIT 2 when, where, why, how

POINT **03** when, where, why, how

Where do you live? – I live in Busan.

| 의문사 | do | 주어 | 동사원형 | | 너는 어디에 사니? – 나는 부산에 살아. |

when	시간 · 날짜 · 때 (언제)	**When** did he come back? – He came back last Sunday.
	⊕ 정확한 시각을 물을 때는 when 대신 what time을 사용한다. **What time** does the movie start? – It starts at 7 o'clock.	
where	장소 · 위치 (어디)	**Where** is Amy now? – She's **in** her room.
	⊕ 주로 위치를 나타내는 전치사를 사용해서 답한다. in(~ 안에), on(~ 위에), under(~ 아래에), next to(~ 옆에), behind(~ 뒤에), between(~ 사이에), in front of(~ 앞에) 등	
why	이유 · 원인 (왜)	**Why** were you late? – **(Because)** I woke up late.
	⊕ 주로 because를 사용해서 답하며 생략할 수 있다.	
how	방법 · 수단 · 상태 (어떻게)	**How** is the weather? – It's sunny. **How** do you go to school? – By bus.

POINT **04** how+형용사/부사

How old are you? – I'm 14 years old.

| 의문사 | 형용사 | be동사 | 주어 | | 너는 (나이가) 몇 살이니? – 나는 14살이야. |

how는 형용사나 부사와 함께 쓰여 '얼마나 ~한(하게)'라는 의미로, 정도나 수치를 나타내는 다양한 의문문을 만든다.

how many (+셀 수 있는 명사)	수량 (몇 개의)	**How many** eggs do you need? **How many** flowers are in the vase?
how much (+셀 수 없는 명사)	양 (얼마나 ~한)	**How much** milk does she want? **How much** money do you have now?
	가격 (얼마)	**How much** is the T-shirt?
how tall	키, 높이	**How tall** is Amy?
how old	나이, 햇수	**How old** is your grandmother?
how far	거리	**How far** is it from your school?
how long	길이, 기간	**How long** will you stay there?
how often	빈도, 횟수	**How often** do you take a bath a day?

개념 QUICK CHECK

POINT **03**

우리말과 일치하도록 빈칸에 알맞은 의문사를 골라 기호를 쓰시오.

| a. When | b. Where |
| c. Why | d. How |

1 그는 어디 출신이니?
> _____ is he from?

2 너는 왜 화가 났니?
> _____ are you angry?

3 너는 시간을 어떻게 보내니?
> _____ do you spend your time?

4 수업은 언제 시작하니?
> _____ does the class start?

POINT **04**

괄호 안에서 알맞은 것을 고르시오.

1 How (often / tall) is the tower?

2 How much (water / cookies) do you need?

3 How (many / much) people were there?

4 How (far / tall) do you live from the bus stop?

대표 기출 유형으로 **실전 연습**

1 다음 대화의 빈칸에 들어갈 말로 알맞은 것은?

> **A:** _____ did you arrive here?
> **B:** I arrived here 10 minutes ago.

① What　　② Who　　③ Which　　④ When　　⑤ Where

자주 나와요!
2 우리말과 일치하도록 빈칸에 알맞은 말을 쓰시오.

> 너의 가족은 얼마나 자주 외식을 하니?

> _____ _____ does your family eat out?

3 질문에 대한 대답으로 알맞은 말을 [보기]에서 골라 기호를 쓰시오.

> [보기]　ⓐ By subway.
> 　　　　ⓑ It's next to the door.
> 　　　　ⓒ Somebody took my textbook.

(1) **A:** Why are you upset?　　**B:** _____
(2) **A:** Where is my umbrella?　　**B:** _____
(3) **A:** How did Julie go to the mall?　　**B:** _____

틀리기 쉬워요!
4 밑줄 친 ⓐ~ⓓ 중 어법상 틀린 부분을 찾아 바르게 고쳐 쓰시오.

> ⓐ How ⓑ much tickets ⓒ do you ⓓ need?

(　) _____ ＞ _____

5 빈칸에 공통으로 들어갈 말로 알맞은 것은?

> • _____ was the concert yesterday?
> • _____ long does it take to the train station?

① Why　　　　② When　　　　③ How
④ Where　　　⑤ Which

서술형 실전 연습

Step 1

1 우리말과 일치하도록 괄호 안의 말을 사용하여 문장을 완성하시오.

(1) 누가 무대에서 노래 부르고 있니? (sing)

> _____ _____ _____ on the stage?

(2) 너는 언제 한국에 돌아왔니? (come)

> _____ _____ you _____ back to Korea?

> 1 • 누구, 누가: what / who / how
> • 언제: when / where / why
> > POINT 01~03

2 괄호 안의 말을 바르게 배열하여 대화를 완성하시오.

> **A:** _____ on Friday?
>   (classes, you, do, how, have, many)
> **B:** Five classes.

> 2 얼마나 많은 수의 ~?:
> How _____+셀 수 있는 명사의 복수형
> > POINT 04

3 밑줄 친 ⓐ~ⓔ 중 어법상 틀린 것을 찾아 바르게 고쳐 쓰시오.

> **A:** Alice, ⓐ which are ⓑ you in a hurry?
> **B:** ⓒ Because I ⓓ am late for dinner ⓔ with John.

(   ) _____ > _____

> 3 의문사 which:
> 장소 / 시간 / 선택 을(를) 묻는 의문사
> > POINT 02, 03

자주 나와요!
4 빈칸에 알맞은 말을 써서 질문을 완성하시오.

(1) **A:** _____ _____ he work?
    B: He works at the grocery store.

(2) **A:** _____ _____ _____ go to the library?
    B: I go to the library by subway.

> 4 의문사와 일반동사가 있는 의문문의 어순:
> 의문사+_____+주어+동사원형 ~?
> > POINT 01, 03

5 빈칸에 알맞은 말을 [보기]에서 골라 대화를 완성하시오.

> [보기]   how far   how often   how long

> **A:** Mom, I'm going to Henry's house.
> **B:** (1) _____ is his house from here?
> **A:** It's about 3 km.
> **B:** (2) _____ will it take to get there?
> **A:** It'll take about 10 minutes by bus.

> 5 「how+형용사/부사」의 쓰임
> • how far: 거리 / 길이 / 시간
> • how often: 길이, 시간 / 빈도
> • how long: 길이, 시간 / 빈도
> > POINT 04

6 〔예시〕와 같이 밑줄 친 부분을 묻는 문장을 쓰시오.

> 〔예시〕 **A:** When does she go to bed?
> **B:** She goes to bed at <u>10:30</u>.

(1) **A:** _____

   B: <u>Jane and I</u> cleaned the classroom.

(2) **A:** _____

   B: I walk my dog <u>every day</u>.

6 의문사가 주어인 의문문의 어순:
의문사+_____ ~?
> POINT 01, 02, 04

7 빈칸에 알맞은 말을 써서 대화를 완성하시오.

> **Yumi:** (1) _____ _____ pets do you have?
> **Giho:** I have one cat.
> **Yumi:** (2) _____ is its name?
> **Giho:** His name is Bolt. I like him so much.
> **Yumi:** (3) _____ _____ you like him?
> **Giho:** Because he's so cute and fluffy.

7 의문사 _____ 이(가) 묻는 대상
• 사물이나 동물의 이름과 종류
• 사람의 직업
> POINT 02~04

고난도

8 다음 표를 보고, 빈칸에 알맞은 말을 써서 대화를 완성하시오.

Hajun's Weekend Plan	
Sat.	go to the movies with friends
Sun.	play basketball with Amy

> **A:** Hajun, (1) _____? (8단어)
> **B:** I'm going to go to the movies.
> **A:** (2) _____ to the movies with? (4단어)
> **B:** I'll go with my friends.

8 의문사와 조동사가 있는 의문문의 어순:
_____+_____+주어+동사원형 ~?
> POINT 01, 02

실전 모의고사

[01-02] 빈칸에 들어갈 말로 알맞은 것을 고르시오. 각 2점

01

> **A:** _____ is your favorite actor?
> **B:** Will Smith.

① Who　　② Whom　　③ What
④ Why　　⑤ When

02

> **A:** How _____ cards do you have?
> **B:** I have two.

① old　　② far　　③ long
④ many　　⑤ often

03 빈칸에 공통으로 들어갈 말로 알맞은 것은? 3점

> • _____ color do you like?
> • _____ do you do after school?

① How　　② What　　③ When
④ Which　　⑤ Where

04 두 문장의 의미가 같도록 할 때 빈칸에 들어갈 말로 알맞은 것은? 3점

> What time should we meet?
> = _____ should we meet?

① When　　② How　　③ Which
④ Where　　⑤ Whom

05 빈칸에 들어갈 말이 순서대로 바르게 짝지어진 것은? 3점

> • Why _____ you so happy?
> • Why _____ Somi cry in the classroom?

① are – is　　② are – did
③ do – is　　④ do – did
⑤ did – did

06 다음 대답에 대한 질문으로 알맞은 것은? 4점

> **A:** _____
> **B:** I like baseball. It's very exciting.

① Who do you like?
② What is your favorite sport?
③ Why do you like basketball?
④ When did you play baseball?
⑤ What did you play yesterday?

07 우리말을 영어로 바르게 옮긴 것은? 4점

> 누가 이 상자를 만들었니?

① Whose box is this?
② Who made this box?
③ Whom made this box?
④ Who did this box make?
⑤ Whom did this box make?

08 다음 중 어법상 올바른 문장은? 4점

① What is your sister?
② What does his last name?
③ Where were they eat lunch?
④ Why you don't your homework?
⑤ How many students are there in your class?

[09-10] 다음 질문에 대한 대답으로 알맞은 것을 고르시오.

각 **4점**

09

A: Who do you work with?

B: _____

① Sam likes me.

② I work with Sam.

③ Sam works there.

④ Because Sam is kind.

⑤ I go to work by subway.

10

A: How far is the bus stop from here?

B: _____

① I'll take a bus.

② It's near the bus stop.

③ I go to school by bus.

④ It's 50 meters from here.

⑤ You can't take a bus here.

11 대화의 빈칸에 공통으로 들어갈 말로 알맞은 것은? **4점**

A: _____ was your vacation?

B: Good. I went to Hanoi with my family.

A: _____ long did you stay there?

B: For three days.

① What   ② How   ③ When

④ Which   ⑤ Where

12 대화의 밑줄 친 ①~⑤ 중 어법상 틀린 것은? **4점**

A: ① What do you ② thinks of your new science teacher?

B: He's great. ③ Why ④ are you curious about him?

A: ⑤ Because he's my uncle.

13 빈칸에 의문사 How가 들어갈 수 없는 문장은? **4점**

① _____ time is it now?

② _____ tall is he now?

③ _____ do you go to school?

④ _____ did you know her name?

⑤ _____ often do you play tennis?

14 다음 중 대화가 어색한 것은? **4점**

① A: Where are you going?

  B: I'm going to the market.

② A: What did you have for lunch?

  B: I had a sandwich.

③ A: How long is this river?

  B: It takes 10 minutes.

④ A: Who's this boy in the picture?

  B: He's my brother.

⑤ A: When are you going to leave?

  B: Maybe tomorrow.

15 다음 중 어법상 틀린 문장은? **4점**

① What date is it today?

② What song did you sing?

③ Who broke the window?

④ Which picture did he paint?

⑤ How much chairs do you need?

16 다음 인물 정보 카드를 보고 대답할 수 <u>없는</u> 질문은? 4점

Hometown: Texas, USA
Age: 40
Job: graphic designer
Hobby: taking pictures

① How old is she?
② What does she do?
③ What is her hobby?
④ Where is she from?
⑤ How does she go to work?

고난도
17 다음 대화의 빈칸 ⓐ~ⓔ에 들어갈 말이 바르게 연결되지 <u>않은</u> 것은? 5점

A: ____ⓐ____ are you doing, Cathy?
B: I'm writing a letter.
A: ____ⓑ____ are you writing to?
B: To my parents.
A: ____ⓒ____ can you finish it?
B: I can finish it in 5 minutes.
____ⓓ____ do you ask?
A: I want to go fishing with you.
B: ____ⓔ____ do you want to go?
A: The Great Lake.

① ⓐ – What   ② ⓑ – Who   ③ ⓒ – How
④ ⓓ – Why   ⑤ ⓔ – Where

통합 신유형
18 다음 중 어법상 올바른 문장의 개수는? 5점

ⓐ When is your hometown?
ⓑ Whom is your big brother?
ⓒ Which one is your sister Kate?
ⓓ How many money do you spend in a week?

① 0개   ② 1개   ③ 2개
④ 3개   ⑤ 4개

19 빈칸에 알맞은 말을 써서 대화를 완성하시오. 3점

A: _____ _____ do you visit your grandparents?
B: Twice a month.

20 [보기]에 주어진 말을 바르게 배열하여 문장을 완성하시오. 3점

[보기]	you	which	want	way	do

A: _____
to go, left or right?
B: Left.

고난도
21 다음 대화를 읽고, 어법상 <u>틀린</u> 부분을 찾아 바르게 고쳐 쓰시오. 3점

A: How was your trip to Germany?
B: Great. I enjoyed the scenery.
A: Where city did you stay in?
B: In Berlin. It was clean and quiet.

_____ > _____

22 [보기]에서 알맞은 의문사를 골라 대답의 밑줄 친 부분을 묻는 문장을 빈칸에 쓰시오. 각 3점

[보기]	who	how	when	where

(1) **Q:** _____

   A: I have lunch <u>at noon</u>.

(2) **Q:** _____

   A: He is <u>in the kitchen</u>.

23 다음 밑줄 친 우리말을 영어로 바꿔 대화를 완성하시오. 각 3점

A: Where do you live?

B: I live in Muk-dong.

A: (1) 너는 학교에 어떻게 가니? (6단어)

B: I go to school by bike.

A: (2) 너는 학교에 몇 시에 가니? (7단어)

B: I go to school at 7:40.

(1) _____

(2) _____

24 다음 대화의 빈칸에 알맞은 의문사를 쓰시오. 각 2점

A: Mike, (1) _____ do you usually do in your free time?

B: I usually listen to music.

A: (2) _____ is your favorite singer?

B: I like MC King. I'm going to go to his concert.

A: Wow! Good for you. (3) _____ is the concert?

B: It's on October 22nd.

25 다음 글을 읽고, 내용과 일치하도록 빈칸에 알맞은 말을 써서 질문을 완성하시오. 각 3점

Andy got an invitation card from Lena. She is going to have a party at her house next Saturday. It will start at 7 p.m. and end at 10 p.m. There will be delicious food and nice music.

(1) **Q:** _____ _____ an invitation card to Andy?

   A: Lena sent it to him.

(2) **Q:** _____ _____ the party _____?

   A: It will end at 10 p.m.

약점 공략
틀린 문제가 있다면?

틀린 문항 번호가 있는 칸을 색칠하고, 어떤 문법 POINT의 집중 복습이 필요한지 파악해 보세요.

문항 번호	연관 문법 POINT	문항 번호	연관 문법 POINT	문항 번호	연관 문법 POINT
01	P2	10	P4	19	P4
02	P4	11	P3, P4	20	P1, P2
03	P2	12	P1~P3	21	P2, P3
04	P3	13	P2, P3, P4	22	P1, P3
05	P1	14	P1~P4	23	P1~P3
06	P2, P3	15	P1, P2, P4	24	P2, P3
07	P1, P2	16	P2~P4	25	P1~P3
08	P1~P4	17	P2, P3		
09	P2	18	P1~P4		

연관 문법 POINT 참고

P1 (p.88) 의문사가 있는 의문문

P2 (p.88) who, what, which

P3 (p.90) when, where, why, how

P4 (p.90) how+형용사/부사

내신 만점 **Level Up Test**

◆◆◆◆◆◆◆◆◆◆◆◆◆◆◆◆◆◆◆◆◆ 신유형 ◆◆◆◆◆◆◆◆◆◆◆◆◆◆◆◆◆◆◆◆◆

01 다음 빈칸에 들어갈 말로 알맞지 <u>않은</u> 것은?

- _____ cap is this?
- _____ broke the vase?
- _____ is your birthday?
- _____ is under the desk?

① Who   ② When   ③ What
④ Where   ⑤ Whose

02 빈칸 ⓐ와 ⓑ에 들어갈 말이 순서대로 바르게 짝지어진 것은?

> **A:** How will you go to Busan?
> **B:** _____ ⓐ _____
> **A:** Why won't Bob go there with you?
> **B:** _____ ⓑ _____

① By plane. – He will be busy then.
② By train. – Because he was busy.
③ No, I won't. – He went to the library.
④ Yes, I will. – He can't come with me.
⑤ I will leave soon. – He doesn't like Busan.

03 다음 대화에서 밑줄 친 ①~⑤ 중 어법상 틀린 것은?

> **A:** May I help you?
> **B:** Yes. I want to send this box.
> **A:** ① <u>What is inside the box?</u>
> **B:** It's a book.
> **A:** ② <u>Where do you want to send it?</u>
> **B:** To Vancouver, Canada. ③ <u>How many is it?</u>
> **A:** ④ <u>It's 3 dollars and 15 cents.</u>
> **B:** Here you are. ⑤ <u>How long will it take?</u>
> **A:** About two days.

◆◆◆◆◆◆◆◆◆◆◆◆◆◆◆◆◆◆◆◆◆ 서술형 ◆◆◆◆◆◆◆◆◆◆◆◆◆◆◆◆◆◆◆◆◆

04 [조건]에 맞게 질문을 써서 대화를 완성하시오.

> [조건]   1. 대답하는 문장을 참고하여 질문을 쓸 것
>   2. [보기]의 표현을 한 번씩 사용할 것

> [보기]   how often   who   how long

(1) **A:** _____
    B: Amy won first prize.

(2) **A:** _____
    B: He plays soccer once a week.

(3) **A:** _____
    B: I will stay here for 3 days.

05 다음 기차 노선도와 설명 글을 읽고, 빈칸에 알맞은 말을 써서 각 대화를 완성하시오.

> Train **A** stops at City Hall, the bus terminal and the stadium. Train **B** stops at the museum and the hospital. Train **C** stops at the museum, the bus terminal and the zoo.

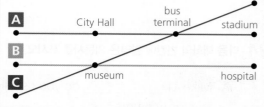

(1) **A:** I want to go to the stadium. _____ train should I take?
    B: You should take _____.

(2) **A:** I'm on Train **B** and going to the zoo. _____ should I transfer?
    B: You should transfer _____.

CHAPTER

08

to부정사와 동명사

부정사(不定詞)는 '품사가 정해지지 않은 말'
이라는 뜻으로 주어의 인칭이나 수의 제한을
받지 않아 형태가 변하지 않는다.
동명사(動名詞)는 동사의 성격을 가지면서
명사의 역할을 한다.

Preview

to부정사 (to+동사원형)	**명사 역할**	주어 역할	To learn a new language is helpful.
		보어 역할	My dream is to become a photographer.
		목적어 역할	I want to swim at the beach.
	형용사 역할	명사 수식	Let's get something to eat.
	부사 역할	목적	He went home to do his homework.
		감정의 원인	I'm sorry to hear the news.
		결과	He grew up to be a musician.
		형용사 수식	The problem is hard to solve.
동명사 (동사원형의 -ing형)	**명사 역할**	주어 역할	Riding a bike is good for your health.
		보어 역할	My job is writing books for children.
		목적어 역할	I finished drawing the picture yesterday.

UNIT 1 명사 역할을 하는 to부정사

POINT 01 명사 역할을 하는 to부정사(주어, 보어)

*To play baseball is fun.

주어
(to부정사구)

야구를 하는 것은 재미있다.

> * to부정사구가 '~하는 것은'이라는 뜻으로 주어 역할을 해.

to부정사는 「to+동사원형」의 형태로 문장 내에서 명사, 형용사, 부사처럼 쓰인다. 명사처럼 쓰이는 to부정사는 문장에서 주어, 보어, 목적어의 역할을 한다.

	~하는 것은	**To walk** on water is impossible. **To ride** a roller coaster is exciting.
주어		⊕ to부정사가 주어로 쓰이면 반드시 단수 취급한다. ⊕ to부정사구가 주어로 쓰일 때는 to부정사구를 뒤로 보내고, 주어 자리에 가주어 it을 쓴다. (서술형 빈출) **To eat** vegetables is good for your health. = **It** is good for your health **to eat** vegetables.
	~하는 것(이다)	Mark's plan is **to read** four books every month.
보어		⊕ to부정사가 보어로 쓰이면 주어의 의미를 보충 설명한다. 이때 주어와 보어는 동격관계 이다.

POINT 02 명사 역할을 하는 to부정사(목적어)

Kids like*to eat chocolate.

목적어
(to부정사구)

아이들은 초콜릿 먹는 것을 좋아한다.

> * to부정사구가 '~하는 것을'이라는 뜻으로 동사의 목적어 역할을 해.

목적어	~하는 것을	She wants **to save** a lot of money. I'm planning **to go** to Bali this summer.
		⊕ 목적어로 to부정사를 취하는 동사: want, plan, decide, choose, hope, expect, need, offer, agree, promise 등 (추가 자료)

① to부정사의 부정형: 「not(never)+to부정사」의 형태로 나타낸다.
He decided **not to join** the club.

개념 QUICK CHECK

POINT 01

밑줄 친 to부정사구가 문장에서 하는 역할을
골라 √ 표시하시오.

1 My goal is <u>to improve my
English</u>.
☐ 주어   ☐ 보어

2 <u>To exercise</u> is good for you.
☐ 주어   ☐ 보어

3 <u>To get good grades</u> is not easy.
☐ 주어   ☐ 보어

4 Danny's dream is <u>to become a
teacher</u>.
☐ 주어   ☐ 보어

POINT 02

밑줄 친 부분이 올바르면 ○, 틀리면 ×에 √
표시하시오.

1 My dog needs <u>to takes</u> a walk.
[○] [×]

2 We wanted <u>played</u> baseball.
[○] [×]

3 I hope <u>to pass</u> the test.   [○] [×]

4 She promised <u>not to be</u> late
again.   [○] [×]

대표 기출 유형으로 **실전 연습**

1 우리말과 일치하도록 할 때 빈칸에 들어갈 말로 알맞은 것은?

> 팬케이크를 만드는 것은 나의 특기이다.
>
> > _____ pancakes is my specialty.

① Make   ② Makes   ③ To make

④ Made   ⑤ To making

2 빈칸에 들어갈 말로 알맞은 것은?

> His dream is _____ Mount Everest.

① climb   ② climbs   ③ climbed

④ to climbing   ⑤ to climb

3 자주 나와요! 두 문장의 의미가 같도록 빈칸에 알맞은 말을 쓰시오.

To learn new things is exciting.

= _____ is exciting _____ _____ new things.

4 빈칸에 알맞은 동사를 [보기]에서 골라 어법상 올바른 형태로 바꿔 쓰시오.

[보기]	play	meet	say

(1) Ted promised _____ _____ me today.

(2) My hobby is _____ _____ board games.

(3) It is good manners _____ _____ "please."

5 틀리기 쉬워요! 밑줄 친 부분의 역할이 나머지와 <u>다른</u> 것은?

① I hope <u>to do</u> well on the exam.

② It is always right <u>to tell</u> the truth.

③ She needs <u>to wash</u> her sneakers.

④ I don't want <u>to go</u> shopping today.

⑤ He is planning <u>to travel</u> around the world.

개념 완성 Quiz *Choose or complete.*

1 | 동사원형 / to부정사 |은(는) 문장에서 주어의 역할을 할 수 있다.
> POINT 01

2 to부정사는 문장에서 | 보어 / 목적어 |로 쓰일 때 주어의 의미를 보충 설명한다.
> POINT 01

3 주어 자리에 쓰인 to부정사구가 길면, 형식상의 주어인 | that / it |을 대신 쓸 수 있다.
> POINT 01

4 promise 뒤에는 목적어로 | 동명사 / to부정사 |를 쓴다.
> POINT 01, 02

5 plan, want 등의 동사는 | to부정사 / 동사원형 |만 목적어로 취한다.
> POINT 01, 02

UNIT 2 형용사·부사 역할을 하는 to부정사

POINT 03 형용사 역할을 하는 to부정사

I have an e-mail* to write.   나는 쓸 이메일이 있다.
명사 ← to부정사

* to부정사가 명사를 뒤에서 수식해.

to부정사는 형용사처럼 쓰여 명사나 대명사를 뒤에서 수식한다.

(대)명사 수식	~하는, ~할	I bought a dress **to wear** to the party. There are many friends **to help** you.

➕ -thing, -body, -one으로 끝나는 대명사를 형용사와 to부정사가 함께 수식할 때는 「대명사+형용사+to부정사」의 순서로 쓴다. 서술형 빈출
I'd like **something cold to drink**.

➕ to부정사가 수식하는 명사가 전치사의 목적어인 경우 to부정사 뒤에 전치사를 반드시 써야 한다.
Do you have a pen **to write with**? (← write *with* a pen)
I need a chair **to sit on**. (← sit *on* a chair)

POINT 04 부사 역할을 하는 to부정사

I exercise* to stay healthy.   나는 건강을 지키기 위해 운동한다.
동사   부사구
(to부정사구)

* to부정사가 '~하기 위해서'라는 뜻으로 목적을 나타내.

to부정사는 부사처럼 동사, 형용사, 부사 또는 문장 전체를 수식하며, 행동의 목적, 감정의 원인, 결과 등의 의미를 나타내고, 또한 형용사나 부사의 의미를 한정하기도 한다.

목적	~하기 위해서	He got home early **to cook** dinner.
	➕ 목적을 나타낼 때는 to 대신 in order to를 쓸 수 있다. I went to the library **in order to** return the book.	
감정의 원인	~해서, ~하기 때문에	We are **pleased to win** the game.
	➕ 감정을 나타내는 형용사(happy, pleased, surprised, disappointed, shocked 등) 뒤에서 감정을 느끼게 된 원인을 나타낸다.	
결과	(…해서) ~하다	She **lived to be** 80 years old.
	➕ 행동 이후에 결과로 일어난 일을 나타내며 주로 live, grow up 등과 함께 쓰인다.	
형용사 수식	~하기에	The quiz is **fun to solve**.
	➕ 형용사(easy, difficult, dangerous 등) 뒤에 쓰여서 형용사의 의미를 구체적으로 한정한다.	

개념 QUICK CHECK

POINT 03

밑줄 친 부분을 [예시]와 같이 우리말로 옮기시오.

> [예시] We have work to do.
> > 할 일

1 I need some time to think.
> _____ 시간

2 Can I get something to eat?
> _____ 것

3 He is looking for a house to live in.
> _____ 집

4 She brought some books to read.
> _____ 책들

POINT 04

밑줄 친 부분이 나타내는 의미나 역할을 골라 기호를 쓰시오.

a. 감정의 원인	b. 형용사 수식
c. 목적	d. 결과

1 This river is dangerous to swim in.   (   )

2 Somin grew up to be a famous singer.   (   )

3 I am happy to meet you again.   (   )

4 He studied hard to pass the exam.   (   )

대표 기출 유형으로 **실전 연습**

1 빈칸에 공통으로 들어갈 알맞은 말을 쓰시오.

> • I have a lot of work _____ do.
> • Please give me some paper _____ write on.

2 빈칸에 들어갈 말로 알맞은 것은?

> Jack was sad _____ his smartphone.

① lose ② loses ③ lost
④ to lose ⑤ to losing

틀리기 ^{쉬워요!}
3 우리말을 영어로 바르게 옮긴 것은?

> 그녀는 재미있는 읽을거리를 원한다.

① She wants something interesting read.
② She wants something to read interesting.
③ She wants interesting something to read.
④ She wants interesting to read something.
⑤ She wants something interesting to read.

4 두 문장의 의미가 같도록 빈칸에 알맞은 말을 쓰시오.

I went to the park to exercise.
= I went to the park _____ _____ _____ exercise.

자주 ^{나와요!}
5 밑줄 친 부분의 쓰임이 (보기)와 같은 것은?

> (보기)   He has some homework to do.

① I'm sorry to bother you.
② He grew up to be a pianist.
③ She saved money to buy a bag.
④ The question is difficult to answer.
⑤ There are many places to visit in London.

개념 완성 Quiz *Choose or complete.*

1 형용사 역할을 하는 to부정사는 명사나 대명사를 앞 / 뒤 에서 수식한다.
> POINT 03

2 _____는 감정을 나타내는 형용사 뒤에서 원인을 나타낸다.
> POINT 04

3 -thing으로 끝나는 대명사를 형용사와 to부정사가 함께 수식하면 「_____ +_____+to부정사」의 어순으로 쓴다.
> POINT 03

4 목적을 나타낼 때 to부정사의 to는 _____로 바꿔 쓸 수 있다.
> POINT 04

5 부사 역할을 하는 to부정사는 목적, 결과 / 완료 등의 의미를 나타낼 수 있다.
> POINT 03, 04

UNIT 3 동명사

POINT 05 명사 역할을 하는 동명사

He enjoys *reading science fiction.
　　　동사　　목적어
　　　　　　(동명사)

그는 과학 소설 읽는 것을 즐긴다.

> *동명사는 문장에서 명사의 역할을 해.

동명사는 「동사원형+-ing」의 형태로 쓰고 문장에서 주어, 보어, 목적어의 역할을 한다.

주어	~하는 것은	Learning Chinese is easy for her.
	➕ 동명사가 주어로 쓰일 때는 단수 취급한다.	
보어	~하는 것(이다)	My hobby is **making** model airplanes.
목적어	~하는 것을	Suddenly he stopped **talking**.
	➕ 목적어로 동명사를 취하는 동사: enjoy, stop, keep, mind, finish, give up, avoid, practice 등	
	➕ 목적어로 동명사와 to부정사 모두 취하는 동사: like, love, begin, start, continue 등 추가자료	
	My sister likes **doing**(to do) yoga.	
	➕ 전치사의 목적어로 동명사를 쓴다.	
	He is good **at singing**.　　I am scared **of going** out alone.	

ⓘ 동명사가 주어나 보어로 쓰일 때는 to부정사와 바꿔 쓸 수 있다.
Playing with my cat is fun. = **To play** with my cat is fun.　　　　[주어로 쓰일 때]
My hobby is **decorating** my room. = My hobby is **to decorate** my room.
　　　　　　　　　　　　　　　　　　　　　　　　　　　　[보어로 쓰일 때]

POINT 06 자주 쓰이는 동명사의 관용 표현

*I'm busy doing my homework.
　　be busy -ing

나는 숙제를 하느라 바쁘다.

> *동명사를 사용한 관용 표현이야.

go -ing	~하러 가다	I like to **go** fish**ing** with my dad.
keep -ing	계속해서 ~하다	She **kept** writ**ing** her essay at night.
feel like -ing	~하고 싶다	I **feel like** eat**ing** hot dogs now.
be busy -ing	~하느라 바쁘다	He **is busy** prepar**ing** for dinner.
look forward to -ing	~하기를 고대하다	I'm look**ing** **forward to** see**ing** you.
spend+시간/돈 +(on/in) -ing	~하면서 시간/돈을 쓰다	Grace **spent** an hour do**ing** her homework.
be worth -ing	~할 가치가 있다	This movie **is worth** watch**ing** many times.
on -ing	~하자 마자	**On** hear**ing** the news, she started to cry.

개념 QUICK CHECK

POINT 05

괄호 안에서 알맞은 것을 <u>모두</u> 고르시오.

1 Did you finish (cleaning / to clean) your room?

2 How about (going / to go) to the party with me?

3 We should avoid (catching / to catch) cold.

4 (Walking / To walk) is an easy way to exercise.

POINT 06

괄호 안의 동사를 알맞은 형태로 바꿔 빈칸에 쓰시오.

1 We often go _____ to the mountain. (camp)

2 I don't feel like _____ to the movies tonight. (go)

3 She spent much time _____ TV. (watch)

대표 기출 유형으로 실전 연습

자주 나와요!

1 빈칸에 들어갈 말로 알맞은 것은?

> He really enjoys _____ in winter.

① skate   ② skates   ③ skating

④ to skating   ⑤ to skate

2 우리말과 일치하도록 괄호 안의 말을 사용하여 문장을 완성하시오.

> 나는 콘서트에 가는 것을 고대하고 있다. (go)

> I'm looking _____ _____ _____ to the concert.

3 밑줄 친 부분의 쓰임이 나머지와 <u>다른</u> 하나는?

① Do you mind <u>opening</u> the door?

② We started <u>playing</u> a board game.

③ My dream is <u>being</u> a movie director.

④ She stopped <u>talking</u> about the problem.

⑤ They finished <u>eating</u> dinner and went out.

4 다음 문장에서 어법상 <u>틀린</u> 부분을 찾아 바르게 고쳐 쓰시오.

> Emily's family is planning to go fish this vacation.

_____ > _____

틀리기 쉬워요!

5 다음 중 어법상 <u>틀린</u> 문장은?

① Making friends is not easy.

② He is busy cleaning the house.

③ Thank you for joining us tonight.

④ My little brother just began to walk.

⑤ She spent the evening to pack for her trip.

개념 완성 Quiz *Choose or complete.*

1 enjoy, mind, finish 등과 같은 동사는 to부정사 / 동명사 / to부정사와 동명사 를 목적어로 취한다.
> POINT 05

2 '~하기를 고대하다'라는 의미의 관용 표현은 look _____이다.
> POINT 06

3 동명사는 문장에서 명사 / 부사 처럼 쓰여 주어, 보어, 목적어의 역할을 한다.
> POINT 05

4 '~하러 가다'는 _____(으)로 표현한다.
> POINT 06

5 전치사 뒤에는 to부정사 / 동명사 / 동사원형 의 형태로 쓴다.
> POINT 05, 06

to부정사와 동명사 **105**

서술형 실전 연습

개념 완성 **Quiz** *Choose or complete.*

1 괄호 안의 말을 어법상 올바른 형태로 바꿔 문장을 완성하시오.

(1) I decided _____ to Paris. (move)

(2) They were happy _____ the news. (hear)

(3) Julie is interested in _____ the drums. (play)

1 to부정사 / 동명사 의 쓰임:
문장 안에서 명사, 형용사, 부사의 역할
> POINT 02, 04, 05

자주 나와요!
2 두 문장의 의미가 같도록 빈칸에 알맞은 말을 쓰시오.

To follow the school rules is important.

= _____ is important _____ _____ _____
_____ _____.

2 to부정사구가 주어일 때 to부정사구를 뒤로 보내고 주어 자리에 it / this 사용
> POINT 01

---

3 다음 문장에서 어법상 틀린 부분을 찾아 바르게 고쳐 쓰시오.

I don't mind to lend my laptop to you.

_____ > _____

3 to부정사 / 동명사 를 목적어로 취하는 동사: enjoy, finish, mind 등
> POINT 05

---

4 우리말과 일치하도록 괄호 안의 말을 바르게 배열하여 문장을 완성하시오.

(1) 나는 따뜻한 마실 것을 원해. (something, drink, warm, to)

> I want _____.

(2) 그들은 앉을 벤치를 찾고 있다. (to, a bench, on, sit)

> They are looking for _____.

4 -thing으로 끝나는 대명사를 to부정사와 형용사가 함께 수식할 때의 어순:
-thing+형용사+to부정사 / 형용사+-thing+to부정사
> POINT 03

---

5 빈칸에 알맞은 말을 [보기]에서 골라 어법상 올바른 형태로 쓰시오.

[보기] save the child   eat out   get good grades

(1) I don't feel like _____. Let's eat at home.

(2) I studied for the exam _____.

(3) The firefighters climbed up the ladder _____.

5 ~하고 싶다: feel _____ _____
> POINT 04, 06

6 밑줄 친 부분을 괄호 안의 말로 바꿔 문장을 다시 쓰시오.

(1) James hoped to study abroad. (gave up)

> _____

(2) Lina wanted to go to the band's concert. (looked forward to)

> _____

개념 완성 **Quiz** *Choose or complete.*

6 to부정사 / 동명사 를 목적어로 취하
는 동사: want, expect, hope 등
> POINT 02, 05, 06

7 각 메모지에서 알맞은 말을 골라 [예시]와 같이 문장을 쓰시오.

| restaurant
library
theater
grocery store | have
buy
watch
borrow | lunch
vegetables
some books
an action movie |

[예시] We went to the restaurant to have lunch.

(1) _____

(2) _____

(3) _____

7 to부정사의 형용사적 / 부사적 쓰임:
to부정사가 목적, 원인, 결과 등의 의미
를 나타냄
> POINT 04

고난도

8 다음 대화를 읽고, 빈칸에 알맞은 말을 [조건]에 맞게 쓰시오.

Jisu: What is your hobby?

Leo: I (1) _____ _____ _____ _____.
I like rap music. (enjoy, listen, music)

Jisu: Can you sing rap songs?

Leo: No, but I (2) _____ _____ _____
_____. (take, plan, lessons)

[조건] 1. 괄호 안의 말을 어법에 맞게 사용할 것
    2. to부정사나 동명사를 사용하여 문장을 완성할 것

8 목적어로 쓰인 동명사와 to부정사:
모두 명사 / 형용사 / 부사 역할
> POINT 02, 05

실전 모의고사

[01-02] 빈칸에 들어갈 말로 알맞은 것을 고르시오. 각 2점

01

He wants _____ to an amusement park.

① go ② going ③ for going
④ to go ⑤ to going

02

We _____ preparing for the meeting.

① hoped ② planned ③ finished
④ decided ⑤ needed

03 빈칸에 공통으로 들어갈 말로 알맞은 것은? 2점

• It is fun _____ read comic books.
• He was happy _____ meet his old friends.

① at ② to ③ in
④ of ⑤ for

04 우리말과 일치하도록 할 때 빈칸에 들어갈 말로 알맞은 것은? 2점

내게 쓸 종이를 좀 주겠니?

> Can you give me _____?

① some paper writing
② to write some paper
③ some paper to write
④ to write on some paper
⑤ some paper to write on

05 밑줄 친 부분을 바르게 고친 것은? 3점

He grew up <u>being</u> a famous actor.

① to ② be ③ was
④ to be ⑤ to being

06 빈칸에 알맞은 것을 <u>모두</u> 고르시오. 4점

Jessica _____ to go to Jeju-do for a vacation.

① loved ② minded ③ gave up
④ enjoyed ⑤ agreed

07 괄호 안에 주어진 단어를 바르게 배열한 것은? 3점

I have _____ you.
(to, important, tell, something)

① something to tell important
② something important to tell
③ something to important tell
④ to tell something important
⑤ to tell important something

08 빈칸에 들어갈 말이 순서대로 바르게 짝지어진 것은? 4점

• Thank you for _____ me a lot.
• I was busy _____ English for the test.

① helping – study ② helping – to study
③ helping – studying ④ to help – studying
⑤ to help – to study

[09-10] 다음 중 어법상 틀린 문장을 고르시오. 각 4점

09 ① My dog loves playing with a ball.
② His favorite hobby is going fishing.
③ She needs to talk about her grades.
④ We started painting pictures on the wall.
⑤ Learning about dinosaurs are interesting.

10 ① Is it OK to take pictures here?
② I'm good at to play basketball.
③ She came home early to watch the TV show.
④ He decided not to buy the concert ticket.
⑤ What is the best way to get to the airport?

11 밑줄 친 부분의 쓰임이 나머지와 다른 하나는? 4점

① I brought some books to read.
② Can you give me a chance to explain?
③ He likes to play baseball on weekends.
④ There are a lot of things to see in this city.
⑤ She has a package to send to her grandma.

12 밑줄 친 부분의 쓰임이 [보기]와 같은 것은? 4점

[보기] She wants to drink coffee now.

① I have a surprising story to tell you.
② Ken went to school to take an exam.
③ He promised to help me with the work.
④ They need a towel to clean the kitchen.
⑤ The project was difficult to finish on time.

13 밑줄 친 부분을 in order to로 바꿔 쓸 수 없는 것은? 4점

① I went to the museum to see the pictures.
② Kelly wrote a letter to Mina to thank her.
③ Mr. Cook was disappointed to hear the reply.
④ My father will go to the bank to send money.
⑤ They went to the market to prepare for the picnic.

14 밑줄 친 부분을 동명사로 바꿔 쓸 수 있는 것을 모두 고르시오. 4점

① He has four dogs to take care of.
② To live without a computer is impossible.
③ They went to Scotland to visit their friends.
④ The children didn't expect to go to the zoo.
⑤ Her dream is to have a beautiful garden.

고난도 신유형
15 다음 문장에서 어법상 틀린 부분을 바르게 고친 것은? 5점

To ride a motorcycle are not safe without wearing a helmet.

① To ride → Ride
② a motorcycle → an motorcycle
③ are → is
④ not safe → safe not
⑤ without wearing → without wear

16 다음 대화의 빈칸에 들어갈 수 <u>없는</u> 것은? 3점

> **A:** What's your hobby?
> **B:** My hobby is _____.

① dancing   ② swimming
③ taking pictures   ④ listen to music
⑤ to play badminton

통합

17 다음 중 어법상 올바른 문장끼리 짝지어진 것은? 4점

> ⓐ Did you finish to do dishes?
> ⓑ The password is hard to remember.
> ⓒ They are looking for a house to live.
> ⓓ My goal is to become a photographer.
> ⓔ The book is worth reading many times.

① ⓐ, ⓒ   ② ⓐ, ⓓ   ③ ⓑ, ⓓ, ⓔ
④ ⓒ, ⓓ   ⑤ ⓒ, ⓓ, ⓔ

고난도

18 다음 글의 밑줄 친 ⓐ~ⓓ 중 어법상 틀린 것은? 5점

> I want ⓐ to be a good English speaker. My plan is ⓑ studying English every day for thirty minutes. It is very helpful ⓒ to keep a diary in English. I promise ⓓ to give not up.

① 없음   ② ⓐ   ③ ⓑ
④ ⓒ   ⑤ ⓓ

서술형

19 빈칸에 공통으로 들어갈 동사 make의 알맞은 형태를 쓰시오. 3점

> • He is busy _____ pizza for his wife.
> • I really enjoyed _____ a jacket by myself.

20 to부정사를 사용하여 다음 두 문장을 한 문장으로 바꿔 쓰시오. 4점

> Eric will go to Star Stadium. Eric is going to see the soccer game there.

> Eric will go to _____
> _____.

21 다음 두 문장의 의미가 같도록 (조건)에 맞게 쓰시오. 각 3점

> (조건) 가주어 it을 사용한다.

(1) To read novels is good for my imagination.
> _____

(2) To travel alone is dangerous and lonely.
> _____

22 우리말과 일치하도록 괄호 안의 지시대로 문장을 완성하시오. 각 3점

(1) 그들은 마실 깨끗한 물이 필요하다. (to부정사 사용)

> They need _____.

(2) 창문 좀 열어 주겠니? (동사 mind 사용)

> Do you _____?

23 to부정사를 사용하여 대화의 내용을 한 문장으로 요약하시오. 5점

> **Tim:** What are you doing?
> **Olivia:** I'm doing my history homework. I have to finish it today.

> Olivia has _____.

24 다음 글의 밑줄 친 ⓐ～ⓓ 중 어법상 틀린 것을 2개 찾아 바르게 고쳐 쓰시오. 각 4점

> Many people know the importance of ⓐ to save the environment. We have to start ⓑ working together before it's too late. One of the best ways to ⓒ doing this is ⓓ recycling.

(1) ( ) _____ > _____

(2) ( ) _____ > _____

25 다음 글을 읽고, 밑줄 친 우리말을 [조건]에 맞게 영어로 쓰시오. 5점

> I was a very shy person. I was afraid to speak to others. I practiced speaking in front of Emily. She was very helpful. A few days later, I began to feel comfortable. Now, 나는 다른 사람들에게 말하는 것이 두렵지 않다.

[조건] 1. 괄호 안의 표현을 어법에 맞게 사용할 것
2. 주어와 동사는 축약할 것
3. 총 8단어로 쓸 것

> _____

(scared of, other people, speak)

약점 공략
틀린 문제가 있다면?

틀린 문항 번호가 있는 칸을 색칠하고, 어떤 문법 POINT의 집중 복습이 필요한지 파악해 보세요.

문항 번호	연관 문법 POINT	문항 번호	연관 문법 POINT	문항 번호	연관 문법 POINT
01	P2	10	P1~P5	19	P5, P6
02	P2, P5	11	P2, P3	20	P4
03	P1, P4	12	P2~P4	21	P1
04	P3	13	P4	22	P3, P5
05	P4	14	P1~P4	23	P3
06	P2, P5	15	P1	24	P3, P5
07	P3	16	P1, P5	25	P5
08	P5, P6	17	P1~P6		
09	P2, P5	18	P1, P2, P3, P5		

연관 문법 POINT 참고

P1 [p.100] 명사 역할을 하는 to부정사 (주어, 보어)

P2 [p.100] 명사 역할을 하는 to부정사 (목적어)

P3 [p.102] 형용사 역할을 하는 to부정사

P4 [p.102] 부사 역할을 하는 to부정사

P5 [p.104] 명사 역할을 하는 동명사

P6 [p.104] 자주 쓰이는 동명사의 관용 표현

Level Up Test

01 우리말을 영어로 옮길 때 빈칸에 들어가지 <u>않는</u> 단어는?

> 네 글씨는 읽기가 힘들어.
>
> \> _____ _____ hard _____
>
> _____ _____ handwriting.

① it ② is ③ to

④ reading ⑤ your

02 밑줄 친 to부정사의 쓰임이 같은 것끼리 짝지어진 것을 <u>모두</u> 고르시오.

> ⓐ Do you have something <u>to eat</u>?
> ⓑ Julie was sad <u>to read</u> the story.
> ⓒ It is hard <u>to learn</u> a new language.
> ⓓ Ms. Parker's job is <u>to teach</u> science.
> ⓔ He grew up <u>to be</u> a fashion model.

① ⓐ, ⓒ ② ⓐ, ⓓ ③ ⓑ, ⓔ

④ ⓒ, ⓓ ⑤ ⓓ, ⓔ

03 다음 빈칸에 reading이 들어갈 수 있는 문장의 개수는?

> ⓐ Ken loves _____ ghost stories.
> ⓑ My hobby is _____ fantasy novels.
> ⓒ There are many comic books _____.
> ⓓ When did you finish _____ the newspaper?
> ⓔ I decided _____ one chapter of a book every day.

① 1개 ② 2개 ③ 3개

④ 4개 ⑤ 5개

04 다음 표를 보고, Emma가 자신의 애완견을 소개하는 글을 완성하시오.

이름	Bow
(1) 잘하는 것	catch balls
(2) 좋아하는 것	take a walk
(3) 시간을 보내는 방법	play with Emma

> Hi, I'm Emma. I have a pet dog, Bow. He is good at (1) _____.
> His favorite activity is (2) _____
> _____. He spends most of his time
> (3) _____.

05 다음 문장에서 어법상 <u>틀린</u> 부분을 고치고, <u>틀린</u> 이유를 우리말로 쓰시오.

(1) Bring me a chair to sit.

틀린 부분: _____ > _____

틀린 이유: _____

_____

(2) She doesn't feel like to see him anymore.

틀린 부분: _____ > _____

틀린 이유: _____

_____

CHAPTER

09

문장의 종류

단어가 모여 생각이나 느낌, 감정 등을 완결된 내용으로 나타내는 최소 단위를 **문장**이라고 한다. 문장을 글로 나타낼 때는 반드시 대문자로 시작하며, 문장의 끝에는 마침표(.) 또는 느낌표(!), 물음표(?)를 붙인다.

Preview

명령문	긍정 명령문	Close the window.
	부정 명령문	Don't close the window.
제안문	긍정 제안문	Let's go for a walk.
	부정 제안문	Let's not go for a walk.
감탄문	What 감탄문	What a beautiful flower (it is)!
	How 감탄문	How beautiful (the flower is)!
부가의문문	긍정 부가의문문	She didn't come to school today, did she?
	부정 부가의문문	Katie is absent today, isn't she?

문장의 종류

POINT **01** 명령문

> ***Close** your eyes.
>
> 동사원형
>
> 눈을 감아라.
>
> * 주어 You를 생략하고 동사원형으로 시작해.

(1) 긍정 명령문

| 동사원형 ~. | ~해라. | **Turn** off the TV.
Be careful on your way home! |
| | | ⊕ am, are, is는 원형인 be로 쓴다.
⊕ 명령문의 앞이나 뒤에 please를 붙이면 좀 더 공손한 표현이 된다.
Open the door, **please**.   **Please follow** the rules. |

(2) 부정 명령문

| Don't(Never)+
동사원형 ~. | ~하지 마라. | **Don't be** late again.
Never talk loudly in the library. |

ⓣ · **명령문, and ~.** (…해라, 그러면 ~할 것이다.)
  Study hard, and you'll pass the test.
 · **명령문, or ~.** (…해라, 그렇지 않으면 ~할 것이다.)
  Study hard, or you won't be able to pass the test.

POINT **02** 제안문

> ***Let's play** soccer after school.
>
> Let's + 동사원형
> (~하자)
>
> 방과 후에 축구를 하자.
>
> * Let's 뒤에는 반드시 동사원형을 써.

(1) 긍정 제안문

| Let's+동사원형 ~. | ~하자. | **Let's go** on a picnic.
It's cold outside. **Let's stay** home. |
| | | ⊕ 제안을 나타내는 다양한 표현
· Shall we+동사원형 ~?   **Shall we meet** at 7?
· Why don't we+동사원형 ~? **Why don't we meet** at 7?
· How(What) about -ing ~? **How(What) about meeting** at 7? |

(2) 부정 제안문

| Let's not+동사원형 ~. | ~하지 말자. | **Let's not drink** this milk. It smells bad. |

ⓣ 제안문에 대한 대답
 · 긍정의 대답: Okay. / Sure. / Why not? / That's a good idea. 등
 · 부정의 대답: No, let's not. / I'm sorry, but I can't. 등

개념 QUICK CHECK

POINT **01**

빈칸에 알맞은 말을 골라 기호를 쓰시오.

| a. Do | b. Be | c. or |
| d. Not | e. and | f. Don't |

1 _____ your homework.

2 _____ open the box.

3 _____ kind to your friends.

4 Eat something, _____ you'll get hungry soon.

POINT **02**

괄호 안에서 알맞은 것을 고르시오.

1 (Let / Let's) take the bus.

2 Let's (has / have) a party!

3 Let's (do / be) careful.

4 Let's (not / don't) go out.

대표 기출 유형으로 **실전 연습**

1 우리말과 일치하도록 괄호 안의 말을 사용하여 문장을 완성하시오.

(1) 영화관 안에서는 조용히 해 주세요. (quiet)

> Please _____ _____ in the movie theater.

(2) 기계에 있는 빨간 버튼을 누르지 마. (push)

> _____ _____ the red button on the machine.

2 다음 문장을 바꿔 쓸 때, 빈칸에 들어갈 말로 알맞은 것은?

> Why don't we go shopping together?
>
> > _____ shopping together.

① You'll go　　② Don't go　　③ Never go

④ Let's not go　　⑤ Let's go

자주 나와요!
3 빈칸에 들어갈 말이 순서대로 바르게 짝지어진 것은?

- Take an umbrella, _____ you will get wet.
- Turn left, _____ you will see the tall tower.

① or – or　　② or – and　　③ or – but

④ and – or　　⑤ but – and

4 빈칸에 Let's를 쓸 수 <u>없는</u> 문장은?

① _____ take the subway.

② _____ study in the library.

③ _____ not eat out tonight.

④ _____ careful on the road.

⑤ _____ join the club together.

틀리기 쉬워요!
5 밑줄 친 부분이 어법상 <u>틀린</u> 것은?

① <u>Let's take</u> that elevator.

② <u>Never be</u> late for the class.

③ <u>Not step</u> on the grass, please.

④ <u>Let's not buy</u> the pie. It's too sweet.

⑤ Close the window, <u>or</u> you will be cold.

개념 완성 Quiz *Choose or complete.*

1 명령문은 주어 You가 생략된 문장으로, _____(으)로 문장을 시작한다.
> POINT 01

2 '~하자'라고 제안할 때는 「_____ +동사원형」으로 쓴다.
> POINT 02

3 '…해라, 그렇지 않으면 ~할 것이다'라는 의미의 명령문은 「명령문, and / or ~.」의 형태로 쓴다.
> POINT 01

4 제안문이나 명령문을 쓸 때 am, are, is는 원형인 _____(으)로 바꿔서 쓴다.
> POINT 01, 02

5 부정 명령문은 동사원형 앞에 _____(이)나 _____을(를) 쓴다.
> POINT 01, 02

UNIT 2 감탄문, 부가의문문

POINT 03 감탄문

> *__What a smart boy__ (he is)!　　(그는) 정말 똑똑한 소년이구나!
>
> What + a(an) + 형용사 + 명사　　*감탄문에서 주어, 동사는 생략할 수 있어.

감탄문은 '정말 ~하구나!'라는 뜻으로 기쁨, 놀라움, 슬픔 등의 감정을 표현하는 문장이다. 보통 What이나 How로 시작되며, 문장의 끝에 느낌표(!)를 붙인다.

What 감탄문	What+a(an)+형용사+명사(+주어+동사) ~!	What a sad story (it is)! What a slow turtle it is!
	● 명사가 복수형이거나 셀 수 없는 명사인 경우에는 a(an)을 쓰지 않는다. **What** nice **girls** they are!　**What** lovely **weather** we have!	
How 감탄문	How+형용사/부사(+주어+동사) ~!	How wonderful (it is)! How expensive the shoes are! How slowly the turtle moves!

① What 감탄문은 명사(구)를 강조하고, How 감탄문은 형용사나 부사를 강조한다.

POINT 03

How와 What 중 알맞은 것을 쓰시오.

1 _____ foolish I was!

2 _____ a tall man he is!

3 _____ cute her cat is!

4 _____ small socks these are!

POINT 04 부가의문문

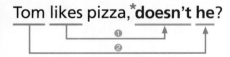

> __Tom likes pizza,__ *__doesn't he?__　　Tom은 피자를 좋아해, 그렇지 않니?
>
> ①
> ②
> *① 긍정문의 부가의문문은 부정형으로.
> ② 문장의 주어는 대명사로.

부가의문문은 확인이나 동의를 구할 때 평서문, 명령문, 제안문 뒤에 「동사+주어」를 짧게 덧붙여 '그렇지?', '그렇지 않니?'라고 묻는 말이다.

긍정문 뒤에는 부정형 부가의문문을 덧붙임	That boy is your brother, **isn't he?** You get up early every day, **don't you?** Kate will come to the party, **won't she?**
부정문 뒤에는 긍정형 부가의문문을 덧붙임	Minho can't play the piano, **can he?** You weren't late for school, **were you?** Mom didn't bring her umbrella, **did she?**

① **부가의문문 만들 때 주의할 점**
- 부가의문문에서 주어는 반드시 대명사로 쓴다.
  Sam is your brother, isn't **he?**
- be동사와 조동사는 각각 be동사와 조동사를 사용하고, 일반동사는 do/does/did를 사용한다.
- 시제를 앞 문장과 일치시키고, 부정의 부가의문문은 반드시 줄임말로 쓴다.

① **부가의문문에 대한 대답**: 내용이 긍정이면 Yes로, 부정이면 No로 답한다.
  You don't like swimming, **do you?**
- 긍정 → **Yes**, I do. (좋아함)
- 부정 → **No**, I don't. (좋아하지 않음)

POINT 04

빈칸에 알맞은 말을 골라 기호를 쓰시오.

a. was	b. is	c. doesn't
d. didn't	e. can	

1 He wasn't busy, _____ he?

2 You had breakfast, _____ you?

3 She's not coming, _____ she?

4 Eric jogs every day, _____ he?

5 Dogs can't jump high, _____ they?

대표 기출 유형으로 **실전 연습**

1 다음 문장을 감탄문으로 바꿀 때, 빈칸에 알맞은 말을 쓰시오.

> This book is very helpful.

> ＞ _____ a helpful book this is!

틀리기 쉬워요!
2 빈칸에 알맞은 부가의문문을 써서 대화를 완성하시오.

(1) **A:** It's a very cold day, _____ _____?
   B: Yes, it is.

(2) **A:** Mary didn't go to school, _____ _____?
   B: Yes, she did.

자주 나와요!
3 다음 대화의 빈칸에 들어갈 말로 알맞은 것은?

> **A:** You lived in Beijing last year, _____?
> **B:** No, I didn't. I lived in Shanghai.

① do you   ② did you   ③ don't you
④ didn't you   ⑤ didn't I

4 빈칸에 들어갈 말이 순서대로 바르게 짝지어진 것은?

> • _____ fast the cheetah runs!
> • Mr. Cruise likes to go to the park, _____ he?

① How – does   ② How – doesn't
③ How – did   ④ What – doesn't
⑤ What – does

5 우리말과 일치하도록 괄호 안의 말을 바르게 배열하여 문장을 완성하시오.

(1) 거미는 8개의 다리를 갖고 있어, 그렇지 않니? (eight legs, doesn't, has, it)
   ＞ A spider _____ ?

(2) 그것은 정말 맛있는 치즈구나! (cheese, delicious, is, it)
   ＞ What a _____ !

개념 완성 Quiz   *Choose or complete.*

1 명사구를 강조하는 감탄문은 [What / How] (으)로 시작한다.
> POINT 03

2 부가의문문을 만들 때, 앞 문장에 사용된 be동사, 조동사는 그대로 사용하고 일반동사는 _____로 바꾼다.
> POINT 04

3 긍정문 뒤에는 [긍정형 / 부정형] 부가의문문을 쓴다.
> POINT 04

4 부가의문문의 주어는 반드시 [부정대명사 / 인칭대명사] 로 바꿔 쓴다.
> POINT 03, 04

5 What으로 시작하는 감탄문은 형용사 뒤에 [부사 / 명사] 가 온다.
> POINT 03, 04

서술형 실전 연습

1 다음 문장에서 어법상 틀린 부분을 찾아 바르게 고쳐 쓰시오.

(1) Do kind to everyone.

_____ > _____

(2) Let's waters the flowers in the garden.

_____ > _____

1 명령문:

주어를 생략하고 동사원형 / be동사 (으)로 시작

> POINT 01, 02

2 빈칸에 알맞은 말을 써서 대화를 완성하시오.

(1) **A:** Hey, Jayden. This is your laptop, _____ _____?

B: No, _____ _____. Mine is over there.

(2) **A:** David can't swim very well, _____ _____?

B: Yes, _____ _____. He swims very fast.

2 부가의문문에 대한 대답

• 대답의 내용이 긍정이면 Yes / No

• 대답의 내용이 부정이면 Yes / No

> POINT 04

3 우리말과 일치하도록 괄호 안에 주어진 말을 사용하여 문장을 완성하시오.

(1) 칠판에 그림을 그리지 마라. (draw, pictures)

> _____ on the blackboard.

(2) 서두르지 말자. 우리에게는 충분한 시간이 있어. (hurry)

> _____ We have enough time.

3 부정 제안문:

Let's not / Let's don't +동사원형 ~.

> POINT 01, 02

4 [보기]에서 알맞은 단어를 사용하여 감탄문을 완성하시오.

자주 나와요!

[보기]	strong	beautiful

(1) I like the yellow rose. _____ _____ _____ flower it is!

(2) He is moving a heavy box. _____ _____ he is!

4 What 감탄문:

What+a(an)+_____+명사(+ 주어+동사) ~!

> POINT 03

5 다음 두 문장을 and 또는 or를 사용하여 한 문장으로 바꿔 쓰시오.

Leave right now. You will miss the train.

> _____ _____ _____, _____ you will miss the train.

5 명령문: and / or ~.:

'…해라, 그렇지 않으면 ~할 것이다.'

> POINT 01

6 [보기]에서 알맞은 단어를 사용하여 표지판의 의미를 나타내는 문장을 완성하시오.

(1)   (2)   (3)

[보기]	throw	park	swim

Welcome to Central Park

(1) _____ _____ here.

(2) _____ trash in the trash can.

(3) _____ _____ in the pond.

6 부정 명령문
- _____+동사원형 ~.
- _____+동사원형 ~.
  > POINT 01

7 괄호 안의 지시대로 문장을 바꿔 쓰시오.

(1) You will buy a new smartphone. (부가의문문)

   > _____

(2) It is a very lovely kitten. (What 감탄문)

   > _____

7 부가의문문
- 부정문의 부가의문문은 ﾠ긍정형 / 부정형ﾠ으로 사용
- 긍정문의 부가의문문은 ﾠ부정형 / 긍정형ﾠ으로 사용
  > POINT 03, 04

8 올바른 건강 습관을 나타낸 표를 [조건]에 맞게 완성하시오.

[조건]   1. Let's 또는 Don't를 사용하여 완전한 문장으로 쓸 것
          2. [보기]에 주어진 표현을 한 번씩 사용할 것

[보기]   eat vegetables   walk around the park   stay up late

음식	• Don't eat junk food. • (1) _____
운동	• Let's go for a walk. • (2) _____
수면	• Let's sleep at least eight hours. • (3) _____

8 제안문
- 형태: 「Let's+_____ ~.」
- 부정: 「Let's not+_____ ~.」
  > POINT 01, 02

실전 모의고사

시험일 :	월	일	문항 수 : 객관식 18 / 서술형 7
목표 시간 :			총점
걸린 시간 :			/ 100

[01-02] 빈칸에 들어갈 말로 알맞은 것을 고르시오. 각 2점

01

It's cold outside. _____ open the window.

① Be ② Do
③ Not ④ Don't
⑤ Doesn't

02

That computer is working well, _____?

① is it ② isn't it
③ does it ④ doesn't it
⑤ isn't that computer

03 빈칸에 들어갈 말이 순서대로 바르게 짝지어진 것은? 3점

• Hurry up, _____ you will be late.
• Hurry up, _____ you won't be late.

① or – and ② and – or
③ so – and ④ so – or
⑤ so – but

04 빈칸에 들어갈 말이 어법상 올바른 것은? 3점

You can do it. _____

① Don't afraid. ② Never afraid.
③ Be not afraid. ④ Not be afraid.
⑤ Don't be afraid.

05 다음 문장을 감탄문으로 바르게 바꾼 것은? 3점

It is a very nice picture.

① How nice picture!
② What a picture it is!
③ What a nice picture!
④ How a nice picture it is!
⑤ What nice the picture is!

06 다음 대화의 빈칸에 들어갈 말로 알맞은 것은? 3점

A: _____ we meet on Saturday this week?
B: Sorry, but I have to visit my grandparents. How about Sunday?

① Let's ② Why ③ Would
④ Shall ⑤ How do

07 다음 문장과 의미가 같은 것은? 3점

How big the watermelons are!

① What big watermelon is!
② What a big watermelon is!
③ What big watermelons are!
④ What the big watermelon is!
⑤ What big watermelons they are!

08 빈칸에 들어갈 말이 나머지와 <u>다른</u> 하나는? 4점

① Sue won the game, _____ she?
② Sam speaks Korean, _____ he?
③ You came to see me, _____ you?
④ We turned off the light, _____ we?
⑤ They had a great time there, _____ they?

09 빈칸에 들어갈 말로 알맞은 것을 <u>모두</u> 고르시오. 3점

A: Jake won first prize at the quiz contest.
B: _____

① How smart!
② How smart is he!
③ What smart he is!
④ What a smart boy!
⑤ What a smart he is!

10 밑줄 친 부분이 어법상 <u>틀린</u> 것은? 3점

① I'm not wrong, <u>am I</u>?
② Mary can't skate, <u>can she</u>?
③ He likes carrots, <u>doesn't he</u>?
④ You finished the work, <u>didn't you</u>?
⑤ That man is your father, <u>isn't the man</u>?

11 다음 대화에서 빈칸에 들어갈 말이 순서대로 바르게 짝지어진 것은? 4점

A: I'm so hungry.
B: You had lunch, _____ you?
A: No. I was busy.
B: Oh, then why don't we _____ lunch now?

① do – has   ② didn't – has
③ did – have   ④ didn't – have
⑤ did – had

12 다음 중 어법상 올바른 문장은? 4점

① Not be sad anymore.
② How tall boys they are!
③ Let's not go hiking today.
④ Please to follow my advice.
⑤ She watched the movie, did she?

13 다음 중 대화가 <u>어색한</u> 것은? 4점

① **A:** Please be quiet.
   B: OK. I'm sorry.
② **A:** Let's not buy this T-shirt.
   B: Why not? It's on sale.
③ **A:** Walk fast, or you'll be late.
   B: OK, I will.
④ **A:** How beautiful you are today!
   B: Thank you.
⑤ **A:** You can play the piano, can you?
   B: Yes, I can.

14 다음 문장과 바꿔 쓸 수 <u>없는</u> 것은? 3점

Let's meet at noon.

① Shall we meet at noon?
② Will we not meet at noon?
③ Why don't we meet at noon?
④ How about meeting at noon?
⑤ What about meeting at noon?

15 다음 중 어법상 <u>틀린</u> 문장은? 4점

① What pretty shoes they are!
② Don't watch TV after dinner.
③ Jenny wasn't at home then, did she?
④ Let's listen to the song one more time.
⑤ Practice hard, and you'll win the game.

16 표지판의 의미를 나타내는 문장의 빈칸에 들어갈 말로 알맞은 것은? **4점**

_____ a flash here.

① Not use
② Don't use
③ Be not use
④ Let's don't use
⑤ Why don't you use

17 빈칸 (A)~(C)에 들어갈 말이 순서대로 바르게 짝지어진 것은? **4점**

> **A:** Christine, you were sick this morning, __(A)__ you?
> **B:** Yes, I was.
> **A:** Why __(B)__ we go see a doctor this afternoon? I'll go with you.
> **B:** __(C)__ kind you are! Thank you.

	(A)		(B)		(C)
①	did	⋯	don't	⋯	How
②	were	⋯	don't	⋯	What
③	were	⋯	don't	⋯	How
④	weren't	⋯	don't	⋯	What
⑤	weren't	⋯	don't	⋯	How

🔺 통합 고난도

18 다음 중 어법상 틀린 것끼리 짝지어진 것은? **5점**

> ⓐ How hard she works!
> ⓑ Takes this umbrella, John.
> ⓒ Mr. Lee was very angry, wasn't he?
> ⓓ What about ride a bike here?
> ⓔ Don't let's run in the classroom.

① ⓐ, ⓑ
② ⓐ, ⓔ
③ ⓑ, ⓒ, ⓓ
④ ⓑ, ⓓ, ⓔ
⑤ ⓒ, ⓓ, ⓔ

◆◆◆◆◆◆◆◆◆◆◆◆◆◆◆ 서술형 ◆◆◆◆◆◆◆◆◆◆◆◆◆◆◆

19 다음은 지하철에서 지켜야 할 내용이다. 빈칸에 공통으로 들어갈 말을 한 단어로 쓰시오. **3점**

> • _____ smoke.
> • _____ talk loudly on cell phone.
> • _____ throw trash on the floor.

20 괄호 안의 말을 바르게 배열하여 문장을 완성하시오. **5점**

> **A:** _____!
>   (wonderful, has, a, what, he, idea)
> **B:** Right. I love his idea, too.

21 밑줄 친 우리말과 일치하도록 괄호 안의 말을 사용하여 영어로 쓰시오. **각 3점**

(1) **A:** This backpack is too expensive.
　　B: 그것을 사지 말자. (buy)
　　> _____ (4단어)

(2) **A:** Tom is always kind to others.
　　B: 그는 참 친절한 소년이구나! (kind, boy)
　　> _____ (6단어)

(3) **A:** I have a math test tomorrow.
　　B: 긴장하지 마. (nervous)
　　> _____ (3단어)

22 다음 대화에서 문맥상 <u>어색한</u> 문장을 찾아 바르게 고쳐 쓰시오. 5점

> **A:** How about eating spaghetti for dinner?
> **B:** You don't like spaghetti, do you?
> **A:** No, I don't. I like all kinds of noodles.

_____ > _____

23 〈A〉와 〈B〉에 주어진 표현을 각각 한 번씩 사용하여 [예시] 와 같이 문장을 쓰시오. 각 3점

〈A〉	〈B〉
turn left	catch a cold
study hard	find the building
put on your coat	get a good grade

[예시] Turn left, and you'll find the building.

(1) _____

(2) _____

고난도
24 다음 대화를 읽고, 물음에 답하시오. 각 3점

> **A:** Eddie is going to visit us tomorrow.
>   Let's eat lunch with him.
> **B:** Good. He doesn't like Chinese food, did he?
> **A:** _____ He likes Korean food.

(1) 어법상 틀린 부분을 찾아 바르게 고쳐 쓰시오.

_____ > _____

(2) 빈칸에 알맞은 대답을 세 단어로 쓰시오.

> _____

고난도
25 다음 글의 밑줄 친 문장을 주어진 [조건]에 맞게 바꿔 쓰 시오. 5점

> [조건] 1. 7단어로 쓸 것
>   2. what을 사용한 감탄문으로 쓸 것

> Sumi and Tony went to the National Museum last Sunday. Tony saw a beautiful gold crown there. He said, "<u>The gold crown is very beautiful.</u>" Sumi explained about the crown to him.

> _____

약점 공략
틀린 문제가 있다면?

틀린 문항 번호가 있는 칸을 색칠하고, 어떤 문법 POINT의 집중 복습이 필요한지 파악해 보세요.

문항 번호	연관 문법 POINT	문항 번호	연관 문법 POINT	문항 번호	연관 문법 POINT
01	P1	10	P4	19	P1
02	P4	11	P2, P4	20	P3
03	P1	12	P1~P4	21	P1~P3
04	P1	13	P1~P4	22	P2, P4
05	P3	14	P2	23	P1
06	P2	15	P1~P4	24	P4
07	P3	16	P1	25	P3
08	P4	17	P2~P4		
09	P3	18	P1~P4		

연관 문법 POINT 참고

P1 (p.114) 명령문   P3 (p.116) 감탄문
P2 (p.114) 제안문   P4 (p.116) 부가의문문

Level Up Test

•••••••••••• 신유형 ••••••••••••

01 다음 문장을 감탄문으로 바꿔 쓸 때, 다섯 번째로 오는 단어는?

> The children are very brave.

① how ② the ③ children
④ are ⑤ brave

02 다음 대화의 빈칸 ⓐ～ⓔ에 들어갈 말이 바르게 연결되지 않은 것은?

> **A:** It is sunny, ____ⓐ____?
> **B:** Yes. ____ⓑ____ go on a picnic.
> **A:** Sounds good. Where shall we go?
> **B:** ____ⓒ____ don't we go to the N Seoul Tower?
> **A:** There are always a lot of people there. ____ⓓ____ go there. How about going to Gyeongbok Palace instead?
> **B:** OK. ____ⓔ____ a good idea!

① ⓐ – isn't it ② ⓑ – Let's
③ ⓒ – Why ④ ⓓ – Let's not
⑤ ⓔ – How

03 다음 중 어법상 올바른 문장의 개수는?

> ⓐ What a kind boy is he!
> ⓑ Let's not go to the park.
> ⓒ Hurry up, or you'll be in time.
> ⓓ Never wear short pants inside the temple.
> ⓔ Jessica will come to the party, won't Jessica?

① 1개 ② 2개 ③ 3개
④ 4개 ⑤ 5개

•••••••••••• 서술형 ••••••••••••

04 다음 대화를 읽고, 물음에 답하시오.

> **A:** Look at my family picture.
> **B:** (A) 이 사진은 정말 멋지구나! Who took the picture?
> **A:** My uncle did. (B) He is a very good photographer.
> **B:** Great!

(1) 밑줄 친 (A)의 우리말을 괄호 안의 말을 사용하여 영어로 쓰시오. (wonderful, how)

> \> _____

(2) 밑줄 친 (B)를 what을 사용한 감탄문으로 바꿔 쓰시오.

> \> _____

05 다음 대화에서 어법상 틀린 문장 2개를 찾아 바르게 고쳐 쓰시오.

> **Mom:** Look at those waterfalls! How wonderful!
> **Alex:** What a big lake!
> **Mom:** The mountain is really high, is it?
> **Alex:** You're right. It's Mt. Victoria.
> **Mom:** The water is clear here. Eric, come and see!
> **Eric:** I'm coming!
> **Mom:** Let's takes a picture together.

(1) _____
> \> _____
(2) _____
> \> _____

CHAPTER

10

문장의 구조

문장을 이루는 최소 단위는 주어와 동사이며,
동사 뒤에 어떤 문장의 요소가 오는지에 따라
다섯 가지의 문장 형식으로 구분할 수 있다.

Preview

문장의 종류			
	1형식 문장	주어+동사	Birds sing.
	2형식 문장	주어+동사+주격보어	Mom is busy.
	3형식 문장	주어+동사+목적어	She likes soccer.
	4형식 문장	주어+수여동사+간접목적어+직접목적어	I gave him a book.
	5형식 문장	주어+동사+목적어+목적격보어	They named her Julia.

POINT 01 1형식 문장

He runs*fast.   그는 **빨리** 달린다.
주어 동사 부사

* 부사(구)는 문장의 형식에 영향을 주지 않아.

「주어+동사」만으로 문장이 성립하는 형식이며, 대개 부사(구)와 함께 쓰인다.

주어+동사(+부사(구))	The birds **sing** beautifully.

➕ 동사 뒤에 동사를 수식하는 부사(구)가 오기도 한다.

ⓘ **1형식 문장에 쓰이는 동사:** be(~에 있다), go, come, arrive, run, live, sing, sleep, smile, talk, rise 등

POINT 02 2형식 문장

He is*happy now.   그는 **지금 행복하다**.
주어 동사 주격보어 부사

* 주격보어는 주어의 성질이나 상태를 보충해 주는 말이야.

「주어+동사+주격보어」로 이루어진 문장이다.

주어+be동사+(대)명사/형용사	I am hungry.
주어+상태·변화동사+(대)명사/형용사	He became a pilot.

➕ **상태·변화동사:** become(~이 되다), get(~해지다), keep(~한 상태를 유지하다), turn(~하게 변하다), stay(~한 상태로 머무르다), go(~되다) 등

주어+감각동사+형용사	You look **tired**.

➕ **감각동사:** look(~해 보이다), feel(~하게 느끼다), smell(~한 냄새가 나다), sound(~하게 들리다), taste(~한 맛이 나다) 등

ⓘ 감각동사와 상태·변화동사 뒤에는 부사를 보어로 쓰지 않는다. 서술형 빈출
ⓘ 감각동사 뒤에 명사가 올 경우에는 「감각동사+like+명사」(~처럼 …하다)로 쓴다.

POINT 03 3형식 문장

He likes*soccer.   그는 **축구를** 좋아한다.
주어 동사 목적어

* 동사 뒤에 목적어 하나가 쓰인 문장이야.

「주어+동사+목적어」로 이루어진 문장이며, 목적어로 다양한 명사 어구가 쓰인다.

주어+동사+목적어	Mr. Kim **built** this house.

➕ 목적어 자리에는 주로 명사(절), 대명사가 오며, 동사에 따라 명사 역할을 하는 동명사(구), to부정사(구) 등이 올 수 있다. 서술형 빈출
I **enjoy** reading.   We **want** to leave now.

개념 QUICK CHECK 🔍

POINT 01

1형식 문장이면 ○, 아니면 ×에 ✓ 표시하시오.

1 Time flies.   [○] [×]

2 She felt sad.   [○] [×]

3 The students arrived at 9.
                                 [○] [×]

POINT 02

괄호 안에서 알맞은 것을 고르시오.

1 She became (sad / sadly).

2 That sounds (great / greatly).

3 He looks like (old / my dad).

POINT 03

3형식 문장을 찾아 ✓ 표시하고, [예시]와 같이 주어, 동사, 목적어로 구분하여 쓰시오.

[예시] I / like / shopping.
주어 동사   목적어

1 I jog every morning.   (   )

2 We want to eat pizza.   (   )

3 She bought a backpack.   (   )

대표 기출 유형으로 **실전 연습**

1 각 문장의 형식을 [보기]에서 골라 쓰시오.

> [보기] ⓐ 1형식 ⓑ 2형식 ⓒ 3형식

(1) Anna can't swim well. (   )
(2) I finished my homework. (   )
(3) These cherries taste sweet. (   )

틀리기 쉬워요!
2 빈칸에 들어갈 말로 알맞지 <u>않은</u> 것은?

> The music sounds _____.

① good   ② peaceful   ③ boring
④ exciting   ⑤ beautifully

3 문장의 형식이 [보기]와 <u>다른</u> 하나는?

> [보기]   I solved the math problem.

① We invited Bob to dinner.
② I ate a sandwich for breakfast.
③ You don't remember their names.
④ Dave and Christine are my cousins.
⑤ Joe likes going shopping with his mom.

4 빈칸에 들어갈 말이 순서대로 바르게 짝지어진 것은?

> • The little boy dances _____.
> • My sister loves _____ very much.

① well – happy   ② well – sweets   ③ well – at home
④ good – to sing   ⑤ good – reading

자주 나와요!
5 다음 중 어법상 <u>틀린</u> 문장은?

① Kevin looks sleepy.
② We like to play baseball.
③ The apple pie smells strangely.
④ My father drives very carefully.
⑤ The man became a fashion designer.

개념 완성 Quiz *Choose or complete.*

1 2형식 문장은 1형식 문장의 구성 요소에 주격보어 / 목적어 가 더해진 형식이다.
> POINT 01~03

2 감각동사와 상태·변화동사 뒤에는 형용사 / 부사 를 쓰지 않는다.
> POINT 02

3 3형식 문장은 주어와 동사, _____ 로 구성된다.
> POINT 02, 03

4 문장에서 보어 / 부사구 는 문장의 형식에 영향을 주지 않는다.
> POINT 01, 03

5 look, smell, feel, taste, sound 등은 _____라고 부른다.
> POINT 01~03

UNIT 2 4형식·5형식 문장

POINT 04 4형식 문장

He gave* Emily flowers.
그는 Emily에게 꽃을 주었다.

주어　수여동사　간접목적어　직접목적어
　　　　　　　(~에게)　　(…을)

> *간접목적어 자리에는 주로 사람(~에게)이, 직접목적어 자리에는 주로 사물(…을)이 와.

「주어+동사(수여동사)+간접목적어+직접목적어」로 이루어진 문장이다.

주어+동사(수여동사)+간접목적어+직접목적어	Mom **bought** me a computer. Mina **showed** us her pictures.

➕ 수여동사: buy, send, lend, give, make, show, teach, bring 등

4형식 문장은 3형식 문장으로 바꿔 쓸 수 있는데, 이때 간접목적어와 직접목적어의 위치를 바꾸고 간접목적어 앞에 전치사(to, for, of)를 쓴다. 〔서술형 빈출〕

4형식 주어+동사+간접목적어+직접목적어 ↓ 3형식 주어+동사+직접목적어+전치사+간접목적어	He **gave** Emily flowers. → He **gave** flowers to Emily.
간접목적어 앞에 to를 쓰는 동사	give, send, teach, show, tell, bring, lend, write 등	Jimin **sent** me a letter. → Jimin **sent** a letter to me.
간접목적어 앞에 for를 쓰는 동사	make, buy, get, cook, find, bring 등	Dad **made** us spaghetti. → Dad **made** spaghetti for us.
간접목적어 앞에 of를 쓰는 동사	ask 등	They **asked** me a favor. → They **asked** a favor of me.

ⓘ 4형식 문장을 3형식으로 바꿔 쓸 때 동사 bring은 의미에 따라 간접목적어 앞에 to(~에게)나 for(~을 위해)를 쓸 수 있다.

POINT 05 5형식 문장

He calls me* Sunny.
그는 나를 Sunny라고 부른다.

주어　동사　목적어　목적격보어

> *목적격보어는 목적어의 성질이나 상태, 동작을 보충해서 설명해.

「주어+동사+목적어+목적격보어」로 이루어진 문장이며, 목적격보어 자리에는 동사에 따라 명사, 형용사, to부정사(구), 동사원형 등 다양한 형태가 쓰인다.

목적격보어로 명사를 쓰는 동사	name, call, make 등	Tom **named** his dog Toto.
목적격보어로 형용사를 쓰는 동사	make, keep, find, think 등	The song **made** her happy.
목적격보어로 to부정사를 쓰는 동사	want, ask, tell, allow 등	I **wanted** him to come home early.

개념 QUICK CHECK

POINT 04

괄호 안에서 알맞은 것을 고르시오. (필요 없을 경우에는 ×)

1 Grandma made me (to / for / ×) a cake.

2 I sent a book (to / of / ×) him.

3 Jack showed his mom (to / for / ×) his homework.

4 Kate cooked dinner (for / of / ×) her parents.

POINT 05

빈칸에 들어갈 알맞은 말에 √ 표시하시오.

1 She wanted me _____ quiet.
□ being　　□ to be

2 He named his cat _____.
□ Coco　　□ to be Coco

3 The coat will keep you _____.
□ warmly　　□ warm

4 I found the book _____.
□ interesting　　□ interestingly

대표 기출 유형으로 **실전 연습**

1 빈칸에 들어갈 말로 알맞은 것을 **2개** 고르시오.

> Mr. Adams showed _____.

① his trophies us　　　② his trophies to us
③ us his trophies　　　④ us to his trophies
⑤ us of his trophies

자주 나와요!
2 4형식 문장을 3형식 문장으로 바꿀 때 빈칸에 알맞은 말을 쓰시오.

(1) She sent Mike a text message.

　> She sent a text message _____ Mike.

(2) They bought the children many presents.

　> They bought many presents _____ the children.

3 괄호 안의 말을 어법상 올바른 형태로 바꿔 문장을 완성하시오. (필요시 단어를 추가할 것)

(1) Dad lent _____ two books. (we)

(2) The old lady asked Mr. Kim _____ her. (help)

4 빈칸에 들어갈 말이 순서대로 바르게 짝지어진 것은?

> • Paul gave _____ his favorite book.
> • Mom told my brother _____ the plants.

① me – water　　　② me – to water
③ to me – water　　④ to me – watering
⑤ for me – watered

틀리기 쉬워요!
5 문장의 형식이 [보기]와 같은 것은?

> [보기]　　The novel made him a great writer.

① We visited Uncle Jake's farm.
② Ms. Evans teaches us English.
③ The green scarf kept me warm.
④ Steve asked me Jessica's address.
⑤ He wrote his mother a long letter.

개념 완성 Quiz　*Choose or complete.*

1 4형식 문장에서는 buy, send, lend, give 등과 같은 수여동사 / 감각동사 를 쓴다.
> POINT 04

2 4형식 문장을 3형식 문장으로 바꿀 때, 간접목적어 앞에는 전치사 / 관사 를 쓴다.
> POINT 04

3 5형식 문장에서 동사 want, ask, tell, allow 등은 목적격보어로 to부정사 / 동명사 를 쓴다.
> POINT 04, 05

4 5형식 문장에서는 목적격보어로 명사, 형용사, to부정사 / 부사, 동명사 등 이 쓰여서 목적어를 보충 설명한다.
> POINT 04, 05

5 5형식 문장은 「주어+동사+_____ +_____」의 형태로 쓴다.
> POINT 04, 05

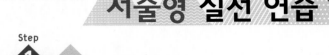
서술형 실전 연습

개념 완성 **Quiz** *Choose or complete.*

Step 1

1 괄호 안의 말을 어법상 올바른 형태로 바꿔 문장을 완성하시오.

(1) We became tired and _____. (sleep)

(2) They are singing _____ on the stage. (beautiful)

2 빈칸에 알맞은 말을 [보기]에서 골라 문장을 완성하시오.

[보기] brightly   interesting   open   Big Daddy

(1) Can I call you _____?

(2) The sun shines _____.

(3) Mr. Brown always keeps the window _____.

3 우리말과 일치하도록 괄호 안의 말을 어법에 맞게 사용하여 문장을 완성하시오.

(1) 나는 빨간색 우산 한 개가 필요하다. (need)

> _____

(2) Lisa는 고양이들을 많이 좋아한다. (like, a lot)

> _____

4 다음 문장에서 어법상 틀린 부분을 찾아 바르게 고쳐 문장을 다시 쓰시오. ^{자주 나와요!}

(1) The pizza tastes deliciously.

> _____

(2) Josh allowed me use his smartphone.

> _____

5 괄호 안의 말을 바르게 배열하여 문장을 완성하시오.

(1) The chocolate candy _____.
　　　　　　　　　　　　　(very, is, sweet)

(2) I _____.
　　(the movie, found, boring)

(3) Ashley _____.
　　　(me, her family pictures, showed)

1 상태·변화동사의 주격보어:

명사, 부사 / 형용사

> POINT 01, 02

2 call. name 등의 목적격보어:

명사 / 형용사

> POINT 01, 05

3 3형식 문장의 형태:

주어+동사+ 보어 / 목적어

> POINT 03

4 5형식 문장의 형태:

주어+동사+목적어+목적격보어 / 주어+동사+주격보어

> POINT 02, 05

5 4형식 문장의 형태:

주어+동사(수여동사)+_____+_____

> POINT 02, 04, 05

6 〈A〉와 〈B〉에 주어진 단어를 각각 한 번씩 사용하여 대화를 완성하시오.

〈A〉	〈B〉
felt	fun
sound	good
look	light

Jenny: Hi, Steve. Are you okay? You don't (1) _____ today.

Steve: I went bowling last night, so I'm very tired now.

Jenny: That doesn't (2) _____. Did you bowl too much?

Steve: Yes, I did. At first, my ball (3) _____, but it wasn't.

6 감각동사가 쓰인 2형식 문장의 형태:
주어+감각동사+ 부사 / 형용사

> POINT 02

고난도

7 [보기]의 표현을 사용하여 미나의 캠핑 계획에 대한 글을 완성하시오. (필요시 형태를 바꿀 것)

| [보기] | do the dishes | set up the tent | prepare food |

I'm going to go camping with Cindy, Hojin and Peter this weekend. Cindy is a great cook. I'm going to tell (1) _____. Hojin will bring his tent. So, I'll ask (2) _____. Peter and I like to clean and arrange things. I want (3) _____ with him.

7 want, ask, tell 등의 목적격보어:
동사원형 / to부정사 / 동명사

> POINT 03, 05

8 그림을 보고, 내가 생일에 받은 것에 대한 문장을 괄호 안의 지시대로 완성하시오.

(1) My parents made _____. (4형식 문장)

(2) Mike gave _____. (3형식 문장)

(3) Sarah wrote _____. (4형식 문장)

8 주어+give+간접목적어+직접목적어
= 주어+give+직접목적어+ for / to / of +간접목적어

> POINT 04

실전 모의고사

시험일 :	월	일	문항 수 : 객관식 18 / 서술형 7
목표 시간 :		총점	
걸린 시간 :			/ 100

[01-02] 빈칸에 들어갈 말로 알맞은 것을 고르시오. 각 2점

01

He feels _____ now.

① hunger
② tired
③ greatly
④ happily
⑤ strangely

02

We call such people _____.

① celebrities
② safe
③ Seoul
④ glad
⑤ to move

03 빈칸에 공통으로 들어갈 말로 알맞은 것은? 3점

- My brother wrote a letter _____ me.
- She told me _____ clean the room.

① for
② to
③ of
④ as
⑤ in

04 다음 대화의 빈칸에 들어갈 말로 알맞은 것은? 3점

A: Seho _____ a difficult question of me.
B: Did you answer it?
A: No, I couldn't.

① made
② sent
③ asked
④ gave
⑤ showed

[05-06] 빈칸에 들어갈 말로 알맞지 <u>않은</u> 것을 고르시오. 각 3점

05

My grandma likes _____.

① a lot
② flowers
③ reading books
④ to watch TV
⑤ sweet snacks

06

The woman's story made me _____.

① sad
② happy
③ sleepy
④ surprised
⑤ anger

07 다음 대화의 밑줄 친 ①~⑤ 중 어법상 <u>틀린</u> 것은? 3점

A: What's this ① smell? Something smells ② delicious.
B: Oh, I'm ③ cooking spaghetti ④ of you.
A: I can't wait! I'm so ⑤ hungry!

통합

08 다음 중 어법상 올바른 문장은? 4점

① Don't call he Robot.
② I taught English her.
③ The soup tasted badly.
④ Jim is taking at the park.
⑤ The sun rises in the east.

09 다음 문장에 이어질 말 중 어법상 **틀린** 것은? 3점

> I heard the news about him. _____

① Is it true?
② It shocked me.
③ I can't believe it.
④ It sounds interest.
⑤ Someone told it to me.

10 우리말을 영어로 바르게 옮긴 것은? 3점

> 그 목걸이는 Lily를 아름답게 만들어 준다.

① The necklace makes beauty Lily.
② The necklace makes Lily beautiful.
③ The necklace makes Lily beautifully.
④ The necklace makes beautiful to Lily.
⑤ The necklace makes beautifully to Lily.

11 다음 대화의 빈칸에 들어갈 말로 알맞은 것을 <u>모두</u> 고르시오. 4점

> **A:** It is too hot. I feel thirsty.
> **B:** I have two bottles of water. _____
> **A:** How kind you are!

① I'll give you one.
② I'll give one you.
③ I'll give one to you.
④ I'll give of you one.
⑤ I'll give you to one.

12 두 문장의 의미가 같도록 할 때 빈칸에 알맞은 것은? 3점

> He showed me his paintings.
> = He showed his paintings _____ me.

① to   ② for   ③ in
④ of   ⑤ from

13 다음 중 문장의 형식이 나머지와 **다른** 하나는? 4점

① We know her very well.
② She looks happy today.
③ Amy wants to go shopping.
④ James is reading a book now.
⑤ My dad made a nice dinner for us.

14 빈칸에 알맞은 말이 나머지와 **다른** 하나는? 4점

① Can I ask a favor _____ you?
② Ted often buys coffee _____ me.
③ I will find your lost ring _____ you.
④ She cooked a meal _____ her parents.
⑤ I will make a teddy bear _____ my brother.

15 다음 중 어법상 **틀린** 문장은? 4점

① Who built this building?
② I found the test so easy.
③ His puppy looks very cute.
④ They named their baby Jason.
⑤ I don't want you going there alone.

16 문장의 형식이 [보기]와 같은 것은? 4점

> [보기]   The song made Justin a big star.

① I lent him some money.
② She kept the room clean.
③ The leaves are turning red.
④ He bought new blue jeans.
⑤ We walked along the beach.

17 문장의 형식이 같은 것끼리 짝지어진 것은? **4점**

ⓐ Mary sent me a card.
ⓑ You can call me Ms. Yoon.
ⓒ Did you give the book to him?
ⓓ I met my classmate at the bus stop.

① ⓐ, ⓑ   ② ⓐ, ⓒ
③ ⓑ, ⓒ   ④ ⓑ, ⓓ
⑤ ⓒ, ⓓ

18 다음 중 어법상 올바른 문장의 개수는? **5점**

ⓐ I'll bring you a drink.
ⓑ We want you join our club.
ⓒ This soap smells an orange.
ⓓ They are dancing on the stage.
ⓔ Do you like your new school?

① 1개   ② 2개
③ 3개   ④ 4개
⑤ 5개

서술형

19 우리말과 일치하도록 괄호 안의 말을 바르게 배열하여 문장을 완성하시오. **3점**

너는 Chris에게 이메일을 보내야 한다.
(an email, to, send, Chris)

> You have to _____.

20 두 문장의 의미가 같도록 문장을 완성하시오. **각 2점**

(1) Can you buy me a sandwich?

> Can you buy _____ _____

_____ _____?

(2) Mom gave a silver ring to me.

> Mom gave _____ _____

_____ _____.

21 (보기)에서 알맞은 동사를 골라 어법상 올바른 형태로 쓰시오. **각 3점**

(보기)	keep	send	become

Jane walked for a long time today, so she (1) _____ tired. She felt sleepy on the bus on the way back home, but she tried to (2) _____ herself awake.

22 다음 메모의 내용에 맞게 5형식 문장을 완성하시오. **각 3점**

(1)
Brad, come home by 4.
- Dad -

(2)
Jane, clean your room. It's messy.
- Mom -

(1) Dad wanted _____.

(2) Mom told _____.

고난도

23 괄호 안의 말을 사용하여 강아지를 소개하는 글을 완성하시오. (필요시 단어를 추가할 것) 각 3점

Let me introduce my puppy. I will first (1) _____ _____ _____. (show, his picture, you) (2) He _____ _____. (small, white) I (3) _____. (call, Rocco) He is my best friend.

고난도

25 다음 글의 빈칸에 알맞은 말을 주어진 (조건)에 맞게 쓰시오. 5점

(조건) 1. 6단어로 쓸 것
2. ask와 quiet를 사용할 것
3. 5형식 문장으로 쓸 것

Nick was talking loudly on the phone in the classroom. I couldn't focus on my textbook. So _____. Then he said sorry to me, and started to talk quietly.

> _____

24 다음 대화를 읽고, 물음에 답하시오. 각 3점

A: Welcome to my house, Dave!
B: Thank you for inviting me.
A: (1) 나는 네가 여기서 좋은 시간을 보내길 원해.
B: I will. Thanks.
A: Please try some cookies. I made them.
B: Wow! (2) They taste so well.

(1) 우리말과 일치하도록 괄호 안의 말을 사용하여 영어로 쓰시오. (필요시 단어를 추가할 것)

> _____
(want, have a good time)

(2) 어법상 틀린 부분을 바르게 고쳐 문장을 다시 쓰시오.

> _____

약점 공략
틀린 문제가 있다면?

틀린 문항 번호가 있는 칸을 색칠하고, 어떤 문법 POINT의 집중 복습이 필요한지 파악해 보세요.

문항 번호	연관 문법 POINT	문항 번호	연관 문법 POINT	문항 번호	연관 문법 POINT
01	P2	10	P5	19	P3, P4
02	P5	11	P3, P4	20	P3, P4
03	P3, P5	12	P3, P4	21	P2, P5
04	P3, P4	13	P2, P3	22	P5
05	P3	14	P3, P4	23	P2~P5
06	P5	15	P2, P3, P5	24	P2, P5
07	P2~P4	16	P1~P5	25	P5
08	P1~P5	17	P3~P5		
09	P2, P3	18	P1~P5		

연관 문법 POINT 참고

P1 (p.126) 1형식 문장
P2 (p.126) 2형식 문장
P3 (p.126) 3형식 문장

P4 (p.128) 4형식 문장
P5 (p.128) 5형식 문장

Level Up Test

01 다음 ⓐ~ⓒ 중 어법상 틀린 문장을 골라 바르게 고친 것은?

> ⓐ Jenna enjoys taking pictures.
> ⓑ Did Oliver tell the story to her?
> ⓒ The new movie looks like funny.

① ⓐ: Jenna enjoys to take pictures.
② ⓑ: Did Oliver tell the story her?
③ ⓑ: Did Oliver tell the story of her?
④ ⓒ: The new movie looks like fun.
⑤ ⓒ: The new movie looks of fun.

02 밑줄 친 ①~⑤ 중 1형식 문장은?

> **A:** ① Yesterday was a special day for my family!
> **B:** How special was it?
> **A:** ② All my family got up early. Then, we went on a picnic. ③ My sister and I made lunch for Mom and Dad. ④ My sister gave them a present.
> **B:** ⑤ Was it a special day for them?
> **A:** Yes. It was their wedding anniversary.

03 다음 ⓐ~ⓔ 중 어법상 올바른 것끼리 짝지어진 것은?

> ⓐ I kept the door openly.
> ⓑ This vegetable soup tastes salt.
> ⓒ He will make pizza to his parents.
> ⓓ Did the people find the article interesting?
> ⓔ One of my classmates asked a favor of me.

① ⓐ, ⓑ ② ⓑ, ⓒ ③ ⓒ, ⓓ
④ ⓒ, ⓔ ⑤ ⓓ, ⓔ

04 다음 글에서 어법상 틀린 부분을 두 군데 찾아 바르게 고치시오.

> I am a member of my school soccer team. My classmates call me Cheetah because I'm a fast runner. Practicing soccer is sometimes hard, but it makes me happily. The soccer team is going to enter a tournament next month. My classmates want me scoring a goal.

(1) _____ > _____
(2) _____ > _____

05 다음 표를 보고, 세 사람이 오늘 할 일을 [조건]에 맞게 쓰시오.

> [조건] 1. will을 사용하여 미래시제로 쓸 것
> 2. 전치사가 포함된 3형식 문장으로 쓸 것

Name	To Do
Mina	send Amy a letter
Patrick	show the neighbors his garden
Andy	buy Mina lunch

(1) Mina _____.
(2) Patrick _____.
(3) Andy _____.

CHAPTER 11

형용사, 부사, 비교

형용사(形容詞)는 '사람 및 사물의 생김새를 나타내는 말'이며, (대)명사를 꾸며 주거나 보어로 사용된다. 부사(副詞)는 '도움을 주는 말'로, 동사나 형용사, 다른 부사, 문장 전체를 꾸며 준다. 형용사와 부사의 비교급과 최상급을 사용하여 둘 또는 그 이상의 대상을 비교할 수 있다.

Preview

형용사	쓰임	(대)명사 수식	We saw an interesting movie.
		보어 역할	Your dog is cute.
	수량형용사	셀 수 있는 명사 수식	many, a lot of (lots of), a few / few
		셀 수 없는 명사 수식	much, a lot of (lots of), a little / little
부사	쓰임	동사 수식	They arrived safely.
		형용사 수식	This apple is really big.
		다른 부사 수식	He ran very slowly.
		문장 전체 수식	Luckily, she passed the test.
	빈도부사		always (항상) > usually (보통, 대개) > often (자주) > sometimes (가끔, 때때로) > never (결코 ~ 않는)
비교	종류	비교급	Jane is older than Mike.
		최상급	Andy is the tallest boy in his class.

POINT 01 형용사의 쓰임

He is a *nice friend.
형용사 → 명사

그는 친절한 친구이다.

*형용사는 명사를 꾸며서 명사의 상태나 성질을 알려 줘.

형용사는 명사(구) 또는 대명사를 앞이나 뒤에서 수식하거나, 주어나 목적어의 상태·성질을 설명하는 보어로 쓰인다.

(대)명사 수식	형용사+명사	I don't like **sad** stories. A **cute** dog was looking at me.
	-thing, -one, -body로 끝나는 대명사+형용사	I want *something* **tasty**. They met someone **kind** in Paris.
보어	주어 보충 설명	The singer is **popular**.
	목적어 보충 설명	The movie made me **happy**.

ⓘ **형용사 보어가 필요한 동사:** 2형식 문장에서 감각동사와 상태·변화동사 뒤에는 보어로 형용사가 온다. (서술형 빈출)
- 감각동사: look, sound, feel, smell, taste 등
- 상태·변화동사: keep, stay, get, become, grow, turn 등
  I **feel tired** today.   The woman **stayed healthy** until 80.

POINT 02 수량형용사

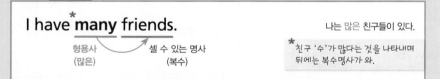

I have *many friends.
형용사   셀 수 있는 명사
(많은)   (복수)

나는 많은 친구들이 있다.

*친구 '수'가 많다는 것을 나타내며 뒤에는 복수명사가 와.

수량형용사는 명사의 수와 양을 나타내는 형용사로, 꾸며 주는 명사가 셀 수 있는지 없는지, 수나 양이 많은지 적은지에 따라 다르게 사용된다.

의미	셀 수 있는 명사 앞	셀 수 없는 명사 앞	예문
많은	many	much	I have **many** pens. He doesn't have **much** time.
	a lot of, lots of		We had **a lot of** fun. Jenny has **lots of** science books.
약간의, 조금 있는	a few	a little	I have **a few** questions. There is **a little** milk in the bottle.
거의 없는	few	little	I know **few** people in the room. There was **little** salt in the jar.

ⓘ **셀 수 없는 명사:** advice, bread, information, time, money, news 등

대표 기출 유형으로 **실전 연습**

1 빈칸에 들어갈 말로 알맞지 <u>않은</u> 것은?

Joe is a _____ boy. Everyone likes him.

① tall   ② kind   ③ handsome
④ wisely   ⑤ nice

2 빈칸에 공통으로 들어갈 말을 <u>2개</u> 고르시오.

• We need to buy _____ balloons for the party.
• My mother grows _____ roses in her garden.

① many   ② much   ③ little
④ a little   ⑤ a lot of

3 우리말과 일치하도록 괄호 안의 단어들을 바르게 배열하여 문장을 완성하시오.

우리는 캠프에서 재미있는 어떤 사람을 만났다.

> We _____ at the camp.
　　　　(someone, met, humorous)

쉬워요!
틀리기
4 빈칸에 a little을 쓸 수 <u>없는</u> 문장은?

① Can I give you _____ advice?
② Tina put _____ jam on the bread.
③ He spent _____ time with the kids.
④ We had _____ snow here last weekend.
⑤ There are _____ girls in the playground.

자주 나와요!
5 밑줄 친 부분이 어법상 틀린 것은?

① The man is <u>a careful driver</u>.
② <u>Few cars</u> are running on the street.
③ Geography is <u>an interesting subject</u>.
④ There are <u>much onions</u> in the basket.
⑤ The scientist found <u>something important</u>.

개념 완성 **Quiz**　*Choose or complete.*

1 형용사 / 부사 는 명사를 꾸며서 명사의 성질이나 상태를 나타낸다.
> POINT 01

2 a lot of, lots of / many, much 는 셀 수 있는 명사의 복수형과 셀 수 없는 명사 앞에 모두 쓰일 수 있다.
> POINT 02

3 -thing, -one, -body로 끝나는 대명사는 형용사가 앞 / 뒤 에서 수식한다.
> POINT 01

4 수량형용사 a few / a little 은(는) '약간의, 조금 있는'이라는 뜻으로 셀 수 있는 명사 앞에 쓰인다.
> POINT 02

5 수량형용사 many / much 는 '많은'이라는 뜻으로 셀 수 없는 명사 앞에 쓰인다.
> POINT 01, 02

UNIT **2** 부사

POINT 03 부사의 쓰임과 형태

Cheetahs run *fast.
　　　　　동사　부사

치타는 빨리 달린다.

* 부사는 동사를 자세히 설명하거나 꾸며 줘.

(1) 부사의 쓰임

동사 수식	Turtles move **slowly**.
형용사 수식	That tree is **really** tall.
다른 부사 수식	She walked **very** quickly.
문장 전체 수식	**Luckily**, he passed the exam.

(2) 부사의 형태

대부분의 부사	형용사+-ly	safe → safe**ly** usual → usual**ly**	quick → quick**ly** serious → serious**ly**
-y로 끝나는 형용사의 부사	y를 i로 바꾸고 +-ly	easy → eas**ily** heavy → heav**ily**	lucky → luck**ily** angry → ang**rily**
-le로 끝나는 형용사의 부사	e를 없애고 +-y	simple → simp**ly** gentle → gent**ly**	terrible → terrib**ly** possible → possib**ly**
형용사와 형태가 같은 부사	fast → **fast**　early → **early**　late → **late** 추가 자료	
형용사와 형태가 다른 부사(예외)	good → **well**	

① 「부사+-ly」가 다른 뜻을 가지는 부사 (서술형 빈출)
hard (열심히) – hardly (거의 ~ 않다)　late (늦게) – lately (최근에)
near (가까이) – nearly (거의)　　　　most (가장) – mostly (대개)
close (가까이에) – closely (면밀히)　short (간단히) – shortly (곧)

POINT 04 빈도부사

We ***usually** get up at 7.
　빈도부사　　일반동사

우리는 보통 7시에 일어난다.

* 어떤 일의 횟수나 빈도를 나타내는 부사야.

빈도부사는 주로 be동사나 조동사의 뒤, 일반동사의 앞에 쓴다.

100%	always (항상)	Dad is **always** busy on Mondays.
	usually (보통, 대개)	Mom **usually** wears glasses.
	often (자주)	Sam and Eric are **often** late for school.
	sometimes (가끔, 때때로)	It **sometimes** snows here in April.
0%	never (결코 ~ 않는)	I will **never** lie to you.

개념 QUICK CHECK

POINT 03

괄호 안에서 알맞은 것을 고르시오.

1 He sings (beautiful / beautifully).

2 They are (very busy / busy very).

3 The birds were flying (fast / fastly).

4 (Lucky / Luckily), my name was on the list.

POINT 04

우리말과 일치하도록 괄호 안에서 알맞은 것을 고르시오.

1 나는 보통 하루에 8시간 잔다.
> I (usually / always) sleep 8 hours a day.

2 우리는 가끔 외식을 한다.
> We (never / sometimes) eat out.

3 그녀는 항상 다른 사람들에게 친절하다.
> She is (always / never) kind to others.

4 그는 주말에 자주 바쁘다.
> He is (usually / often) busy on weekends.

대표 기출 유형으로 실전 연습

1 짝지어진 두 단어의 관계가 나머지와 <u>다른</u> 하나는?

① nice – nicely   ② love – lovely   ③ angry – angrily

④ gentle – gently   ⑤ heavy – heavily

2 우리말과 일치하도록 괄호 안의 말과 알맞은 빈도부사를 사용하여 문장을 완성하시오.

(1) Chris는 자주 아침에 산책을 한다. (take)

> Chris _____ _____ a walk in the morning.

(2) 나는 그 책의 결말을 결코 잊지 못할 것이다. (forget, will)

> I _____ _____ _____ the ending of the book.

3 밑줄 친 단어의 품사가 나머지와 <u>다른</u> 하나는?

① My sister dances <u>well</u>.

② The puppies are <u>really</u> cute.

③ Jessica caught a <u>terrible</u> cold.

④ I studied <u>very</u> hard for the math test.

⑤ <u>Finally</u>, the man bought his own house.

4 ^{자주 나와요!} 다음 중 어법상 틀린 문장은?

① The singer will never come back.

② Anna and I often see each other.

③ Dad is at home on usually weekends.

④ She sometimes visits her grandparents.

⑤ I always do my homework late at night.

5 ^{틀리기 쉬워요!} 빈칸에 들어갈 말이 순서대로 바르게 짝지어진 것은?

> • Tom arrived an hour _____ at the station.
>
> • Lisa is very kind. She _____ helps other people.

① late – never   ② late – always

③ lately – often   ④ lately – sometimes

⑤ lately – usually

개념 완성 Quiz *Choose or complete.*

1 대부분의 부사는 형용사에 -ly / -y 를 붙인 형태이다.

> POINT 03

2 _____는 어떤 일이 얼마나 자주 발생하는지 나타내는 부사이다.

> POINT 04

3 부사는 명사, 전치사 / 동사, 형용사, 다른 부사, 문장 전체를 수식한다.

> POINT 03

4 빈도부사는 주로 조동사와 be동사의 앞 / 뒤, 일반동사의 앞 / 뒤 에 쓴다.

> POINT 04

5 hard, late, near / early, fast, slow 등의 부사에 -ly를 붙이면 다른 의미의 부사가 된다.

> POINT 03, 04

UNIT 3 비교

POINT 05 비교급과 최상급

She's *faster! – She's the *fastest!

그녀는 더 빠르다!
– 그녀는 가장 빠르다!

비교급
(더 빠른)

the+최상급
(가장 빠른)

* 대부분의 형용사나 부사에 -er, -est를
붙여서 비교급과 최상급을 만들어.

비교급은 두 개의 대상을 비교하여 '(…보다) 더 ~한(하게)'라는 의미를 나타내며, 최상급은 셋 이상의 대상을 비교하여 '가장 ~한(하게)'라는 의미를 나타낸다.

대부분의 경우	+-er/-est	hard – harder – hardest long – longer – longest
-e로 끝나는 경우	+-r/-st	cute – cuter – cutest large – larger – largest
「단모음+단자음」으로 끝나는 경우	마지막 자음을 한 번 더 쓰고 +-er/-est	big – bigger – biggest thin – thinner – thinnest
「자음+y」로 끝나는 경우	y를 i로 바꾸고 +-er/-est	easy – easier – easiest pretty – prettier – prettiest
3음절 이상, -ous, -ful, -less, -ive 등으로 끝나는 2음절인 경우	more/most + 서술형 빈출	active – more active – most active careful – more careful – most careful popular – more popular – most popular exciting – more exciting – most exciting
불규칙 변화	good/well – better – best little – less – least bad/ill – worse – worst many/much – more – most	

POINT 06 비교급과 최상급의 쓰임

Ann is **older than** Joe. Ann is **the oldest** student.

비교급+than
(…보다 더 ~한)

비교 대상

the+최상급
(가장 ~한)

Ann은 Joe보다 나이가 더 많다. Ann은 가장 나이가 많은 학생이다.

비교급 표현	비교급+than (…보다 더 ~한(하게))	Eric woke up **earlier than** Sam. The ant is much **smaller than** the bee.
	➕ **비교급 강조(훨씬)**: 비교급 앞에 much, still, far, a lot, even 등의 부사를 쓴다. ➕ very는 비교급을 강조하지 않는다.	
최상급 표현	the+최상급+in+장소(집단) (…에서 가장 ~한(하게))	He runs **the fastest** in his class. Sydney is **the largest** city in Australia.
	the+최상급+of+복수명사 (… 중에서 가장 ~한(하게))	Emma is **the tallest** girl of the three. Winter is **the coldest** of the seasons.
	one of the+최상급+복수명사 (가장 ~한 … 중 하나)	Soccer is one of **the most popular sports** in Korea.

개념 QUICK CHECK

POINT 05

단어의 알맞은 형태에 ✓ 표시하시오.

1 high의 비교급
   ☐ higher   ☐ highest

2 hot의 최상급
   ☐ hotter   ☐ hottest

3 good의 비교급
   ☐ gooder   ☐ better

4 dangerous의 최상급
   ☐ dangerousest
   ☐ most dangerous

POINT 06

괄호 안에서 알맞은 것을 고르시오.

1 My kite flew the (highest / higher) of all.

2 Our lunch time is (long / longer) than hers.

3 This is the (most difficult / more difficult) problem.

4 Health is (more important / most important) than money.

🐞 대표 기출 유형으로 **실전 연습**

---

1 형용사의 비교급과 최상급의 형태가 잘못 짝지어진 것은?

① cute – cuter – cutest ② easy – easier – easiest

③ good – better – best ④ long – longer – longest

⑤ active – more active – most active

2 괄호 안의 말을 어법상 올바른 형태로 쓰시오.

(1) This box is _____ than that box. (heavy)

(2) He was one of the _____ pianists in his country. (great)

틀리기 쉬워요!
3 빈칸에 들어갈 말로 알맞지 <u>않은</u> 것은?

> My hometown is _____ bigger than here.

① very ② even ③ far

④ much ⑤ a lot

자주 나와요!
4 빈칸에 들어갈 말이 나머지와 <u>다른</u> 하나는?

① Sarah is busier _____ the others.

② Mike feels better _____ last night.

③ Jack's dog looks bigger _____ mine.

④ Amy is the smartest girl _____ the students.

⑤ The book is more interesting _____ the movie.

5 밑줄 친 부분이 어법상 올바른 것은?

① Cheetahs are <u>fastest</u> than lions.

② Your handwriting is <u>badder</u> than mine.

③ Today was the <u>hottest</u> day of the year.

④ Nathan is the <u>popularest</u> boy in his school.

⑤ This red bag is <u>more cheap</u> than that blue bag.

개념 완성 Quiz *Choose or complete.*

1 3음절 이상이거나 -ous, -ful, -ive, -less 등으로 끝나는 형용사나 부사의 비교급은 _____, 최상급은 _____ 를 앞에 붙인다.
> **POINT 05**

2 '가장 ~한'이라는 의미의 최상급 표현 앞에는 관사 a / the 를 쓴다.
> **POINT 05, 06**

3 비교급을 강조하는 부사 표현은 비교급의 앞 / 뒤 에 쓴다.
> **POINT 06**

4 '…보다 더 ~한(하게)'라는 의미의 비교급 표현은 「비교급+_____+비교 대상」의 형태로 쓴다.
> **POINT 06**

5 bad의 비교급은 _____, 최상급은 _____이다.
> **POINT 05, 06**

서술형 실전 연습

Step 1

개념 완성 **Quiz** *Choose or complete.*

1 우리말과 일치하도록 [보기]에서 알맞은 말을 골라 빈칸에 쓰시오.

| [보기] | a few | few | a little | little |

(1) 그 교실에는 학생들이 몇 명 있었다.

> There were _____ students in the classroom.

(2) Jessica는 시간이 거의 없다. 그녀는 항상 바쁘다.

> Jessica has _____ time. She is always busy.

1 '거의 없는'이라는 뜻의 수량형용사
· few / little +셀 수 없는 명사
· few / little +셀 수 있는 명사
> POINT 02

2 다음 문장에서 어법상 틀린 부분을 찾아 바르게 고쳐 쓰시오.

(1) There is interesting nothing on TV today.

_____ > _____

(2) Jason sang beautiful in front of his classmates.

_____ > _____

2 형용사의 위치
· 명사의 앞 / 뒤
· -thing, -body, -one으로 끝나는 대명사의 앞 / 뒤
> POINT 01, 03

자주 나와요!
3 그림을 보고, 괄호 안의 말을 사용하여 크기를 비교하는 문장을 완성하시오.

A C B

(1) Circle C is _____ _____ Circle B. (small)

(2) Circle A is _____ _____ of the three circles. (big)

3 비교 표현:
비교급+ than / of +비교 대상
> POINT 06

4 주어진 문장을 [예시]와 같이 바꿔 쓰시오.

[예시] Josh is a fast runner. > Josh runs fast.

(1) My son is a good swimmer.

> My son _____.

(2) Ms. Wilson is a very careful driver.

> Ms. Wilson _____.

4 부사의 쓰임
· 명사 / 동사 수식
· 형용사, 다른 부사 수식
· 문장 전체 수식
> POINT 01, 03

5 주어진 문장을 괄호 안의 말을 사용하여 최상급 표현으로 바꿔 쓰시오.

New York is a busy city. (one of, in the world)

> _____

5 '가장 ~한 … 중 하나'라는 뜻의 표현:
one of the+_____
+_____
> POINT 05, 06

6 다음 글의 밑줄 친 ⓐ~ⓔ 중 어법상 **틀린** 것을 **2개** 찾아 바르게 고쳐 쓰시오.

> Silvia planned to make a strawberry cake. To make it, she bought ⓐ <u>a lot of strawberries</u> this morning. She also has ⓑ <u>a little eggs</u>, ⓒ <u>many butter</u>, and ⓓ <u>some milk</u> in her fridge. Now, she is ready to start. Oh, no! She has ⓔ <u>little flour</u>. She has to go to the grocery store again!

(1) (   ) _____ > _____

(2) (   ) _____ > _____

6 '많은'이라는 뜻의 수량형용사
- many / much +셀 수 없는 명사
- many / much +셀 수 있는 명사
> POINT 02

7 다음은 Lily의 일주일 일정표이다. [보기]에서 알맞은 말을 골라 일정표에 관한 문장을 완성하시오.

Lily's Weekly Schedule

Activity	Mon.	Tue.	Wed.	Thu.	Fri.	Sat.	Sun.
(1) walk her dog	○	○	○	○	○	○	○
(2) eat out	○	×	○	×	○	○	○
(3) exercise	×	×	×	×	×	×	×

[보기]	often	never	always

(1) Lily _____ .

(2) Lily _____ .

(3) Lily _____ .

7 빈도부사의 위치
- be동사, 조동사의 앞 / 뒤
- 일반동사의 앞 / 뒤
> POINT 04

고난도

8 다음 표를 보고, 괄호 안의 말을 어법에 맞게 사용하여 수영과 요가를 비교하는 글을 완성하시오.

	Swimming	Yoga
Difficulty	★★★	★★★★
Safety	★★★	★★★★★

> Let's learn yoga together. It is (1) _____
> _____. (difficult) However, it is (2) _____
> _____. (safe) I think yoga is a good choice.

8 3음절 이상인 형용사와 부사
- 비교급: _____ + 형용사/부사
- 최상급: _____ + 형용사/부사
> POINT 05, 06

실전 모의고사

시험일 :	월	일	문항 수 : 객관식 18 / 서술형 7
목표 시간 :		총점	
걸린 시간 :			/ 100

[01-02] 빈칸에 들어갈 말로 알맞은 것을 고르시오. 각 2점

01

> She looks _____ today.

① sadly　　② happily　　③ lovely
④ greatly　　⑤ angrily

02

> Mr. Carter speaks very _____.

① fast　　② kind　　③ careful
④ clear　　⑤ different

03 밑줄 친 부분과 바꿔 쓸 수 있는 것은? 3점

> There are <u>a lot of</u> children at the amusement park.

① few　　② much　　③ many
④ little　　⑤ a little

04 빈칸에 들어갈 말이 순서대로 바르게 짝지어진 것은? 3점

> • My sister can fix the bike _____.
> • The restaurant has very _____ seafood.

① ease – well　　② easy – well
③ easy – good　　④ easily – good
⑤ easily – well

05 밑줄 친 부분의 위치가 바르지 않은 것은? 3점

① Clair <u>often</u> eats out for dinner.
② She <u>always</u> comes home early.
③ Luke is <u>sometimes</u> late for work.
④ The boy will break <u>never</u> his promise.
⑤ What do you <u>usually</u> do on weekends?

06 빈칸에 공통으로 들어갈 말로 알맞은 것은? 4점

> • Which city has the _____ citizens?
> • This question is the _____ difficult of all.

① less　　② more　　③ best
④ most　　⑤ many

07 우리말을 영어로 바르게 옮긴 것은? 3점

> 나는 맛있는 것을 먹고 싶다.

① I want to eat some delicious.
② I want to eat delicious something.
③ I want to eat something delicious.
④ I want to eat some delicious thing.
⑤ I want to eat something deliciously.

08 밑줄 친 부분의 형태가 틀린 것은? 3점

① Your box is <u>larger</u> than mine.
② Russia is <u>bigger</u> than Canada.
③ He left home <u>earlier</u> than yesterday.
④ His song became <u>more popular</u> in Korea.
⑤ She wants to look <u>more pretty</u> than others.

[09-10] 빈칸에 들어갈 말로 알맞지 <u>않은</u> 것을 고르시오. 각 2점

09

> I have _____ friends.

① few
② a few
③ many
④ a little
⑤ a lot of

10

> Sam is more _____ than his brother.

① tall
② careful
③ active
④ famous
⑤ humorous

통합

11 다음 중 어법상 틀린 문장은? 4점

① These rabbits are very cute.
② I have little money in my wallet.
③ Sam sometimes visits his grandparents.
④ What is the longest river in the world?
⑤ The noodle is least spicy than the soup.

12 다음 중 어법상 올바른 문장은? 4점

① The old man walks very slowly.
② I studied hardly to pass the test.
③ Lucky, we got the concert ticket.
④ He goes to bed lately every night.
⑤ There is a bookstore nearly my house.

13 다음 문장에 이어질 말로 가장 알맞은 것은? 4점

> Jake is very honest. _____

① He usually skips lunch.
② He is always late for school.
③ He never tells a lie to others.
④ He often goes to work early.
⑤ He sometimes works long hours.

14 두 문장의 의미가 같도록 할 때 빈칸에 들어갈 말로 알맞은 것은? 4점

> All animals in the world are smaller than the blue whale.
> = The blue whale is _____.

① the smallest of all animals
② the most big in all animals
③ the smallest animal in the world
④ the biggest animal in the world
⑤ even smaller than other animals

신유형

15 다음 대화의 빈칸 ⓐ~ⓔ에 들어갈 말이 바르게 연결되지 <u>않은</u> 것은? 5점

> A: I'll ask you an ___ⓐ___ question.
>   Who can swim ___ⓑ___, Minsu or Jisu?
> B: Jisu can swim ___ⓒ___ than Minsu.
> A: You're ___ⓓ___. She is a really ___ⓔ___ swimmer.

① ⓐ – easy
② ⓑ – faster
③ ⓒ – fastest
④ ⓓ – right
⑤ ⓔ – fast

16 다음은 한국중학교 학생들의 스포츠 선호도를 나타낸 그 래프이다. 그래프의 내용과 일치하지 <u>않는</u> 것은? **5점**

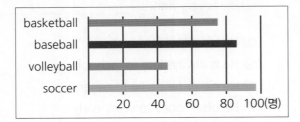

① Baseball is less popular than soccer.

② Volleyball is the least popular sport.

③ Baseball is more popular than basketball.

④ Basketball is less popular than volleyball.

⑤ Soccer is the most popular sport in the school.

17 다음 글의 밑줄 친 ①~⑤ 중 어법상 틀린 것은? **5점**

This is my cat, Luna. She is black and white. She ① usually plays and sleeps in my room. She ② really likes catching her tail, but she ③ never catches it! Also, she is very ④ friend. I love her ⑤ so much!

18 다음 중 어법상 틀린 것끼리 짝지어진 것은? **5점**

ⓐ Don't eat too quickly.

ⓑ Do you often see your old friends?

ⓒ I'm waiting for special something.

ⓓ The book has many useful information.

① ⓐ
② ⓑ, ⓒ
③ ⓒ, ⓓ
④ ⓑ, ⓒ, ⓓ
⑤ ⓐ, ⓑ, ⓒ, ⓓ

◆◆◆◆◆◆◆◆◆◆◆◆◆◆◆◆◆◆◆ 서술형 ◆◆◆◆◆◆◆◆◆◆◆◆◆◆◆◆◆◆◆

19 빈칸에 nice의 알맞은 형태를 각각 쓰시오. **각 1점**

• He spoke (1) _____ to others.

• You look (2) _____ than yesterday.

• It is a (3) _____ day for swimming.

20 두 문장을 [예시]와 같이 한 문장으로 바꿔 쓰시오. **각 2점**

[예시] Juila has a dog. The dog is cute.
> Juila has a cute dog.

(1) My dad has a car. The car is blue.

> My dad has _____.

(2) I know a girl. The girl is honest.

> I know _____.

(3) There is a plate. The plate is colorful.

> There is _____.

21 다음 글을 읽고, 어법상 틀린 부분을 찾아 바르게 고쳐 쓰시오. **4점**

Son Heungmin is one of the greatest soccer player in Korea. He is the most popular Asian player in the world now.

_____ > _____

22 [보기]에서 알맞은 말을 골라 문장을 완성하시오. (한 번씩 만 쓸 것) 각 2점

[보기]	a little	a lot of	few

(1) I have _____ friends, but I'm not lonely.

(2) Ben was so hungry, so he ate _____ cookies.

(3) There is _____ water in the bottle. I need to buy more water.

23 다음 표를 보고, 괄호 안의 말을 어법에 맞게 사용하여 문장을 완성하시오. 각 2점

	Elsa	Joel	Eric
Age	13	12	14
Weight(kg)	50	55	60

(1) Elsa is _____ _____ Eric. (young)

(2) Joel is _____ _____ Elsa. (heavy)

(3) Eric is _____ _____ of the three. (heavy)

24 다음 글을 읽고, 물음에 답하시오. 각 3점

Which live longer, cats or dogs? In general, cats live ___ⓐ___ dogs. The ___ⓑ___ cat lived 38 years, but the ___ⓒ___ dog lived 29 years.

(1) 빈칸 ⓐ에 알맞은 말을 두 단어로 쓰시오.

> _____

(2) 빈칸 ⓑ와 ⓒ에 공통으로 들어갈 old의 알맞은 형태를 쓰시오.

> _____

25 다음 대화를 읽고, 물음에 답하시오. 각 3점

A: I want to learn something new.
B: Like what?
A: Well, foreign languages, musical instruments, yoga, and so on.
B: Think _____ before you start doing something. It takes many time and effort.
A: You're right. But I want to try.

(1) 빈칸에 care의 알맞은 형태를 쓰시오.

> _____

(2) 밑줄 친 문장에서 어법상 틀린 부분을 찾아 바르게 고쳐 쓰시오.

_____ > _____

약점 공략
틀린 문제가 있다면?

틀린 문항 번호가 있는 칸을 색칠하고, 어떤 문법 POINT의 집중 복습이 필요한지 파악해 보세요.

문항 번호	연관 문법 POINT	문항 번호	연관 문법 POINT	문항 번호	연관 문법 POINT
01	P1	10	P5	19	P1, P3, P5
02	P3	11	P1~P6	20	P1
03	P2	12	P3	21	P6
04	P1, P3	13	P4	22	P2
05	P4	14	P5, P6	23	P5, P6
06	P5	15	P1, P3, P5, P6	24	P5
07	P1	16	P5, P6	25	P2, P3
08	P5	17	P1, P3, P4		
09	P2	18	P1~P4		

연관 문법 POINT 참고

P1 (p.138) 형용사의 쓰임   P4 (p.140) 빈도부사
P2 (p.138) 수량형용사   P5 (p.142) 비교급과 최상급
P3 (p.140) 부사의 쓰임과 형태   P6 (p.142) 비교급과 최상급의 쓰임

내신만점 Level Up Test

01 빈칸 ⓐ∼ⓔ에 들어갈 말이 바르게 연결되지 <u>않은</u> 것은?

> • There was ____ⓐ____ juice in the jar.
> • Dad bought ____ⓑ____ books last Friday.
> • I had ____ⓒ____ money in my purse then.
> • The police asked him ____ⓓ____ questions.
> • We had ____ⓔ____ rain during the summer.

① ⓐ – few ② ⓑ – many ③ ⓒ – a little
④ ⓓ – a few ⑤ ⓔ – a lot of

02 우리말을 영어로 옮긴 것 중 <u>틀린</u> 것은?

① Tom은 우리 반에서 가장 느리다.
  → Tom is the slowest in our class.
② Jessica는 최근에 다른 도시로 이사 갔다.
  → Jessica moved to another city late.
③ 그 작가는 어젯밤에 거의 잠을 못 잤다.
  → The author hardly slept last night.
④ 지수는 행복한 여름 방학을 보냈다.
  → Jisu had a happy summer vacation.
⑤ 나는 때때로 놀이공원에 간다.
  → I sometimes go to an amusement park.

03 다음 중 어법상 올바른 문장의 개수는?

> ⓐ It often snows in March here.
> ⓑ The milk bottle is near empty.
> ⓒ My sister always makes me happily.
> ⓓ Andrew doesn't eat anything sweet.
> ⓔ Lots of student are taking Mr. Stuart's class.

① 1개 ② 2개 ③ 3개
④ 4개 ⑤ 5개

04 다음 표를 보고, 괄호 안의 말을 사용하여 휴대 전화를 비교하는 문장을 완성하시오.

Phone	Size(mm)	Price($)	Weight(g)
A	70×145	250	135
B	65×135	300	145
C	65×135	430	140

(1) Phone A is _____ of the three phones. (big)
(2) Phone B is _____ Phone A. (expensive)
(3) Phone C is _____ Phone B. (light)

05 우리말을 〈조건〉에 맞게 영어로 쓰시오.

> 〈조건〉 1. 괄호 안의 말을 사용하고 필요시 형태를 바꿀 것
>   2. 완전한 문장으로 쓸 것

(1) Jack은 정말 사랑스러운 아이이다.
   (love, child, very)
   > _____
(2) 나는 뭔가 재미있는 것을 읽고 싶다.
   (want, interesting, read, something)
   > _____
(3) 너는 누구에게도 절대 거짓말을 해서는 안 된다.
   (never, should, to anyone, lie)
   > _____

CHAPTER 12

접속사와 전치사

접속사(接續詞)는 단어와 단어, 구와 구, 절과 절을 연결해서 하나의 문장이 되게 하는 연결어이다.
전치사(前置詞)는 '앞에 위치하는 말'의 의미로 시간, 장소, 위치, 방법, 방향 등을 나타내는 말이다.

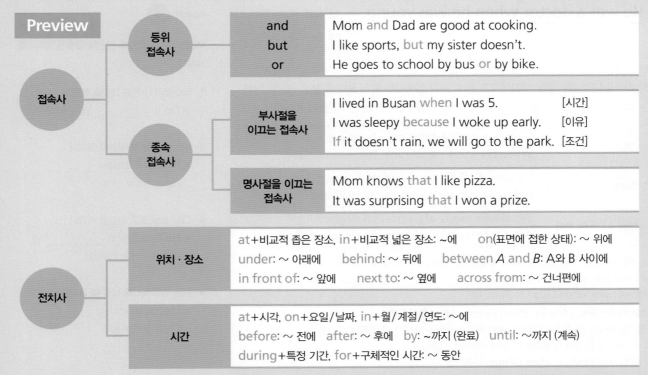

Preview

접속사

등위 접속사

and
but
or

Mom and Dad are good at cooking.
I like sports, but my sister doesn't.
He goes to school by bus or by bike.

종속 접속사

부사절을 이끄는 접속사

I lived in Busan when I was 5.　　　[시간]
I was sleepy because I woke up early.　[이유]
If it doesn't rain, we will go to the park. [조건]

명사절을 이끄는 접속사

Mom knows that I like pizza.
It was surprising that I won a prize.

전치사

위치·장소

at+비교적 좁은 장소, in+비교적 넓은 장소: ~에　　on(표면에 접한 상태): ~ 위에
under: ~ 아래에　　behind: ~ 뒤에　　between A and B: A와 B 사이에
in front of: ~ 앞에　　next to: ~ 옆에　　across from: ~ 건너편에

시간

at+시각, on+요일/날짜, in+월/계절/연도: ~에
before: ~ 전에　after: ~ 후에　by: ~까지 (완료)　until: ~까지 (계속)
during+특정 기간, for+구체적인 시간: ~ 동안

UNIT 1 접속사 (1)

POINT 01 and, but, or

I have a pen *and* a pencil.

명사　등위 접속사　명사
　　　　(그리고)

나는 펜 한 개와 연필 한 자루가 있다.

* 문법적으로 대등한 관계의 단어(명사)와
단어(명사)를 연결해 주고 있어.

등위 접속사는 문법적으로 대등한 관계인 단어와 단어, 구와 구, 절과 절을 연결한다.

and	그리고, ∼과(와)〈비슷한 내용을 연결·나열〉	Tom **and** Jane are singing together. I like reading books **and** playing soccer. Dad likes apples, **and** Mom likes oranges.
	✚ 셋 이상을 나열할 때: A, B, **and** C의 형태로 마지막 단어 앞에 and를 쓴다.	
but	그러나, ∼지만〈상반되는 내용을 연결〉	The box was small **but** heavy. I like pizza, **but** my sister doesn't (like it).
or	또는, ∼(이)거나〈둘 이상 중에서 선택〉	I go to school by bus **or** by subway. Would you like coffee **or** orange juice? Should I go home, **or** should I stay here?

POINT 02 when, before, after

He was a doctor *when* he was young.

주절　　　　종속 접속사 (∼할 때)
　　　　└───── 종속절 ─────┘

그는 젊었을 때 의사였다.

* 종속 접속사 when 뒤에는
주어와 동사가 이어져.

문장에서 중심이 되는 절을 주절이라고 하며, 종속 접속사와 함께 쓰여 주절에 의미를 더해 주는 부사절을 종속절이라고 한다. 접속사 when, before, after는 시간을 나타낸다.

when	∼할 때	I listen to music **when** I have free time. **When** we came back home, Dad was cooking.
before	∼하기 전에	He turned off the lights **before** he went out. **Before** I go to bed, I usually play with my brother.
after	∼한 후에	We played soccer **after** the rain stopped. **After** they have lunch, they usually take a short nap.

① 시간을 나타내는 부사절에서는 미래 상황을 현재시제로 나타낸다. 〈서술형 빈출〉
I'll visit you **when** I go to Paris.
I'll visit you **when** I'll go to Paris. (×)

① 접속사 before, after *vs.* 전치사 before, after 〈서술형 빈출〉
접속사 뒤에는 절(주어+동사)이 오지만 전치사 뒤에는 명사(구)나 동명사가 온다.
I'm going to study **after** I have dinner. 〈접속사〉
I'm going to study **after** dinner. 〈전치사〉

개념 QUICK CHECK

POINT 01

괄호 안에서 알맞은 것을 고르시오.

1 Will you have spaghetti (but / or) pizza?

2 Go to the store (and / but) buy some fruit.

3 I love animals, (but / or) my brother doesn't.

4 Mom can speak two languages, Korean (and / or) English.

POINT 02

우리말과 일치하도록 빈칸에 알맞은 접속사를 쓰시오.

1 잊어버리기 전에 그것을 하렴.
  > Do it _____ you forget.

2 나는 어렸을 때 부산에 살았다.
  > I lived in Busan _____ I was little.

3 그는 손을 씻고 점심을 먹었다.
  > He had lunch _____ he washed his hands.

4 나는 스트레스를 느낄 때 음악을 듣는다.
  > I listen to music _____ I feel stressed.

대표 기출 유형으로 **실전 연습**

1 다음 문장에서 ⓐ~ⓒ 중 and가 들어갈 위치로 알맞은 것은?

> My family traveled to (ⓐ) Canada, (ⓑ) Indonesia, (ⓒ) Thailand together.

2 접속사 and, but, or 중 알맞은 것을 빈칸에 쓰시오.

(1) I had a headache _____ a fever.

(2) Is it Saturday _____ Sunday today?

(3) Julia felt very sad, _____ she didn't cry.

자주 나와요!
3 빈칸에 공통으로 들어갈 말로 알맞은 것은?

> • My dog barked _____ the telephone rang.
> • I met one of my classmates _____ I was in the library.

① or   ② but   ③ when
④ before   ⑤ after

4 빈칸에 들어갈 말이 순서대로 바르게 짝지어진 것은?

> • _____ I arrived home, it began to rain.
> • Anna likes SF movies, _____ her brother doesn't.

① After – or   ② After – but
③ When – or   ④ When – after
⑤ And – when

틀리기 쉬워요!
5 밑줄 친 부분이 어법상 틀린 것은?

① I'm sorry, <u>but</u> I can't help you.

② Let's warm up <u>before</u> we swim.

③ Will you stay at home <u>and</u> play outside?

④ Did you call me <u>when</u> I was at the cafeteria?

⑤ Ted <u>and</u> his sister are middle school students.

개념 완성 Quiz *Choose or complete.*

1 and, but, or는 [등위 / 종속] 접속사 이다.
> POINT 01

2 서로 상반되는 내용을 연결할 때는 접속 사 [and / but] 을(를) 사용한다.
> POINT 01

3 '~할 때'라는 의미로 시간을 나타내는 접속사는 _____ 이다.
> POINT 02

4 [after / and / when] 은(는) 문법적 으로 대등한 단어와 단어, 절과 절을 연 결한다.
> POINT 01, 02

5 두 가지 이상의 선택 사항을 연결할 때 는 접속사 [and / or] 를 쓴다.
> POINT 01, 02

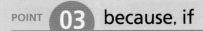

UNIT 2 접속사 (2)

POINT 03 because, if

I was upset *because I lost my bag.   나는 가방을 잃어버려서 화가 났다.

주절 (결과) 접속사 (~하기 때문에 – 원인)
        ─── 종속절 ───

*because는 원인과 결과의 문장을 연결해 줘.

접속사 because와 if는 각각 이유와 조건을 나타내는 부사절을 이끈다.

because	~이기 때문에 〈이유〉	I don't like the movie **because** it is boring. **Because** he was late, he had to take a taxi.
if	(만약) ~한다면 〈조건〉	If you don't hurry, you'll be late. We will visit you **if** you are at home today.
	⊕ 조건을 나타내는 부사절에서는 미래 상황을 현재시제로 나타낸다. 서술형 빈출 **If** it **rains** tomorrow, we won't go out. **If** it <u>will rain</u> tomorrow, we won't go out. (×)	

① because *vs.* because of
접속사 because 뒤에는 절(주어+동사)이 오고, because of 뒤에는 명사(구)가 온다.
We couldn't go out **because** <u>it rained heavily</u>.
We couldn't go out **because of** <u>the heavy rain</u>.

POINT 04 명사절을 이끄는 접속사 that

She knows *that I like animals.   그녀는 내가 동물을 좋아한다는 것을 안다.

주어   동사   접속사
        ─── 목적어(명사절) ───

*접속사 that이 이끄는 절이 문장에서 명사 역할을 할 때, 이를 명사절이라고 해.

접속사 that이 이끄는 절이 문장에서 명사처럼 쓰여 주어·보어·목적어 역할을 한다.

주어	~라는 것은	**That** they lost the game was surprising. = It was surprising **that** they lost the game.
	⊕ 가주어 It을 문장의 주어 자리에 쓰고 that이 이끄는 절을 문장 뒤로 보내는 형태로 주로 쓰인다. 서술형 빈출	
보어	~라는 것(이다)	The problem is **that** she is always busy.
목적어	~라는 것을	Do you think (**that**) he is a good singer? Jane said (**that**) she made a huge mistake. I didn't know (**that**) it was raining outside.
	⊕ that절이 목적어로 쓰이면 접속사 that을 생략할 수 있다.	

개념 QUICK CHECK

POINT 03

괄호 안에서 알맞은 것을 고르시오.

1 (Because / If) the pizza was delicious, I ate it all.

2 You will miss the bus if you (won't run / don't run).

3 Let's make a snowman (because / if) it snows tomorrow.

4 I couldn't sleep well (because / because of) it was too noisy.

POINT 04

밑줄 친 부분이 문장에서 어떤 역할을 하는지 기호를 쓰시오.

a. 주어	b. 보어	c. 목적어

1 I heard <u>that the movie was great</u>.
(   )

2 The truth is <u>that I broke the vase</u>.
(   )

3 Can you believe <u>that he painted this</u>?
(   )

4 It is certain <u>that he will pass the exam</u>.
(   )

대표 기출 유형으로 **실전 연습**

1 빈칸에 들어갈 말로 알맞은 것은?

Chris can't play soccer now _____ he hurt his leg.

① but　　　　　　② if　　　　　　③ when
④ because　　　　⑤ that

자주 나와요!
2 빈칸에 공통으로 들어갈 접속사를 쓰시오.

• I hope _____ you enjoy the concert.
• They found out _____ there is water on Mars.

3 빈칸에 알맞은 접속사를 [보기]에서 골라 문장을 완성하시오.

[보기]　　because　　　　if　　　　that

(1) I think _____ he is a good dancer.

(2) _____ you see him, give him this book.

(3) We turned on the heater _____ it was cold.

4 두 문장을 한 문장으로 쓸 때 빈칸에 알맞은 접속사를 쓰시오.

(1) He works hard. It is true.

> It is true _____ he works hard.

(2) It was raining. I put on a raincoat.

> I put on a raincoat _____ it was raining.

틀리기 쉬워요!
5 밑줄 친 **that**의 쓰임이 [보기]와 같은 것은?

[보기]　The fact is <u>that</u> you lied to me.

① I thought <u>that</u> the boy is from Korea.
② It is surprising <u>that</u> Mike is John's brother.
③ He said <u>that</u> Ms. Cho was his math teacher.
④ The problem is <u>that</u> we can't go home early today.
⑤ It was not true <u>that</u> she moved to another country.

개념 완성 Quiz　*Choose or complete.*

1 접속사 if나 because 뒤에는 [구 / 절]이(가) 온다.
　　　　> POINT 03

2 명사절로 이루어진 목적어를 이끄는 접속사는 _____이다.
　　　　> POINT 04

3 원인을 나타내는 문장 앞에는 접속사 [if / because]를 써서 결과를 나타내는 주절과 연결한다.
　　　　> POINT 03, 04

4 접속사 _____이(가) 이끄는 명사절을 뒤로 보내고 가주어 It을 주어 자리에 쓸 수 있다.
　　　　> POINT 03, 04

5 [주어 / 보어 / 목적어]로 쓰이는 명사절을 이끄는 접속사 that은 생략할 수 있다.
　　　　> POINT 04

UNIT 3 위치·장소·시간의 전치사

POINT 05 위치·장소의 전치사

The cat is *under the table.   고양이는 탁자 아래에 있다.

전치사   명사
(~ 아래에)   *전치사 뒤에는 명사 역할을 하는 말이 와.

전치사 뒤에는 (대)명사가 오며, 동사를 써야 할 때는 동명사로 쓴다.

at	(비교적 좁은 장소) ~ 에(서)	at home, at the bus stop, at the museum, at the airport, at the corner 등
in	(비교적 넓은 장소) ~ 에(서), ~ 안에	in the sky, in the world, in Korea, in Seoul, in the room, in the box 등
on	~ 위에	on the wall, on the table, on the floor 등
under	~ 아래에	A cat was sleeping under the tree.
behind	~ 뒤에	Tom is hiding behind the door.
in front of	~ 앞에	Let's meet in front of the ticket box.
across from	~ 건너편에	The bank is across from the post office.
next to	~ 옆에	I was standing next to my parents.
between A and B	A와 B 사이에	The library is between the museum and the park.

POINT 06 시간의 전치사

The movie begins *at 7 o'clock.   그 영화는 7시에 시작한다.

전치사   명사구
(~에)   *전치사 at, on, in은 시간·장소를
표현하는 데 모두 쓰일 수 있어.

at	구체적 시각, 특정 시점	at 2 o'clock, at noon, at night 등
on	요일, 날짜, 특정한 날	on Friday, on May 16th, on Christmas 등
in	오전, 오후(저녁), 월, 계절, 연도 등	in the morning(afternoon/evening), in March, in winter, in 2020 등
before	~ 전에	Did you feel nervous before the test?
after	~ 후에	We played soccer after lunch.
during	~ 동안 (특정 기간)	during the vacation, during the class 등
for	~ 동안 (구체적인 기간)	for an hour, for three years 등
by	~까지 (완료)	He had to go back home by 5.
until	~까지 (계속)	I studied math until 10 p.m.

개념 QUICK CHECK

POINT 05

우리말과 일치하도록 빈칸에 알맞은 전치사를 쓰시오.

1 학교에서: _____ school

2 책상 위에: _____ the desk

3 나무 뒤에: _____ the tree

4 건물 안에서: _____ the building

POINT 06

괄호 안에서 알맞은 것을 고르시오.

1 We'll have lunch (in / at) noon.

2 Can you come home (by / until) 6?

3 We went on a trip to Paris (on / in) spring.

4 They will have a concert (on / in) June 13th.

대표 기출 유형으로 **실전 연습**

1 빈칸에 알맞은 전치사를 [보기]에서 골라 문장을 완성하시오.

> [보기] at on during for

(1) They filmed the movie _____ the winter.

(2) You shouldn't eat too much _____ night.

(3) My brother and I go swimming _____ Saturdays.

2 우리말과 일치하도록 빈칸에 알맞은 전치사를 쓰시오.

(1) 그녀는 자신의 옛날 사진들을 그 상자에서 발견했다.
> She found her old pictures _____ the box.

(2) Baker 선생님은 나무 아래에서 음악을 듣고 있다.
> Mr. Baker is listening to music _____ the tree.

자주 나와요!
3 빈칸에 들어갈 말로 알맞은 것은?

> We have to finish our project _____ tomorrow.

① on ② in ③ during
④ by ⑤ until

4 빈칸에 들어갈 말이 순서대로 바르게 짝지어진 것은?

> • Did you stay in Paris _____ one week?
> • Why don't we meet _____ the bus stop?

① for – to ② for – at ③ for – on
④ during – to ⑤ during – by

틀리기 쉬워요!
5 밑줄 친 부분이 어법상 올바른 것은?

① The game started <u>at</u> noon.
② Two birds are flying <u>on</u> the sky.
③ We often have snow <u>on</u> February.
④ They stayed in Africa <u>during</u> two months.
⑤ Mike is standing between the sofa <u>or</u> the table.

개념 완성 **Quiz** *Choose or complete.*

1 요일, 날짜, 특정한 날 앞에 쓰는 전치사는 on / at 이다.
> POINT 06

2 '(공간) ~ 안에서'라는 의미의 전치사는 in / on 이다.
> POINT 05

3 '~까지'의 의미로 완료를 나타내면 전치사 by / for / during 을(를) 쓴다.
> POINT 06

4 구체적인 시간의 길이 앞에서 '~ 동안'이라는 의미로 사용되는 전치사는 for / during 이다.
> POINT 05, 06

5 계절, 연도 등을 나타낼 때는 전치사 at / in 을 쓴다.
> POINT 05, 06

서술형 실전 연습

1 우리말과 일치하도록 빈칸에 알맞은 전치사를 쓰시오.

(1) Alice는 샌프란시스코에 살고 싶어 한다.

> Alice wants to live _____ San Francisco.

(2) 작은 배가 다리 아래를 지나가고 있다.

> A small boat is passing _____ the bridge.

(3) 12시에 학교 앞에서 만나자.

> Let's meet _____ _____ _____ the
school _____ 12 o'clock.

1 · in / on / at +비교적 넓은 장소
· in / on / at +비교적 좁은 장소
> POINT 05, 06

2 빈칸에 알맞은 전치사를 [보기]에서 골라 문장을 완성하시오.

[보기]   for   until   during

(1) I stayed in bed _____ ten thirty.

(2) Emily fell asleep _____ the class.

(3) Rio studied French _____ 2 hours yesterday.

2 ~ 동안
· 특정 기간(명사) 앞: during / for
· 구체적인 기간 앞: during / for
> POINT 06

3 다음 문장에서 어법상 **틀린** 부분을 찾아 바르게 고쳐 쓰시오.

I enjoy playing tennis and to write poems.

_____ > _____

4 괄호 안의 말을 바르게 배열하여 문장을 완성하시오.

(1) Mina said _____ home early.
(she, to, wanted, go, that)

(2) _____, he will get good grades.
(he, harder, if, studies)

4 · (만약) ~한다면: if / that
· 명사절을 이끄는 접속사: if / that
> POINT 03, 04

5 괄호 안의 접속사를 사용하여 두 문장을 한 문장으로 쓰시오.

(1) Nobody told me. Tim was not there. (that)

> _____

(2) I was almost an hour late. It was raining so hard. (because)

> _____

6 그림을 보고, 빈칸에 알맞은 전치사를 써서 문장을 완성하시오.

6 • ~ 옆에: next to / between / behind
• ~ 위에: on / in / under
> POINT 05

(1) The sofa is _____ the plant.

(2) The cat is sitting _____ the sofa.

(3) There are three books _____ the table.

7 다음 글을 읽고, 물음에 답하시오.

7 특정한 날짜 앞에 쓰는 전치사:
on / in / at
> POINT 05, 06

> **Would you like to do something fun?**
> **We invite you to the Melody Forest Concert!**
>
> • Date: July 5th
> • Place: Seoul Park

(1) When is the concert?

> It is _____.

(2) Where does the concert take place?

> It takes place _____.

고난도

8 ⟨A⟩와 ⟨B⟩에 주어진 표현을 접속사 when이나 that으로 연결하여 한 문장으로 쓰시오.

8 접속사 that이 이끄는 명사절
• _____ 역할일 때: that 생략 가능
• _____ 역할일 때: 문장의 뒤로 가고 가주어 It이 대신할 수 있음
> POINT 02, 04

	⟨A⟩	⟨B⟩
(1)	our team's problem	we don't have enough time
(2)	I play with my dog	I have free time
(3)	it is possible	he will come to the party

(1) _____

(2) _____

(3) _____

실전 모의고사

시험일 :	월	일	문항 수 : 객관식 18 / 서술형 7
목표 시간 :			총점
걸린 시간 :			/ 100

[01-02] 빈칸에 들어갈 말로 알맞은 것을 고르시오.　　각 2점

01

> We must get home _____ seven.

① in ② by ③ until
④ for ⑤ during

02

> There were many shops at the new mall, _____ I couldn't find a pet shop there.

① or ② but ③ when
④ because ⑤ before

03 다음 두 문장을 한 문장으로 쓸 때 빈칸에 들어갈 말로 알맞은 것은?　　3점

> Sam won the race. We were very excited.
> > _____ Sam won the race, we were very excited.

① If ② But ③ That
④ When ⑤ Before

04 대화의 빈칸에 들어갈 말로 알맞은 것은?　　3점

> **A:** What did you do _____ summer vacation?
> **B:** I visited my grandparents in Canada.

① by ② until ③ when
④ during ⑤ between

05 밑줄 친 부분을 생략할 수 없는 것은?　　3점

① I heard that he is a great actor.
② I don't think that the cap is yours.
③ We know that she can speak Korean.
④ That our car doesn't work is the problem.
⑤ All of them hope that their team will win the match.

06 두 문장의 의미가 같도록 할 때 빈칸에 들어갈 말로 알맞은 것은?　　3점

> I started to do my homework at 3 p.m. and finished it at 6 p.m.
> = I did my homework _____.

① until 3 ② all night
③ by three hours ④ for three hours
⑤ during three hours

[07-08] 빈칸에 들어갈 말이 순서대로 바르게 짝지어진 것을 고르시오.　　각 3점

07

> Jane likes to go skiing _____ skating _____ winter.

① and – at ② and – in
③ but – at ④ but – in
⑤ to – in

08

> I love New York City, _____ I don't want to live there _____ it is too crowded.

① and – when ② but – before
③ and – before ④ but – because
⑤ or – because

[09-10] 빈칸에 공통으로 들어갈 말을 고르시오.　각 3점

09
- I'm always nervous _____ an exam.
- You should look around _____ you cross the street.

① if ② after ③ before
④ when ⑤ because

10
- Were you angry because _____ me?
- I planted some flowers in front _____ my house.

① on ② in ③ at
④ of ⑤ by

11 다음 중 대화가 <u>어색한</u> 것은?　4점

① **A:** When should we meet?
　B: At noon.
② **A:** Where is the music room?
　B: On the second floor.
③ **A:** How long will you stay here?
　B: For a month.
④ **A:** When was your cousin born?
　B: On July 10th.
⑤ **A:** Where do your grandparents live?
　B: At Jeonju.

12 다음 중 밑줄 친 부분이 어법상 <u>틀린</u> 것은?　3점

① Is the news true <u>or</u> not?
② She bought bread <u>and</u> butter.
③ I had lunch, <u>but</u> I'm still hungry.
④ Jane <u>or</u> Kate visited the town together.
⑤ He studied hard <u>but</u> didn't pass the test.

13 다음 중 어법상 올바른 문장은?　4점

① I had apples and melons, grapes.
② She is old but can walk very fast.
③ He reads a book before go to bed.
④ He feels tired because the hard work.
⑤ I'll go downstairs when she'll come home.

14 밑줄 친 부분을 어법에 맞게 고친 것이 순서대로 바르게 짝지어진 것은?　4점

- There is a big cloud <u>at</u> the sky.
- Jessy will have a party <u>on</u> her house.

① in – to ② in – at
③ on – to ④ on – at
⑤ to – on

15 다음 중 어법상 <u>틀린</u> 문장은?　4점

① I'll call you at six thirty.
② If you'll miss this bus, you'll be late.
③ Close the window before you leave.
④ I took medicine because I had a fever.
⑤ I enjoyed eating pizza when I was in Italy.

16 밑줄 친 <u>that</u>의 쓰임이 나머지와 <u>다른</u> 하나는? 4점

① We all know <u>that</u> he is kind.
② He doesn't believe <u>that</u> I can do it.
③ Mom liked <u>that</u> gray jacket so much.
④ The truth is <u>that</u> I don't like the food.
⑤ It's important <u>that</u> he should go there.

17 다음 그림을 설명하는 문장으로 알맞은 것은? 4점

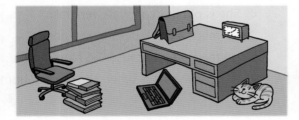

① There is a clock on the wall.
② There is a cat near the chair.
③ There is a laptop in the floor.
④ There is a bag next to the desk.
⑤ There are some books in front of the chair.

18 다음 중 어법상 올바른 문장끼리 짝지어진 것은? 5점

ⓐ Will you go out or staying home?
ⓑ I think Mr. Lee is the best teacher.
ⓒ He goes fishing when his free time.
ⓓ She found her tablet PC under the bed.
ⓔ I slept during lunchtime because of I was tired.

① ⓐ, ⓑ　　　② ⓐ, ⓔ
③ ⓑ, ⓒ　　　④ ⓑ, ⓓ
⑤ ⓓ, ⓔ

서술형

19 빈칸에 공통으로 들어갈 말을 한 단어로 쓰시오. 3점

- She said _____ we were doing great.
- Is it true _____ he will marry soon?
- The problem is _____ we don't have enough money for the festival.

20 괄호 안의 단어들을 바르게 배열하여 문장을 완성하시오. 3점

A: Why are you in a hurry?
B: I have to clean my room _____
_____.
(comes, my mom, before, back)

21 다음 글에서 어법상 틀린 부분 두 군데를 찾아 바르게 고쳐 쓰시오. 각 3점

Tom is my best friend. He is kind and cheer. He is not tall and plays basketball very well.

(1) _____ > _____

(2) _____ > _____

22 다음 지도의 내용과 일치하도록 빈칸에 알맞은 말을 쓰시오. 각 2점

(1) The library is _____ _____ the school.

(2) The bank is _____ _____ the flower shop.

(3) The flower shop is _____ the bank _____ the post office.

23 Sue를 소개하는 다음 표의 내용과 일치하도록 빈칸에 알맞은 말을 쓰시오. 각 2점

Birth Date	November 3, 2007
Hometown	Incheon
Hobby	riding a bike every Saturday

Sue was born (1) _____ November 3 (2) _____ 2007. She lives (3) _____ Incheon. She likes to ride a bike (4) _____ Saturdays.

고난도

24 다음 글의 빈칸에 알맞은 접속사를 쓰시오. 각 3점

Jack moved into a new apartment. He likes his new apartment, (1) _____ it is a little far from his school. He walked to school (2) _____ he moved here, but now he has to take a bus to school.

고난도

25 (조건)에 맞게 두 문장을 한 문장으로 쓰시오. 각 4점

[조건] 1. 종속 접속사를 사용할 것
2. 접속사가 사용된 절을 주절의 뒤에 쓸 것

(1) Billy is hungry now. He exercised in the morning.

> _____

_____

(2) You push the button. The window will open.

> _____

_____

약점 공략
틀린 문제가 있다면?

틀린 문항 번호가 있는 칸을 색칠하고, 어떤 문법 POINT의 집중 복습이 필요한지 파악해 보세요.

문항 번호	연관 문법 POINT	문항 번호	연관 문법 POINT	문항 번호	연관 문법 POINT
01	P6	10	P3, P5	19	P4
02	P1	11	P5, P6	20	P2
03	P2	12	P1	21	P1
04	P6	13	P1, P2, P3, P6	22	P5
05	P4	14	P5	23	P5, P6
06	P6	15	P2, P3, P6	24	P1, P2
07	P1, P6	16	P4	25	P2, P3
08	P1, P3	17	P5		
09	P2, P6	18	P1~P6		

연관 문법 POINT 참고

P1 (p.152) and, but, or
P2 (p.152) when, before, after
P3 (p.154) because, if
P4 (p.154) 명사절을 이끄는 접속사 that
P5 (p.156) 위치·장소의 전치사
P6 (p.156) 시간의 전치사

 Level Up Test

01 빈칸 ⓐ~ⓒ에 들어갈 말이 순서대로 바르게 짝지어진 것은?

> • Sally was standing next _____ⓐ_____ her mom.
> • My family will go on a vacation _____ⓑ_____ December.
> • We stayed at the cafeteria _____ⓒ_____ 30 minutes.

① on – on – for ② to – in – for
③ on – in – during ④ to – in – during
⑤ to – on – for

02 다음 중 어법상 틀린 문장의 개수는?

> ⓐ Penguins are birds or they can't fly.
> ⓑ I went home after I watched a movie.
> ⓒ Did you meet him at the station but at the library?
> ⓓ Don't forget to close the windows when you go out.

① 0개 ② 1개 ③ 2개 ④ 3개 ⑤ 4개

03 우리말을 영어로 옮긴 것 중 틀린 것은?

① 새 한 마리가 내 머리 위를 날아가고 있었다.
> A bird was flying over my head.
② 은행은 서점 뒤에 있다.
> The bank is behind the bookstore.
③ 나는 목요일마다 요가 수업이 있다.
> I have a yoga class on Thursdays.
④ 그녀는 벽에 벌 한 마리가 있는 것을 발견했다.
> She found a bee on the wall.
⑤ 그들이 서두른다면 수업을 놓치지 않을 것이다.
> If they will hurry, they won't miss the class.

04 다음 글을 읽고, 알맞은 접속사 또는 전치사를 써서 요약문을 완성하시오.

> Tomorrow Simon's class is going to have a picnic at the park. Simon didn't sleep well last night because he was so excited. When he woke up, he was a little late. He ran to the park, but nobody was there. Then, he got a phone call from his classmate. The picnic wasn't today!

> ∨

> Simon thought _____ the picnic was today. He went to the park, _____ nobody was there.

05 다음 대화를 읽고, 물음에 답하시오.

> **A:** Which sport do you prefer, soccer ⓐ and baseball?
> **B:** I prefer soccer.
> **A:** Me, too. I heard ⓑ that there is a soccer game ⓒ on the playground ⓓ after school. Let's watch it together.
> **B:** OK. I'll wait for you 너의 교실 앞에서 ⓔ after class.

(1) 밑줄 친 ⓐ~ⓔ 중 어법상 틀린 것을 바르게 고쳐 쓰시오.

(   ) > _____

(2) 밑줄 친 우리말을 영어로 쓰시오. (5단어)

> _____

추가 자료

1 일반동사의 과거형 규칙 변화

(1) 대부분의 동사 : 「동사원형＋-ed」

open	opened	열다	fix	fixed	고치다
visit	visited	방문하다	want	wanted	원하다

(2) -e로 끝나는 동사 : 「동사원형＋-d」

agree	agreed	동의하다	arrive	arrived	도착하다
believe	believed	믿다	decide	decided	결정하다
improve	improved	개선하다	like	liked	좋아하다
live	lived	살다	love	loved	사랑하다
move	moved	움직이다	save	saved	구하다

(3) [자음＋y]로 끝나는 동사 : 「y를 i로 바꾸고 ＋-ed」

carry	carried	들고 있다	cry	cried	울다
marry	married	～와 결혼하다	study	studied	공부하다
try	tried	노력하다	worry	worried	걱정하다

(4) [단모음＋단자음]으로 끝나는 동사: 「마지막 자음을 한 번 더 쓰고＋-ed」

stop	stopped	멈추다, 서다	beg	begged	간청하다
clap	clapped	박수를 치다	grab	grabbed	움켜쥐다
jog	jogged	조깅하다	occur	occurred	발생하다
plan	planned	계획하다	shop	shopped	(물건을) 사다

2 일반동사의 과거형 불규칙 변화

(1) A-A-A : 원형, 과거형, 과거분사가 모두 같은 동사

cost	cost	cost	(비용)이 들다
hit	hit	hit	치다, 때리다
hurt	hurt	hurt	다치다
put	put	put	놓다, 두다
read	read	read	읽다
set	set	set	놓다, 설치하다
shut	shut	shut	닫다
spread	spread	spread	퍼뜨리다

(2) A-B-B : 과거형과 과거분사가 같은 동사

bring	brought	brought	가져오다
build	built	built	(건물을) 짓다
buy	bought	bought	사다
catch	caught	caught	잡다
feed	fed	fed	먹이를 주다

feel	felt	felt	느끼다
fight	fought	fought	싸우다
find	found	found	찾다
forget	forgot	forgot(forgotten)	잊다
get	got	got(gotten)	얻다
have	had	had	가지다, 먹다
hold	held	held	잡다, 개최하다
lay	laid	laid	놓다
leave	left	left	떠나다
lend	lent	lent	빌려주다
lose	lost	lost	잃다, 지다
make	made	made	만들다
meet	met	met	만나다
pay	paid	paid	지불하다
say	said	said	말하다
sell	sold	sold	팔다
send	sent	sent	보내다
sit	sat	sat	앉다
sleep	slept	slept	자다
spend	spent	spent	쓰다, 소비하다
teach	taught	taught	가르치다
tell	told	told	말하다
think	thought	thought	생각하다
understand	understood	understood	이해하다
win	won	won	이기다

⑶ A-B-A : 원형과 과거분사가 같은 동사

become	became	become	～이 되다
come	came	come	오다
run	ran	run	달리다

⑷ A-B-C : 원형, 과거형, 과거분사가 모두 다른 동사

be(원형) am/are/is(현재형)	was/were	been	～이다, ～에 있다
bear	bore	born	낳다
begin	began	begun	시작하다
blow	blew	blown	불다
break	broke	broken	깨다, 부수다
choose	chose	chosen	고르다, 선택하다
do	did	done	하다
draw	drew	drawn	그리다
drink	drank	drunken	마시다
drive	drove	driven	운전하다
eat	ate	eaten	먹다

fall	fell	fallen	떨어지다
fly	flew	flown	날다; 날리다
freeze	froze	frozen	얼다; 얼리다
give	gave	given	주다
go	went	gone	가다
grow	grew	grown	자라다
hide	hid	hidden	숨다; 숨기다
know	knew	known	알다
lie	lay	lain	눕다
ride	rode	ridden	타다
rise	rose	risen	오르다
see	saw	seen	보다
shake	shook	shaken	흔들다
sing	sang	sung	노래하다
speak	spoke	spoken	말하다
swim	swam	swum	수영하다
take	took	taken	가지고 가다
throw	threw	thrown	던지다
wear	wore	worn	입다
write	wrote	written	쓰다

3 주의해야 할 명사

CHAPTER 03　POINT 01, 02

(1) 셀 수 없는 명사

advice	충고	baggage	수화물, 짐	clothing	옷
equipment	장비	furniture	가구	information	정보
knowledge	지식	luggage	수화물, 짐	machinery	기계
health	건강	news	소식	weather	날씨

(2) 항상 복수형으로 사용하는 명사

glasses	안경	gloves	장갑	jeans	청바지
mittens	벙어리장갑	pajamas	잠옷	pants	바지
scissors	가위	shoes	신발	shorts	반바지
socks	양말	tights	타이츠	sneakers	운동화

(3) 복수형으로 사용하지만 단수 취급하는 명사(학문명, 병명)

economics	경제학	diabetes	당뇨병	mathematics	수학
ethics	윤리학	linguistics	언어학	physics	물리학

4 목적어로 to부정사를 취하는 동사

CHAPTER 08　POINT 02

agree	동의하다	aim	목표하다	choose	선택하다
decide	결정하다	expect	예상하다	fail	실패하다

hope	바라다	learn	배우다	manage	해내다
need	필요하다	plan	계획하다	pretend	~인 척하다
promise	약속하다	refuse	거절하다	prepare	준비하다
wish	바라다	would like	~하고 싶다	want	원하다

5 목적어로 동명사를 취하는 동사

CHAPTER 08　POINT 05

avoid	피하다	consider	고려하다	admit	인정하다
enjoy	즐기다	finish	마치다	deny	부정하다
imagine	상상하다	keep	계속하다	give up	포기하다
practice	연습하다	put off	연기하다, 미루다	mind	꺼리다
stop	멈추다	suggest	제안하다	quit	그만두다

6 목적어로 to부정사와 동명사를 모두 취하는 동사

CHAPTER 08　POINT 05

begin	시작하다	continue	계속하다	forget	잊다
hate	싫어하다	like	좋아하다	love	사랑하다
regret	후회하다	remember	기억하다	start	시작하다
try	시도하다	prefer	선호하다		

7 「타동사+부사」 형태의 이어동사

CHAPTER 10

call off	취소하다	give up	포기하다	pick up	줍다, 집다
put off	미루다	put on	입다, 쓰다	put together	결합시키다
take off	벗다	turn down	거절하다	turn off	끄다

8 「자동사+전치사」 형태의 이어동사

CHAPTER 10

listen to	~을 듣다	look at	~을 보다	care about	~에 관심을 가지다
look for	~을 찾다	laugh at	~을 비웃다	care for	~을 보살피다
wait for	~을 기다리다	depend on	~에 의존하다	object to	~에 반대하다

9 형용사와 형태가 같은 부사

CHAPTER 11　POINT 03

단어	형용사 의미	부사 의미	단어	형용사 의미	부사 의미
close	가까운	가까이	daily	매일 일어나는	일일, 하루
enough	충분한	~할 만큼(충분히)	far	저쪽의, 먼	멀리
far	저쪽의, 먼	멀리	just	공정한	딱, 꼭
long	(길이·거리가) 긴	오래, 오랫동안	low	낮은	낮게, 아래로
monthly	매월의	매월	near	가까운	가까이
weekly	매주의	매주	high	높은	높게

수능과 내신을 한 번에 잡는
프리미엄 고등 영어 **수프림** 시리즈

문법 어법

Supreme 고등영문법
쉽게 정리되는 고등 문법 / 최신 기출 문제 반영 /
문법 누적테스트

Supreme 수능 어법 기본
수능 어법 포인트 72개 / 내신 서술형 어법 대비 /
수능 어법 실전 테스트

Supreme 수능 어법 실전
수능 핵심 어법 포인트 정리 / 내신 빈출 어법 정리 /
어법 모의고사 12회

독해

Supreme 구문독해
독해를 위한 핵심 구문 68개 / 수능 유형 독해 /
내신·서술형 완벽 대비

Supreme 유형독해
수능 독해 유형별 풀이 전략 / 내신·서술형 완벽 대비 /
미니모의고사 3회

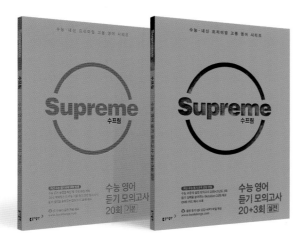

듣기

Supreme 수능 영어 듣기 모의고사 20회 기본
14개 듣기 유형별 분석 / 수능 영어 듣기 모의고사 20회 /
듣기 대본 받아쓰기

Supreme 수능 영어 듣기 모의고사 20+3회 실전
수능 영어 듣기 모의고사 20회+고난도 3회 /
듣기 대본 받아쓰기

실전 문제로 중학 내신과 실력 완성에

빠르게 통하는 영문법 핵심 1200제

Answers

LEVEL

1

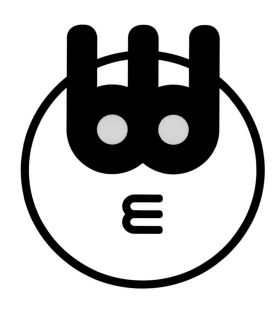

동아출판

CHAPTER 01
be동사와 인칭대명사

UNIT 01 be동사의 현재형과 과거형

개념 QUICK CHECK   p. 10

POINT 01	1 am	2 are	3 is	4 are
POINT 02	1 was	2 was	3 were	4 were

실전 연습   p. 11

1 (1) are　(2) was　　2 ⑤　　3 ②　　4 ③　　5 ④

1 (1) 주어가 2인칭 복수일 때 be동사의 현재형은 are를 쓴다.
(2) 주어가 1인칭 단수일 때 be동사의 과거형은 was를 쓴다.

2 〈보기〉와 ⑤의 be동사 is는 '~에 있다'라는 뜻으로 주어의 위치를 나타낸다. ①과 ②는 '~(하)다'라는 뜻으로 주어의 상태를 나타내고, ③과 ④는 '~이다'라는 뜻으로 주어가 무엇인지 나타낸다.

3 be동사가 과거형 were이므로 빈칸에는 복수 주어나 2인칭 단수 주어가 알맞다. Mike는 3인칭 단수 주어이므로 be동사를 was로 써야 한다.

4 첫 번째 문장은 주어 Tim이 3인칭 단수이며 현재(now)의 상태를 나타내므로 is를 쓰고, 두 번째 문장은 주어가 He이고 과거(last year)의 상태를 나타내므로 was를 쓴다.

5 ④ 현재를 나타내는 부사(now)가 있으며 주어 Ann and I가 3인칭 복수이므로 be동사 are를 써야 한다.

개념 완성 Quiz

1 주어　　2 장소의 부사구　　3 2인칭　　4 was
5 are

UNIT 02 be동사의 부정문과 의문문

개념 QUICK CHECK   p. 12

POINT 03	1 is not	2 I'm not	3 wasn't	4 aren't
POINT 04	1 ○	2 ×	3 ×	4 ○

실전 연습   p. 13

1 ⑤　　2 ④　　3 ④　　4 ③
5 (1) Is Jenny　(2) were not

1 be동사의 부정문은 be동사 뒤에 not을 붙인다.

2 첫 번째 문장은 주어가 3인칭 단수 Canada이므로 의문문일 때 주어 앞에 Is를, 두 번째 문장은 과거(last weekend)의 일이며 주어가 3인칭 복수 they이므로 과거형 Were를 써야 한다.

3 ④ am not은 amn't로 줄여서 쓸 수 없으므로 「주어+be동사」를 줄여 쓴 I'm not으로 써야 한다.

4 스페인 출신이라고 이어서 말하므로 빈칸에는 부정의 대답이 와야 한다. Are you ~?로 묻고 있으므로 대답의 주어는 I로 받는다.

5 (1) 주어 Jenny가 3인칭 단수이므로 be동사의 현재형 Is를 주어 앞에 쓴다.
(2) 주어 Tim's parents가 3인칭 복수이므로 be동사의 과거형 were를 쓰고 뒤에 not을 붙인다.

개념 완성 Quiz

1 be동사　　2 주어　　3 be동사, not　　4 I, we
5 Be동사+주어

UNIT 03 There is(are), 인칭대명사와 격

개념 QUICK CHECK   p. 14

POINT 05	1 is	2 are	3 aren't	4 Is
POINT 06	1 a	2 c	3 e	4 b

실전 연습   p. 15

1 (1) is　(2) Are　　2 (1) him　(2) mine　(3) her
3 ②, ⑤　　4 ⑤　　5 ②

1 There is(are) 구문으로 '~가 있다'는 의미를 나타낸다.
(1)은 주어인 a boy가 단수명사이므로 is를 쓰고, (2)는 주어인 four members가 복수명사이므로 Are를 쓴다.

2 (1) my uncle은 3인칭 단수(남성)이므로 목적격 인칭대명사 him을 쓴다.
(2) 빈칸 뒤에 명사가 없으므로 소유대명사인 mine을 쓴다.
(3) Ms. Wilson은 3인칭 단수(여성)이므로 소유격 인칭대명사 her를 쓴다.

3 There is(are) 구문이며 be동사가 is이므로 빈칸에는 단수명사가 들어가야 한다. ②와 ⑤는 단수명사이고 나머지는 모두 복수명사이다.

4 ⑤ 3인칭 단수 it의 소유격은 its로 쓴다. it's는 it is의 줄임말이므로 혼동하지 않도록 유의한다.

5 첫 번째 빈칸에는 comic books가 복수명사이므로 are를 쓴다. 두 번째 빈칸에는 앞 문장의 comic books를 가리키는 목적격 대명사 them을 쓴다.

1 명사　**2** 소유격+명사　**3** 단수명사　**4** your
5 them

서술형 실전 연습　　　　　　　　pp. 16~17

1 were, are

2 (1) isn't(is not) a firefighter
　　(2) was at the theater

3 Are, they are

4 (1) her　(2) Its　(3) They

5 ⓐ, Are Jane and Kate twin sisters?

6 She, Her, her

7 (1) there was a picture, there were three books
　　(2) there are two posters, there is a jacket

8 (1) Were you and Sam at the concert
　　(2) we weren't

---

1 첫 번째 빈칸은 과거를 나타내는 부사구(Last year)가 있으므로 were를 쓴다. 두 번째 빈칸은 현재를 나타내는 부사(now)가 있으므로 are를 쓴다.

2 (1) 주어 The woman이 3인칭 단수이므로 be동사 is를 사용하여 부정형 isn't를 쓴다.
　(2) 주어 I가 1인칭 단수이고 과거를 나타내는 부사구(two hours ago)가 있으므로 be동사 was를 쓴다.

3 의문문의 주어인 your sneakers가 3인칭 복수이므로 주어 앞에 Are를 쓰고, 대답에서는 주어를 대명사 they로 받는다.

4 (1) My sister는 3인칭 단수(여성)이므로 목적격 인칭대명사 her로 받는다.
　(2) this elephant는 3인칭 단수(동물)이며 뒤의 명사를 꾸며 주므로 소유격 Its로 받는다.
　(3) Mr. and Ms. Jones는 3인칭 복수이므로 주격 인칭대명사 They로 받는다.

5 ⓐ 주어 Jane and Kate가 3인칭 복수이므로 be동사는 Are를 써야 한다.

6 Grace는 3인칭 단수(여성) 인칭대명사로 대신 쓸 수 있다. 첫 번째 빈칸은 주어 자리이므로 주격 She를, 두 번째 빈칸은 뒤에 명사가 있으므로 소유격 Her를, 세 번째 빈칸은 목적어 자리이므로 목적격 her를 쓴다.

7 (1) 과거(Yesterday)의 상태를 나타내므로 there was(were)를 쓴다. a picture는 단수이므로 was, three books는 복수이므로

---

were를 쓴다.
　(2) 현재(Now)의 상태를 나타내므로 there is(are)를 쓴다. two posters는 복수이므로 are, a jacket은 단수이므로 is를 쓴다.

8 (1) 의문문의 주어 you and Sam이 2인칭 복수이므로 주어 앞에 과거형 Were를 쓴다.
　(2) 대답할 때에는 주어를 인칭대명사 we로 받고 내용상 부정의 대답이 되도록 쓴다.

개념 완성 Quiz

1 are　**2** was　**3** Be동사+주어　**4** his, her, its
5 be동사+not　**6** her, her　**7** 단수, 복수　**8** we

실전 모의고사　　　　　　　　　pp.18~21

01 ③	02 ②	03 ①	04 ①	05 ②	06 ④
07 ③	08 ②, ④	09 ③	10 ①	11 ②	12 ④
13 ①	14 ②, ⑤	15 ④	16 ④	17 ②	18 ③

19 (1) They aren't(They're not)　(2) Is there

20 (1) Yes, she is　(2) No, I'm not

21 (1) mine　(2) my　(3) hers

22 (1) is, There is　(2) were, There were

23 (1) ⓒ, his → him　(2) ⓔ, them → it

24 (1) They weren't at the playground an hour ago.
　　(2) Were they at the playground an hour ago?

25 (1) am　(2) isn't　(3) are　(4) aren't

---

01 현재를 나타내는 부사(now)가 있으며 주어 Amy and Tom이 3인칭 복수이므로 be동사 are를 쓴다.

02 be동사가 과거형인 was이므로 빈칸에는 1인칭 단수 주어 I나 3인칭 단수 주어가 알맞다. You는 2인칭 단·복수 주어이므로 were를 써야 한다.

03 ① am not은 줄여서 쓸 수 없다. 「주어+be동사」를 줄여 쓴 I'm not으로 쓴다.

04 ① my friends는 문장의 목적어이므로 3인칭 복수명사의 목적격인 them으로 바꿔야 한다.

05 Are you ~?로 물으면 대답의 주어는 단수일 경우 I, 복수일 경우 we로 받고 be동사를 현재형으로 쓴다.

06 「Is there+단수명사 ~?」로 물으면 긍정일 경우 Yes, there is., 부정일 경우 No, there isn't.로 답한다.

07 첫 번째 빈칸에는 소유대명사가, 두 번째 빈칸에는 소유격 인칭대명사가 들어가야 한다. his는 소유대명사와 소유격 인칭대명사의

형태가 같다.

08 be동사의 부정문은 be동사 뒤에 not을 붙인다. 「주어+be동사」의 줄임말 뒤에 not을 붙이거나 「be동사+not」을 줄여서 쓸 수 있다.

09 의문문의 주어 these books는 대답에서 3인칭 복수 대명사로 받으므로 첫 번째 빈칸은 they가 알맞다. 너의 것인지 묻는 말에 부정으로 답하고 있으므로 두 번째 빈칸에는 소유대명사 mine이 알맞다.

10 ① 주어가 1인칭 단수이며 현재시제이므로 be동사 am을 쓴다. 나머지는 과거를 나타내는 부사(구)와 함께 쓰였으며 주어가 2인칭이거나 1, 3인칭 복수이므로 were를 쓴다.

11 ② 의문문의 주어 your gloves를 대답에서 3인칭 복수 they로 받고 있으므로 어법상 올바른 대화이다. (① you are → it is, ③ I'm not → you're not, ④ she isn't → he isn't, ⑤ we are → they are)

12 be동사는 1인칭 단수 주어인 경우 am, 3인칭 단수 주어에는 is, 3인칭 복수 주어에는 are를 각각 쓴다. (→ ⓐ is, ⓑ am, ⓒ are, ⓔ is)

13 주어진 대답이 Yes, it was.이므로 3인칭 단수 주어(사물, 동물)인 be동사의 과거형 의문문이 들어가야 한다.

14 ② 주어가 four seasons로 복수명사이므로 be동사 are를 써야 한다.
⑤ 과거를 나타내는 부사구(last month)가 있고 주어 a fire가 단수명사이므로 be동사를 was로 써야 한다.

15 ④는 '~이다'라는 의미로 주어가 무엇인지 나타내고 나머지는 '(~에) 있다'라는 의미로 주어의 위치를 나타낸다.

16 앞에 나온 명사를 가리키는 인칭대명사를 인칭과 수, 격에 맞춰 쓴다. (① We → It, ② me → mine, ③ She → We, ⑤ their → them)

17 ⓐ 주어 Julia가 3인칭 단수이므로 be동사 is를 써야 한다.
ⓒ 주어 you가 2인칭이므로 be동사 Were를 써야 한다.
ⓓ 과거를 나타내는 부사(yesterday)가 있고 주어가 3인칭 복수이므로 weren't를 써야 한다.

18 ③ 그림의 벤치 뒤에 고양이가 한 마리 있으므로 알맞은 문장은 There is a cat behind the bench.이다.

19 (1) 3인칭 복수 대명사를 주어로 한 be동사의 부정문이다. 빈칸의 수로 보아 They aren't 또는 They're not으로 줄여 쓴다.
(2) There is(are) 구문의 의문문이다. 단수명사인 a seat이 있으므로 Is there ~?로 쓴다.

20 (1) 의문문의 주어가 Ms. Smith이므로 대답에서 대명사 she로 받고, 내용상 긍정으로 답한다.
(2) 의문문의 주어가 you이므로 대답에서 I로 받고, 내용상 부정으로 답한다.

21 (1) '~의 것'이라는 의미를 나타내는 1인칭 단수 소유대명사는 mine이다.
(2) 뒤의 명사를 수식하는 1인칭 단수 소유격은 my이다.
(3) 3인칭 단수 소유대명사(여성)는 hers이다.

22 (1) 주어 An orange가 3인칭 단수이므로 be동사 is를 쓴다.
(2) 과거를 나타내는 부사구(last week)가 있고 주어 Many children이 3인칭 복수이므로 be동사 were를 쓴다.

23 ⓒ 문장에서 목적어 역할이므로 목적격인 him으로 고쳐야 한다.
ⓔ 앞 문장의 a secret을 대신하여 가리키고 있으므로 3인칭 단수인 it으로 고쳐야 한다.

24 (1) 3인칭 복수 주어 They를 쓰고, be동사 뒤에 not을 붙여 부정문을 만든다. 이때 「be동사+not」을 줄여 쓴다.
(2) be동사의 의문문은 「Be동사+주어 ~?」의 형태로 쓴다.

25 표의 내용과 수, 인칭에 알맞은 be동사를 쓴다. 주어가 3인칭 단수일 때 부정형은 isn't로, 3인칭 복수일 때 부정형은 aren't로 줄여 쓰는 것에 유의한다.

내신만점 Level Up Test		p. 22
01 ①	**02** ③	**03** ⑤

04 (1) Mom and I are at the food court now. We are hungry.
(2) I was at the food court yesterday. I was hungry.

05 (1) There are (2) are 43 years
(3) is a middle school student

01 ② her brother는 3인칭 단수(남성)이므로 he가 알맞다.
③ the boy는 3인칭 단수이므로 he가 알맞다.
④ Fred and I는 1인칭 복수이므로 we가 알맞다.
⑤ the notebooks는 3인칭 복수이므로 they가 알맞다.

02 be동사의 과거형으로 질문했으므로 대답도 과거로 해야 한다. 이때 의문문의 주어 you and your brother가 2인칭 복수이므로 대답에서 we로 받는다.

03 ⑤ 진호를 I에서 3인칭 단수 he로 바꿔 쓴 글이므로 Mina and he 또는 She and he로 고쳐야 한다. (She and I → Mina and he/She and he)

04 (1) Mom and I는 1인칭 복수이므로 be동사는 are로 쓰고, 주어로 쓸 때는 인칭대명사 we로 받는다.
(2) 과거를 나타내는 부사(yesterday)가 있고 주어가 1인칭 단수이므로 be동사는 was를 쓴다.

05 (1) There is(are) 구문을 사용한다. 주어 four members가 복수이므로 be동사를 are로 쓴다.
(2) 주어 My parents가 복수이므로 be동사 are를 사용한다.
(3) 주어 she가 3인칭 단수이므로 be동사 is를 사용한다.

CHAPTER 02
일반동사

UNIT 01 일반동사의 현재형

개념 QUICK CHECK
p. 24

POINT 01 1 play 2 eats 3 teaches 4 practice
POINT 02 1 × 2 × 3 ○ 4 ○

실전 연습
p. 25

1 (1) does (2) run 2 ④ 3 ② 4 ③ 5 ④

1 (1) 주어가 3인칭 단수인 My dad이므로 3인칭 단수 현재형인 does로 쓴다.
(2) 주어가 3인칭 복수인 They이므로 동사원형인 run으로 쓴다.

2 Julie and I는 복수 주어이므로 3인칭 단수 현재형인 exercises는 빈칸에 알맞지 않다.

3 The bookstore와 My brother는 모두 3인칭 단수 주어이므로 각각 3인칭 단수 현재형인 closes와 brushes를 써야 한다. brush는 -sh로 끝나는 동사로 동사원형에 -es를 붙인다.

4 ③ Mr. Jones는 3인칭 단수 주어이므로 have의 3인칭 단수 현재형인 has를 써야 한다.

5 ④ 「자음+y」로 끝나는 동사의 3인칭 단수 현재형은 y를 i로 바꾸고 -es를 붙인다. (→ studies)

개념 완성 Quiz

1 -(e)s 2 동사원형 3 -es 4 has 5 i

UNIT 02 일반동사의 과거형

개념 QUICK CHECK
p. 26

POINT 03 1 walked 2 watched
3 lives 4 moved
POINT 04 1 put 2 taught
3 planned 4 flew

실전 연습
p. 27

1 (1) watched (2) ate (3) cut 2 ③ 3 ④
4 ④ 5 ⑤

1 과거를 나타내는 부사(구)가 있으므로 모두 과거형으로 쓴다.
(1) watch는 규칙 변화 동사로 -ed를 붙여 watched로 쓴다.
(2) eat은 불규칙 변화 동사로 ate로 쓴다.
(3) cut은 불규칙 변화 동사로 현재형과 과거형이 같다.

2 ③ stop은 「단모음+단자음」으로 끝나는 동사이므로 뒤에 마지막 자음을 한 번 더 쓰고 -ed를 붙여 과거형을 만든다. (→ stopped)

3 동사 bought은 buy의 과거형이므로 빈칸에는 과거를 나타내는 부사(구)가 알맞다. ④는 현재의 반복적인 일을 나타낼 때 주로 쓰이는 부사구이다.

4 ④ during the last trip은 과거를 나타내는 부사구이므로 carry의 과거형인 carried로 쓴다. 「자음+y」로 끝나는 동사는 y를 i로 바꾸고 -ed를 붙인다.

5 첫 번째 문장은 역사적 사실을 나타내므로 invent의 과거형인 invented를 써야 한다. 두 번째 문장에는 과거를 나타내는 부사구인 a few minutes ago가 있으므로 find의 과거형인 found를 써야 한다.

개념 완성 Quiz

1 -(e)d 2 자음 3 부사(구) 4 i로 바꾸고
5 과거형

UNIT 03 일반동사의 부정문과 의문문

개념 QUICK CHECK
p. 28

POINT 05 1 a 2 c 3 b
POINT 06 1 Does 2 Did 3 want 4 draw

실전 연습
p. 29

1 ③ 2 ② 3 ② 4 Does(does) 5 ④

1 last night은 과거를 나타내는 부사구이므로 동사원형 앞에 didn't를 쓴다.

2 일반동사 과거형의 의문문에 대한 대답은 긍정이면 「Yes, 주어+did.」, 부정이면 「No, 주어+didn't.」로 한다. 의문문의 주어가 you일 때에는 I나 we로 대답하는 것에 유의한다.

3 복수 주어이면서 일반동사 현재형이 쓰인 부정문은 「주어+don't(do not)+동사원형 ~.」의 형태로 쓴다.

4 주어가 3인칭 단수인 현재시제 문장이고 일반동사 go가 쓰였으므로, 의문문의 주어 앞과 긍정의 대답에서 주어 뒤에 Does〔does〕를 써야 한다.

5 일반동사의 과거형이 쓰인 의문문은 「Did+주어+동사원형 ~?」의 형태이므로 첫 번째 빈칸은 동사원형인 go를 쓴다. 두 번째 빈칸은 No가 있으므로 과거시제 부정형인 didn't go가 알맞다.

서술형 실전 연습   pp. 30~31

1 (1) don't〔do not〕 eat (2) eats spicy food

2 starts, does, goes

3 went, read

4 (1) do (2) do (3) Did (4) wrote

5 ©, breaks → broke

6 (1) Naomi sent a letter to her parents.

   (2) Does he take the subway every morning?

   (3) Jason didn't〔did not〕 have a party on his birthday.

7 ⓑ, Did Tom study hard for the math test?

   ⓓ, She left her notebook in her classroom yesterday.

8 (1) take (2) took (3) ran (4) disappeared (5) miss

1 (1) 주어가 1인칭 단수일 때 일반동사 현재형이 쓰인 부정문은 「don't+동사원형」으로 쓴다.
   (2) 주어가 3인칭 단수일 때 일반동사의 현재형은 「동사원형+-(e)s」로 쓴다.

2 주어가 3인칭 단수인 경우 일반동사의 현재형은 동사원형 뒤에 -s 또는 -es를 붙인다. do와 go는 -o로 끝나는 동사이므로 「동사원형+-es」로 쓴다.

3 과거를 나타내는 부사구(last weekend)가 있으므로 일반동사를 과거형으로 써야 한다. go의 과거형은 went이고, read의 과거형은 현재형과 형태가 같은 read이다.

4 (1), (2) 주어가 2인칭 단수(you)인 경우 일반동사의 현재형 의문문은 「Do+주어+동사원형 ~?」으로 쓰고 긍정의 대답은 Yes, I do.이다.
   (3) 일반동사 과거형이 쓰인 의문문은 「Did+주어+동사원형 ~?」의 형태이다.
   (4) 책을 쓴 것은 과거의 일이므로 write를 과거형 wrote로 쓴다.

5 © 과거를 나타내는 부사구(Last week)가 있으므로 동사 breaks를 과거형인 broke로 고쳐야 한다.

6 (1) 일반동사 send는 불규칙 변화 동사로 과거형은 sent이다.
   (2) 일반동사의 현재형이 쓰인 의문문은 「Do/Does+주어+동사원형 ~?」의 형태이다.
   (3) 일반동사의 과거형이 쓰인 부정문은 「주어+didn't〔did not〕+동사원형 ~.」의 형태이다.

7 ⓑ 일반동사의 과거형이 있는 의문문은 「Did+주어+동사원형 ~?」이므로 study로 써야 한다.
   ⓓ 과거를 나타내는 부사(yesterday)가 있으므로 leaves를 과거형 left로 써야 한다.

8 (1) 일요일 아침마다 산책을 간다고 했으므로 1인칭 단수 주어에 맞는 현재형 take를 쓴다.
   (2)~(4) 어제 산책을 가서 큰 개가 달려들고 Ruby가 사라진 것은 모두 과거에 일어난 일이므로 각각 과거형인 took, ran, disappeared를 쓴다.
   (5) 그리워하는 것은 현재의 상태이므로 현재형 miss를 쓴다.

실전 모의고사   pp. 32~35

01 ②	**02** ④	**03** ③	**04** ⑤	**05** ④	**06** ⑤
07 ⑤	**08** ②	**09** ②	**10** ③	**11** ③	**12** ②
13 ④	**14** ①	**15** ②	**16** ④	**17** ④	**18** ②

19 (1) Did, I〔We〕 didn't (2) Does, she does

20 arrives → arrived

21 (1) He studies fashion design at college.

   (2) Mom and I made cookies last Saturday.

22 Tom and Jenny came home late last night. / Last night, Tom and Jenny came home late.

23 (1) Mike doesn't〔does not〕 grow vegetables in his garden.

   (2) Did Mike grow vegetables in his garden?

24 (1) watched (2) did (3) ate (4) played

25 (1) he didn't〔did not〕 go to school today

   (2) No, he didn't. He had a high fever and a sore throat.

01 일반동사의 3인칭 단수형(wakes)이 쓰였으므로 3인칭 단수 주어가 와야 한다.

02 과거를 나타내는 부사(yesterday)가 있으므로 동사는 과거형인 watched로 쓴다.

03 첫 번째 문장은 일반동사의 과거형이 쓰인 의문문인 「Did+주어+동사원형 ~?」의 형태가 알맞다. 두 번째 문장은 현재시제이며 주어가 3인칭 단수이므로 동사원형에 -(e)s를 붙여 현재형으로 쓴다.

04 ⑤ 과거를 나타내는 부사구(last weekend)가 있으므로 동사는 과거형으로 써야 한다. (→ met his friends)

05 의문문의 주어 the TV show는 대답에서 3인칭 단수 it으로 받고 내용상 부정의 대답이 들어가야 하므로 No, it doesn't.로 쓴다.

06 첫 번째 문장은 과거시제이므로 빈칸에는 동사 go의 과거형 went가 알맞고, 이어지는 문장은 현재시제이며 주어가 3인칭 단수이므로 빈칸에는 feels가 알맞다.

07 3인칭 단수 주어인 경우 일반동사의 현재형이 쓰인 부정문은 「주어+doesn't(does not)+동사원형 ~.」의 형태이다.

08 복수 주어일 때 일반동사의 현재형이 쓰인 의문문은 「Do+주어+동사원형 ~?」의 형태이다.

09 일반동사의 과거형이 쓰인 부정문은 「주어+didn't(did not)+동사원형 ~.」의 형태이다. 빈칸 뒤에 동사원형이 온 문장은 ②이다.

10 일반동사의 현재형이 쓰인 의문문은 「Do/Does+주어+동사원형 ~?」의 형태이고 대답은 긍정이면 「Yes, 주어+do/does.」로, 부정이면 「No, 주어+don't/doesn't.」로 쓴다.

11 ③ teach는 불규칙 변화 동사로 과거형은 taught이다.

12 일반동사의 현재형은 3인칭 단수 주어가 아닌 경우 원형 그대로 쓰고, 3인칭 단수 주어인 경우 -(e)s를 붙인다. 부정문은 「주어+don't/doesn't+동사원형 ~.」으로 쓰고, 의문문은 「Do/Does+주어+동사원형 ~?」으로 쓴다.

13 ④ 주어가 3인칭 단수일 때 일반동사의 현재형이 쓰인 부정문은 「주어+doesn't(does not)+동사원형 ~.」의 형태이다. (works → work)

14 우리말과 일치하도록 문장을 쓰면 Brandon does not take a swimming lesson.이므로 네 번째로 오는 단어는 take이다.

15 ② 「단모음+단자음」으로 끝나는 동사는 과거형으로 쓸 때 마지막 자음을 한 번 더 쓰고 뒤에 -ed를 붙인다. (droped → dropped)

16 ⓐ 변하지 않는 사실을 나타낼 때에는 현재시제를 쓰고, 주어가 3인칭 단수이면 동사원형에 -(e)s를 붙인다. (rise → rises)
ⓒ 과거를 나타내는 부사구(last night)가 있으므로 동사를 과거형으로 써야 한다. (see → saw)

17 과거를 나타내는 부사구(last week)가 있고 No라고 답하고 있으므로 일반동사의 과거시제 의문문과 부정의 대답 형태로 쓴다.

18 ② 주어가 Her father로 3인칭 단수이고 현재시제이므로 동사를 3인칭 단수형으로 써야 한다. (→ makes)

19 (1) 일반동사 과거형의 의문문은 「Did+주어+동사원형 ~?」으로 쓰고, 부정의 대답은 「No, 주어+didn't.」로 한다. 이때 의문문의 주어가 2인칭 you이므로 대답에서 1인칭 I나 We로 바꾸는 것에 유의한다.
(2) 주어가 3인칭 단수일 때 일반동사 현재형의 의문문은 「Does+주어+동사원형 ~?」으로 쓰고, 긍정의 대답은 「Yes, 주어+does.」로 한다. 주어를 인칭대명사인 she로 쓰는 것에 유의한다.

20 과거를 나타내는 부사구(two hours ago)가 있으므로 arrives를 과거형인 arrived로 고쳐야 한다.

21 (1) 주어 He가 3인칭 단수이므로 동사도 3인칭 단수형으로 쓴다. 「자음+y」로 끝나는 동사는 y를 i로 바꾸고 -es를 붙인다.
(2) last Saturday가 과거를 나타내는 부사구이므로 동사 make를 과거형인 made로 쓴다.

22 과거를 나타내는 부사구 last night이 있으므로 동사 come을 과거형 came으로 쓴다.

23 (1) 주어가 3인칭 단수일 때 일반동사 현재형의 부정문은 「주어+doesn't(does not)+동사원형 ~.」의 형태로 쓴다.
(2) 일반동사 과거형의 의문문은 「Did+주어+동사원형 ~?」의 형태로 쓴다.

24 지난주 일정표이므로 각 요일별 활동을 과거형으로 쓴다. watch와 play는 동사원형에 -ed를 붙이고, do는 did, eat은 ate로 쓴다.

25 (1) 일반동사 과거형의 부정문은 「주어+didn't(did not)+동사원형 ~.」의 형태로 쓴다.
(2) Charlie는 고열과 목 통증이 있으므로 과거형의 의문문에 부정으로 답하고 증상을 이어서 말한다. 이때 have를 과거형 had로 쓴다.

내신만점 Level Up Test   p. 36

01 ④ **02** ②, ⑤ **03** ②

04 (1) He goes to Green Middle School.
(2) He has a sister, but he doesn't have any brothers.
(3) He plays basketball with his friends every weekend.

05 (1) takes a baking class
(2) she bought some flour and eggs
(3) She read a recipe book

---

01 일반동사 과거형의 의문문은 「Did+주어+동사원형 ~?」으로 쓰고, 부정문은 「주어+didn't(did not)+동사원형 ~.」으로 쓴다. 따라서 빈칸에는 모두 동사원형을 써야 한다.

02 과거를 나타내는 부사구(two years ago)가 있으므로 빈칸에는 일반동사의 현재형이 들어갈 수 없다.

03 ⓐ 과거를 나타내는 부사구(last Saturday)가 있으므로 동사를 과거형으로 써야 한다.
ⓒ 동사 wear의 과거형은 wore로 불규칙 변화한다.
ⓔ 일반동사 과거형의 부정문은 「주어+didn't〔did not〕+동사원형 ~.」의 형태로 쓴다.

04 주어가 3인칭 단수이므로 동사도 3인칭 단수 현재형으로 쓴다.
(1) go는 -o로 끝나는 동사이므로 3인칭 단수형을 goes로 쓴다.
(2) have의 3인칭 단수형은 has로 쓰고, 일반동사 현재형의 부정문은 「주어+doesn't〔does not〕+동사원형 ~.」의 형태로 쓴다.
(3) play는 「모음+y」로 끝나는 동사이므로 3인칭 단수형을 plays로 쓴다.

05 (1) 주어가 Katy로 3인칭 단수이며 반복되는 일을 나타내므로 take를 takes로 쓴다.
(2) 과거를 나타내는 부사(yesterday)가 있으므로 buy를 과거형인 bought로 쓴다.
(3) read의 과거형은 현재형과 동일하다.

CHAPTER 03
명사와 관사

UNIT 01 명사

개념 QUICK CHECK   p. 38

| POINT 01 | **1** dogs | **2** candies | **3** thieves | **4** sheep |
| POINT 02 | **1** d | **2** a | **3** c | **4** b |

실전 연습   p. 39

1 ② **2** ⑤ **3** ③ **4** ① **5** ④

1 ② -f나 -fe로 끝나는 명사는 -f, -fe를 v로 바꾸고 -es를 붙여 복수형을 만든다. (→ knives)

2 bread는 a piece〔slice〕 of(한 조각의), a loaf of(한 덩어리의)를 사용하여 수량을 나타낸다. a bowl of는 soup, rice 등의 명사와 함께 사용한다.

3 man의 복수형은 men이고, box의 복수형은 -es를 붙인 boxes 이다.

4 ① juice는 셀 수 없는 명사이므로 복수형으로 쓸 수 없고, bottle, glass 등의 단위를 복수형으로 써서 수량을 나타낸다.

5 ④ 국가명(Canada)은 고유명사이므로 앞에 관사 a를 쓰지 않는다.

개념 완성 Quiz

1 i **2** 단위 **3** -es **4** 단수형 **5** deer, sheep

UNIT 02 관사

개념 QUICK CHECK   p. 40

| POINT 03 | **1** an | **2** a | **3** The | **4** the |
| POINT 04 | **1** × | **2** ○ | **3** ○ | **4** ○ |

실전 연습   p. 41

1 ② **2** The **3** ① **4** the school → school
5 ②

1 aunt는 첫 발음이 모음으로 시작하는 단어이며, '한 명의'라는 의미를 나타내므로 부정관사 an을 써야 한다.

2 수식어가 명사를 뒤에서 꾸며 줄 때와 이미 언급한 명사를 다시 언급할 때는 정관사 the를 쓴다.

3 ① 상황으로 보아 말하는 사람과 듣는 사람이 모두 알고 있는 특정한 것을 가리킬 때는 정관사 the를 쓴다.

4 school이 등교하는 원래 목적으로 사용되었으므로 관사 the를 생략한다.

5 ② 악기 이름(guitar) 앞에는 정관사 the를 쓴다.

개념 완성 Quiz

1 단수형 **2** the **3** a(an) **4** 관사 **5** 악기

서술형 실전 연습   pp. 42~43

1 (1) puppies (2) four sheep
2 two bottles of (orange) juice, two fish, four tomatoes
3 (1) sugar (2) tennis (3) two slices of pizza
4 a, an, the

5 (1) three children at the playground

    (2) (a bowl of) soup for lunch

6 (1) pens, photos, books, toothbrush

    (2) pens, toothbrushes, books, photo

7 (1) the (2) two pairs of jeans

8 ⓐ, three egg sandwichs → three egg sandwiches

    ⓔ, two coffee → two cups of coffee

1 (1) puppy는 「자음+y」로 끝나는 명사이므로 y를 i로 바꾸고 -es
를 붙여 복수형을 나타낸다.
(2) sheep은 단수와 복수의 형태가 같은 명사이다.

2 병에 담긴 주스는 bottle을 사용하여 수량을 표현한다. fish는 단
수형과 복수형의 형태가 같으며 tomato는 -es를 붙여 복수형을
나타낸다.

3 (1) sugar는 셀 수 없는 명사이므로 단수형으로 쓴다.
(2) 운동 경기를 나타내는 명사(tennis) 앞에는 관사를 생략한다.
(3) pizza의 수량 표현은 slice를 사용하여 나타내며 복수는 slice
에 -s를 붙이고, pizza는 단수형으로 쓴다.

4 '일 년에 두 번'은 twice a year이고, amusement는 첫 발음이
모음이므로 an을 쓴다. 앞 문장에서 balloon을 한 번 언급했으므
로 뒤에 다시 언급할 때는 the를 쓴다.

5 (1) child는 불규칙 변화하는 명사로 복수형은 children으로 쓴다.
(2) soup은 셀 수 없는 명사이므로 단위인 a bowl of를 사용하
여 수량을 나타낸다.

6 셀 수 있는 명사의 복수형은 일반적으로 -s를 붙이지만 -o, -sh로
끝나는 명사는 -es를 붙인다. photo는 -o로 끝나는 명사지만 예
외로 복수형은 photos로 쓴다.

7 (1) 앞에서 언급한 사물(jeans)을 다시 언급할 때는 정관사 the를
쓴다.
(2) jeans는 둘이 항상 짝을 이루는 명사로 a pair of를 사용하여
수량을 나타낸다. 복수형일 때는 pair를 복수인 pairs로 쓴다.

8 ⓐ sandwhich는 -ch로 끝나는 명사이므로 복수형은 -es를 붙인
sandwiches이다.
ⓔ coffee의 수량 표현은 단위를 써서 a cup of로 나타낸다. 복
수일 때는 단위인 cup을 복수로 쓴다.

개념 완성 Quiz

1 sheep, deer   **2** glass, bottle   **3** 과목, 운동 경기 앞

4 a, an   **5** men, teeth, children   **6** -es

7 pants, glasses, pair   **8** cup, bottle

실전 모의고사   pp. 44~47

01 ②	**02** ④	**03** ④	**04** ②	**05** ④	**06** ①
07 ③	**08** ③	**09** ①	**10** ②	**11** ④	**12** ⑤
13 ②	**14** ⑤	**15** ③	**16** ④	**17** ④	**18** ④

19 The Earth goes around the sun.

20 (1) cup (2) bowls (3) slices

21 (1) Butterflies (2) watches

22 (1) fish (2) foxes (3) mice

23 (1) dinner (2) homework (3) an

24 (1) a (2) × (3) The (4) the (5) ×

25 a bottle of oil and an orange

01 interesting은 첫 발음이 모음으로 시작하는 단어이고, 뒤에 단수
명사가 나오므로 빈칸에는 관사 an이 알맞다.

02 water는 셀 수 없는 명사로, a glass of, a bottle of와 같은 단
위를 써서 수량을 나타낸다. 복수일 때는 단위를 복수로 써야 하므
로 ①은 a glass of, ③은 two cups of로 써야 알맞다.

03 leaf는 -f로 끝나는 명사로, -f를 v로 바꾸고 -es를 붙여 복수형을
만든다.

04 ② city는 「자음+y」로 끝나는 명사이므로 y를 i로 바꾸고 -es를
붙여 복수형을 만든다.

05 빈칸 앞에 관사 an이 있으므로 빈칸에는 첫 발음이 모음으로 시
작되는 명사만 들어갈 수 있다. ④ pineapple은 첫 발음이 자음
으로 시작하는 명사이므로 알맞지 않다.

06 빈칸에는 셀 수 있는 명사와 셀 수 없는 명사가 모두 올 수 있지만,
flour, cheese와 같이 셀 수 없는 명사에는 복수를 나타내는 -s
또는 -es를 붙일 수 없다.

07 rabbit의 복수형은 rabbits이며 sheep은 단수와 복수의 형태가
같다.

08 ③ paper는 셀 수 없는 명사이므로 a piece(sheet) of라는 단
위를 써서 수량을 나타낸다. (① two slice → two slices 또는 a
slice, ② juices → juice, ④ coffees → coffee, ⑤ an → a)

09 식사를 나타내는 명사(breakfast) 앞에는 관사를 생략한다.

10 ② famous의 첫 발음이 자음이므로 a를 쓰고, 나머지는 모두 첫
발음이 모음이므로 an을 쓴다. hour는 h가 묵음이므로 an을 쓰
는 것에 유의한다.

11 ④ 국가명과 같은 고유명사 앞에는 관사를 쓰지 않는다. 나머지는
모두 정관사 the를 쓰는 경우이다. (① 뒤에서 수식 받는 명사, ②
악기 이름, ③ 유일한 것, ⑤ 앞에 나온 명사 반복)

12 과목명, 운동 경기, 교통수단 앞에는 관사를 생략한다.

13 cake는 단위를 나타내는 명사인 piece(조각)를 사용하여 수량을 나타낼 수 있다.

14 ⑤ tooth는 불규칙 변화하는 명사로 복수형은 teeth이다.

15 ③ '~마다'의 의미를 나타낼 때는 기간 앞에 a를 쓴다. twice a month는 '한 달에 두 번'이라는 뜻이다.

16 ⓐ → people, ⓑ → deer(단수와 복수의 형태 동일), ⓒ → water(셀 수 없는 명사이므로 단수형), ⓔ → lunch(식사 앞에 관사 생략)

17 ④ 앞 문장에 나온 concert가 다시 언급되었으므로 부정관사 a를 정관사 the로 바꾸는 것이 알맞다.

18 ⓐ love는 추상명사이므로 셀 수 없는 명사이다.
　　ⓑ banana는 셀 수 있는 명사이므로 bananas로 고쳐야 한다.
　　ⓔ gentleman은 불규칙 변화하는 명사로 복수형은 gentlemen 이다.

19 sun, Earth와 같이 세상에서 유일한 것 앞에는 정관사 the를 쓴다.

20 셀 수 없는 명사의 수량을 나타낼 때는 단위를 나타내는 명사를 쓴다.
　　(1) a cup of tea: 차 한 잔
　　(2) two bowls of soup: 수프 두 그릇
　　(3) three slices of cheese: 치즈 세 조각

21 (1) butterfly의 복수형은 y를 i로 바꾸고 -es를 붙인다.
　　(2) watch의 복수형은 -es를 붙인다.

22 (1) fish는 단수형과 복수형이 같은 명사이다.
　　(2) fox의 복수형은 -es를 붙인 foxes이다.
　　(3) mouse는 불규칙 변화하는 명사로 복수형은 mice이다.

23 (1) 식사 이름 앞에는 관사를 생략한다.
　　(2) homework는 셀 수 없는 명사이므로 항상 단수로 쓴다. do one's homework는 '숙제를 하다'라는 뜻이다.
　　(3) hour는 h가 묵음이므로 부정관사 an을 쓴다.

24 (1) 단위를 나타내는 glass가 단수이므로 a를 쓴다.
　　(2) 식사 표현 앞에는 관사를 생략한다.
　　(3) 앞에 나온 명사를 다시 언급할 때는 the를 쓴다.
　　(4) 악기 이름 앞에는 the를 쓴다.
　　(5) 운동을 나타내는 명사 앞에는 관사를 생략한다.

25 oil은 셀 수 없는 명사이므로 단위를 나타내는 a bottle of를 사용하여 수량을 표현한다. orange는 첫 발음이 모음이므로 단수로 나타낼 때 앞에 관사 an을 쓴다.

내신만점 Level Up Test　　　　　p. 48

01 ③　　**02** ②, ⑤　　**03** ①
04 (1) a bowl of salad
　　(2) four pieces(slices) of bread
　　(3) a bottle of water
　　(4) two glasses of orange juice
05 (1) ⓒ, foxes and wolves　(2) ⓓ, children

01 [보기], ⓑ, ⓓ는 '~마다'라는 의미로 쓰였다. ⓐ는 불특정한 하나를 나타내고, ⓒ는 한 개를 나타낸다.

02 ② 셀 수 있는 명사인 sandwich가 단수이므로 a를 써야 한다.
　　⑤ 악기 이름(piano) 앞에는 the를 써야 한다.

03 ① July는 고유명사이므로 앞에 관사를 쓰지 않는다. (→ in July)

04 셀 수 없는 명사는 bowl, piece, bottle, glass 등의 단위를 나타내는 명사를 사용하여 수량을 표현한다. 복수일 때는 단위를 복수형으로 쓴다.

05 ⓒ -x로 끝나는 명사는 -es를 붙여 복수형을 만들고, -f로 끝나는 명사는 f를 v로 바꾸고 -es를 붙여서 복수형을 만든다.
　　ⓓ child는 불규칙 변화하는 명사로 복수형은 children이다.

CHAPTER 04
대명사

UNIT **01** 지시대명사와 비인칭 주어 it

개념 QUICK CHECK　　　　　p. 50

POINT **01**　**1** These　**2** that　**3** This　**4** those
POINT **02**　**1** 비인칭 주어　**2** 인칭대명사
　　　　　　3 비인칭 주어　**4** 비인칭 주어

실전 연습　　　　　p. 51

1 (1) Those　(2) this　(3) that　　**2** It
3 ③　　　　**4** ①　　　　**5** ②

1 (1) 거리상 떨어져 있는 복수의 사물을 가리키므로 Those를 쓴다.

(2) 거리상 가까이에 있는 단수의 사물을 가리키므로 this를 쓴다.

(3) 거리상 떨어져 있는 단수의 사물을 가리키므로 that을 쓴다.

2 거리를 나타낼 때는 비인칭 주어 It을 쓴다.

3 의문문에 쓰인 지시대명사 these는 대답에서 they로 받는다.

4 ①은 특정한 대상을 가리키는 인칭대명사이고, 나머지는 모두 비인칭 주어이다. (② 날씨, ③ 거리, ④ 계절, ⑤ 명암)

5 첫 번째 빈칸은 날짜를 나타내는 비인칭 주어 it이 알맞고, 두 번째 빈칸은 복수명사 cookies를 수식하는 지시형용사 these 또는 those가 알맞다.

1 that, those   **2** it   **3** it, they   **4** 해석하지 않는다
5 명사

UNIT 02 부정대명사 one과 재귀대명사

개념 QUICK CHECK   p. 52

POINT 03   **1** b   **2** a   **3** c   **4** a
POINT 04   **1** 재귀용법   **2** 강조용법   **3** 강조용법   **4** 재귀용법

실전 연습   p. 53

1 ⑤   **2** ourselves   **3** ①
4 ④   **5** himself, one

1 앞에 나온 명사(eraser)와 종류는 같지만 불특정한 것 하나를 가리키는 부정대명사 one을 쓴다.

2 주어와 목적어가 같으므로 목적어 자리에 we의 재귀대명사인 ourselves를 쓴다.

3 ①은 앞에 나온 특정한 명사를 가리키는 it이 알맞고, 나머지는 앞에 나온 명사와 같은 종류의 불특정한 사물을 가리키는 one이 알맞다.

4 ④는 재귀대명사가 동사의 목적어로 쓰여 생략할 수 없고, 나머지는 모두 강조용법으로 쓰여 생략할 수 있다.

5 첫 번째 빈칸에는 주어(Alex)를 강조하는 강조용법의 재귀대명사 himself가 알맞다. 두 번째 빈칸에는 앞에 나온 명사(bike)와 같은 종류의 불특정한 것을 나타내는 부정대명사 one이 알맞다.

1 부정대명사   **2** ourselves   **3** one   **4** 목적어
5 가능하다

---

1 This, These

2 It

3 it, one

4 (1) drew himself in the notebook

(2) Look at those flowers

5 (1) It's winter (2) It's 2 km(kilometers)

6 ⓑ, My classmates and I made a poster for the market ourselves.

7 (1) her rings herself (2) ones for her

8 (1) It's rainy and windy. (2) I have one.

---

1 첫 번째 빈칸에는 가까이에 있는 하나의 사물(a picture)을 가리키는 지시대명사 This를 쓰고, 두 번째 빈칸에는 복수의 사람들(my parents)을 가리키는 지시대명사 These를 쓴다.

2 첫 번째 빈칸에는 명암을 나타내는 비인칭 주어 It, 두 번째 빈칸에는 앞에 있는 명사(a horror movie)를 가리키는 인칭대명사 It을 쓴다.

3 첫 번째 빈칸은 앞에 나온 특정 지갑(your wallet)을 가리키므로 인칭대명사 it을 쓰고, 두 번째 빈칸은 불특정한 지갑 하나를 가리키므로 부정대명사 one을 쓴다.

4 (1) 주어 Tom과 목적어가 같은 사람이므로 목적어 자리에 재귀대명사인 himself를 쓴다.

(2) 거리상 떨어져 있는 대상을 가리키므로 복수명사(flowers)를 수식하는 지시형용사 those를 쓴다.

5 (1) 계절을 나타낼 때는 비인칭 주어 It을 쓴다.

(2) 거리를 나타낼 때는 비인칭 주어 It을 쓴다.

6 ⓑ 주어가 1인칭 복수(My classmates and I)이므로 강조용법으로 사용된 재귀대명사를 ourselves로 고쳐야 한다.

7 (1) 수진이는 반지를 자신이 직접 만들었다고 했으므로, 강조용법의 재귀대명사 herself를 문장 끝에 쓴다.

(2) 수진이는 Lisa에게 반지를 만들어 주겠다고 했으므로, 앞에 나온 명사(rings)와 같은 종류의 불특정한 대상을 가리키는 부정대명사 ones를 사용한다.

8 (1) 날씨를 나타낼 때는 비인칭 주어 It을 쓴다.

(2) 특정한 우산이 아닌 불특정한 우산 한 개를 말하는 것이므로 부정대명사 one을 쓴다.

1 this, these   **2** it   **3** one   **4** 목적어
5 it, 계절   **6** 직접, 스스로   **7** himself, herself, itself
8 it

01 ①	02 ②	03 ③, ⑤	04 ⑤	05 ①	06 ④
07 ②	08 ③	09 ②	10 ④	11 ①	12 ③
13 ③	14 ②	15 ⑤	16 ④	17 ④	18 ④

19 It's(It is) three forty.

20 No, they aren't.

21 (1) myself (2) her (3) himself (4) ourselves

22 (1) This are → These are (2) him → himself

23 (1) Is this your brother's bat?

    (2) Are those your shoes?

    (3) Are these your gloves?

24 (1) This is (2) It's(It is) September 20th

25 ②, Yes, they are.

    의문문에 쓰인 those boys는 대답에서 they로 받는다.

---

01 의문문에 나온 지시대명사 this는 대답할 때 it으로 받는다.

02 앞에 나온 명사(bookstore)와 같은 종류의 불특정한 것을 가리키므로 부정대명사 one이 알맞다.

03 빈칸 뒤에 복수명사(dogs)가 있으므로 this와 that의 복수형인 these나 those가 알맞다.

04 앞 문장에 나온 특정한 명사를 대신하는 it이 두 번째 문장에 있으므로 빈칸에는 단수명사만 들어갈 수 있다.

05 요일과 시간을 나타낼 때는 비인칭 주어 It을 쓴다.

06 ④ 주어가 We이므로 재귀대명사는 ourselves로 써야 한다.

07 의문문에 쓰인 지시대명사 these는 대답할 때 they로 받으므로 첫 번째 빈칸에는 they가 알맞다. 앞에 나온 명사(jeans)와 같은 종류의 불특정한 것을 가리키므로 두 번째 빈칸에는 ones가 알맞다.

08 ① 날씨를 나타낼 때는 비인칭 주어 It을 쓴다.
② 가까이에 있는 복수명사를 가리킬 때는 지시대명사 These를 쓰고, 이에 맞춰 be동사는 are를 쓴다.
④ 주어와 목적어가 일치할 때는 재귀대명사(myself)를 쓴다.
⑤ 앞에 나온 명사(watch)와 같은 종류의 불특정한 것 하나를 가리키는 부정대명사 one을 쓴다.

09 주어와 목적어가 같을 때는 목적어 자리에 재귀대명사를 쓴다. 주어가 He이므로 재귀대명사는 himself가 알맞다.

10 주어진 문장은 날씨를 묻는 표현이므로, 비인칭 주어 It을 사용하여 날씨를 말하는 ④가 알맞다.

11 ①의 재귀대명사는 동사의 목적어 역할을 하는 재귀용법으로 쓰였고, [보기]와 나머지는 모두 주어를 강조하는 강조용법으로 쓰였다.

12 ③의 It은 인칭대명사이고, [보기]와 나머지는 모두 비인칭 주어이다.

([보기] 계절, ① 요일, ② 명암, ④ 날씨, ⑤ 거리)

13 ③ 앞에 나온 명사(shoes)가 복수이므로 부정대명사는 복수형 ones를 써야 한다. (a new one → new ones)

14 ②의 빈칸에는 앞에 나온 hat과 같은 종류의 불특정한 하나를 가리키는 one이 알맞다. ①과 ④는 대명사 It(it)이, ③과 ⑤는 비인칭 주어 It(it)이 알맞다.

15 ⑤는 주어인 I에 해당하는 재귀대명사 myself를 써야 한다. 나머지는 모두 2인칭 재귀대명사 yourself 또는 yourselves를 쓴다.

16 ④ 아빠와 내가 직접 모형 비행기를 만들었다는 내용이 되어야 하므로, 주어(My father and I)를 강조하는 재귀대명사 ourselves를 써야 한다.

17 (A)에는 앞에 나온 사물(alarm clock)과 같은 종류의 불특정한 것 하나를 가리키는 부정대명사 one이 와야 한다. (B)에는 앞에 나온 특정한 명사를 대신하는 대명사 it이 와야 한다.

18 ⓐ 남자가 직접 음식을 준비했다는 내용이 되어야 하므로, 주어(The man)를 강조하는 재귀대명사 himself를 써야 한다.

19 시간을 나타내는 비인칭 주어 It을 사용하고, 시, 분의 순서로 쓴다.

20 의문문의 대답에서 지시대명사 those는 they로 바꾼다. 이어지는 문장의 내용으로 보아 부정의 대답이 와야 한다는 것을 알 수 있다.

21 (1), (3) 주어(I, My uncle)를 강조하는 재귀대명사(myself, himself)를 쓴다.
(2) 주어(You)가 생략된 문장이다. 주어와 목적어가 다르므로 목적격 인칭대명사 her를 쓴다.
(4) 주어와 목적어가 같으므로 we의 재귀대명사 ourselves를 쓴다.

22 (1) 복수의 사람들(friends)을 가리키고 있으므로 This를 These로 고쳐야 한다.
(2) 주어와 목적어가 같으므로 him을 재귀대명사 himself로 고쳐야 한다.

23 (1) 대답의 주어가 it이므로 질문에 this와 단수명사 your brother's bat을 사용한다.
(2) 대답에서 내 신발은 여기에 있다고 했으므로 질문에는 those와 your shoes를 사용한다.
(3) 이어지는 대화에서 물건을 건네주는 것으로 보아 질문에서 these로 묻는 것이 자연스럽다.

24 (1) 지시대명사 This를 사용하여 '이것이 ~이다'라는 표현이 되도록 쓴다.
(2) 날짜를 나타내는 비인칭 주어 It을 사용하여 문장을 완성한다.

25 ② 대답할 때, 질문의 this와 that은 it으로, these와 those는 they로 받는다. (Yes, these are. → Yes, they are.)

01 ⑤   **02** ②   **03** ②

04 (1) We did not introduce ourselves.

(2) He baked a pie himself. / He himself baked a pie.

05 (1) a new one (2) herself

01 주어진 우리말을 영어로 쓰면 Is this red raincoat your sister's?이므로 네 번째로 오는 단어는 raincoat이다.

02 ⓐ 날씨를 나타낼 때에는 비인칭 주어 It을 쓴다.
ⓓ 복수명사(flowers)를 꾸미고 있으므로 These를 써야 한다.
ⓔ 앞에 나온 특정 명사(his wallet)를 가리키므로 인칭대명사 it을 써야 한다.

03 ⓐ와 ⓔ는 앞에 나온 명사와 같은 종류의 것을 나타내는 부정대명사 one이 알맞다. ⓑ, ⓒ, ⓓ에는 비인칭 주어 It이 알맞다. (ⓑ 명암, ⓒ 날씨, ⓓ 거리)

04 (1) 주어와 목적어가 같으므로, 목적어 자리에 we의 재귀대명사 ourselves를 쓴다.
(2) 주어를 강조하는 재귀대명사 himself를 주어 바로 뒤 또는 문장의 끝에 쓴다.

05 (1) 앞에 언급한 명사를 가리킬 때, 같은 종류의 불특정한 것이면 부정대명사 one을 쓴다.
(2) Sue가 파이를 직접 만들었으므로 주어를 강조하는 재귀대명사 herself를 쓴다.

CHAPTER 05
시제

UNIT 01 현재시제와 과거시제

POINT 01	**1** are	**2** eats	**3** is	**4** rains
POINT 02	**1** ×	**2** ○	**3** ○	**4** ×

1 goes   **2** ④   **3** taught

4 (1) freezes (2) won (3) sent   **5** ④

1 첫 번째 문장은 지구가 태양 주위를 돈다는 변하지 않는 진리를 말하고 있고 두 번째 문장은 매달 반복되는 일을 말하고 있으므로 현재시제가 공통으로 알맞다. 주어가 모두 3인칭 단수이므로 -es를 붙여 쓴다.

2 ④ yesterday는 과거를 나타내는 부사이므로 현재시제와 함께 쓸 수 없다.

3 last year는 과거를 나타내는 부사구이므로 teach의 과거형 taught가 알맞다.

4 (1) 물이 섭씨 0도에 어는 것은 변함없는 진리이므로 현재시제로 쓴다.
(2) last month(지난달)는 과거 특정 시점이므로 win의 과거형인 won이 알맞다.
(3) 역사적 사실을 나타내므로 과거시제로 쓴다.

5 ④ last summer는 과거를 나타내는 부사구이므로 visit의 과거형 visited로 써야 한다.

1 현재   **2** 과거   **3** 과거   **4** 과거   **5** 과거

UNIT 02 미래시제

POINT 03	**1** will	**2** read
	3 will get	**4** is going

POINT 04	**1** ×	**2** ○	**3** ○	**4** ×

1 is going to make   **2** ①, ③

3 are not going to have   **4** ⑤   **5** ④

1 미래시제를 나타내는 will과 be going to는 서로 바꿔 쓸 수 있으며 뒤에 동사원형을 쓴다.

2 will이 사용된 미래시제 문장이므로 미래 시점을 나타내는 부사(구)가 쓰이는 것이 알맞다. ②, ④, ⑤는 모두 과거 시점을 나타내는 부사(구)이다.

3 미래시제는 「be going to+동사원형」으로 나타낼 수 있으며 not은 be동사 뒤에 쓴다.

4 ① Be동사+주어+going to+동사원형 ~?: ~할 것이니?
(→ to rain)

② be going to+동사원형: ~할 것이다 (→ call)

③ won't+동사원형: ~하지 않을 것이다 (→ go)

④ Will+주어+동사원형 ~?: ~할 것이니? (→ stay)

5 첫 번째 문장은 미래를 나타내는 부사 tomorrow가 있으므로 미래시제를 나타내는 will이 알맞다. 두 번째 문장은 Are you going to ~?에 대한 긍정의 대답이므로 Yes, I am.이 알맞다.

UNIT 03 진행형

개념 QUICK CHECK   p. 66

POINT 05   **1** is playing   **2** were walking

3 was tying   **4** knows

POINT 06   **1** ○   **2** ×   **3** ○   **4** ○

실전 연습   p. 67

1 (1) jogging (2) lying (3) taking   **2** having

3 Is, isn't   **4** ④   **5** ②

1 (1) 「단모음+단자음」으로 끝나는 동사는 마지막 자음을 한 번 더 쓰고 -ing를 붙인다.

(2) -ie로 끝나는 동사는 ie를 y로 고치고 -ing를 붙인다.

(3) -e로 끝나는 동사는 e를 삭제하고 -ing를 붙인다.

2 앞에 be동사가 있고, 문장의 의미상 각각 현재진행형과 과거진행형이 되도록 having이 들어가는 것이 맞다.

3 현재진행형을 사용해 지금 하고 있는 일을 묻고 답하는 대화이므로 첫 번째 빈칸에는 be동사 Is가 알맞다. 두 번째 빈칸에는 부정의 대답에 사용하는 isn't가 알맞다.

4 첫 번째 문장은 과거의 특정 시점에 일어나고 있던 일을 나타내는 과거진행형 문장이므로 were가 알맞다. 두 번째 문장은 Are로 시작하는 현재진행형 의문문이므로 preparing이 알맞다.

5 ① 주어가 복수이므로 were flying이 되어야 한다.

③ 주어가 3인칭 단수이므로 is writing이 되어야 한다.

④ 과거를 나타내는 부사 then이 있으므로 과거진행형 weren't eating이 되어야 한다.

⑤ 부사 now가 있으므로 현재진행형 is repairing이 되어야 한다.

서술형 실전 연습   pp. 68~69

1 (1) painted (2) will(are going to) be (3) plays

2 Are you going to go to the night market

3 (1) build → built (2) is having → has

4 (1) Amy won't(will not) play badminton with her friend.

(2) Is Jay waiting for the next train?

5 (1) Is, is (2) Were, wasn't

6 (1) was listening (2) were cooking

7 (1) I'm(I am) going to watch English movies a lot

(2) I'm(I am) going to make international friends online

8 (1) we won't use paper cups

(2) we will not eat meat

(3) we will collect old bottles

1 (1) 역사적 사실을 나타낼 때는 과거시제를 쓴다.

(2) 내년에 14살이 될 것이라는 미래의 의미이므로 미래시제를 쓴다.

(3) 유명한 피아노 연주가이므로 피아노 연주를 잘한다는 사실을 나타내는 현재시제를 사용한다.

2 '~할 예정이니?'는 「Be동사+주어+going to+동사원형 ~?」으로 나타낸다.

3 (1) ago는 '~ 전에'라는 의미로 과거의 특정 시점을 나타내는 부사이므로 과거시제로 나타낸다.

(2) 소유를 나타내는 의미로 쓰인 have는 진행형으로 쓰지 않는다.

4 (1) 미래시제의 부정문은 「will not+동사원형」으로 나타내며 will not은 won't로 줄여 쓸 수 있다.

(2) 현재진행형의 의문문은 「Be동사+주어+동사원형-ing ~?」로 나타낸다.

5 (1) 지금 목욕 중인지 묻고 답하는 대화이므로 현재진행형 의문문과 그에 대한 대답이 되어야 한다.

(2) 대답에 이어지는 말로 보아 과거에 하고 있던 일을 묻고 답하는 대화이므로 과거진행형 의문문과 그에 대한 대답이 되어야 한다.

6 과거의 특정 시점에 무엇을 하고 있었는지 묻는 말에 대한 대답이므로 과거진행형으로 써야 한다.

7 계획이나 예정된 미래를 나타내는 미래시제는 「be going to+동사원형」으로 쓸 수 있다.

8 '~할 것이다'는 「will+동사원형」으로 나타낼 수 있으며 '~하지 않을 것이다'는 「won't(will not)+동사원형」으로 나타낸다.

개념 완성 Quiz

1 현재, 과거   **2** Be동사, going to   **3** 동작

4 will not   **5** am/are/is, was/were

6 be동사+동사원형-ing   **7** be going to   **8** 미래시제

실전 모의고사   pp. 70~73

01 ①	02 ①	03 ⑤	04 ③	05 ②	06 ②
07 ⑤	08 ④	09 ②	10 ②	11 ④	12 ②
13 ⑤	14 ②	15 ⑤	16 ③	17 ④	18 ③

19 going

20 What was he doing then?

21 going go → going to go

22 (A) saw   (B) was talking

23 (1) is watching a soccer match

(2) had dinner

(3) will(is going to) play online games with Jisu

24 (1) went

(2) weren't(were not)

(3) was playing

25 (1) She lost her cell phone.

(2) She is going to write a letter to the police officer.

01 부사 now가 있으므로 지금 하고 있는 일을 나타내는 현재진행형이 알맞다.

02 미래의 일을 묻는 미래시제 의문문은 「Will+주어+동사원형 ~?」으로 쓴다.

03 ⑤ 「단모음+단자음」으로 끝나는 동사는 마지막 자음을 한 번 더 쓰고 -ing를 붙여야 한다.

04 과거시제 의문문이므로 빈칸에는 과거를 나타내는 부사(구)가 알맞다. ③은 미래를 나타내는 부사구이다.

05 질문에 '대개, 주로'라는 의미의 빈도부사 usually가 있으므로, 현재 반복되는 일을 나타내는 현재시제로 답한 ②가 알맞다.

06 저녁으로 무엇을 먹을 것인지 묻고 있으므로 미래시제를 사용해 저녁에 먹을 음식을 답하는 것이 알맞다.

07 과거진행형의 의문문으로 써야 한다. 주어가 복수이므로 be동사는 Were가 알맞다.

08 미래를 나타내는 부사(tomorrow)가 있고 부정문이므로 won't(will not)나 「be동사+not going to」가 들어가야 한다.

09 매일 9시에 시작하지만 어제는 30분 늦게 시작했다는 내용이므로 첫 번째 빈칸에는 현재에 반복되는 일을 나타내는 현재시제, 두 번째 빈칸에는 과거시제가 알맞다.

10 ② 미래시제 부정문은 「won't(will not)+동사원형」으로 쓴다. (① loses → lost, ③ was eating → eats, ④ isn't → wasn't, ⑤ doesn't → didn't)

11 ④ 역사적인 사실은 과거시제로 나타낸다. (writes → wrote)

12 소유나 감정, 상태를 나타내는 have, like, dislike, know 등의 동사는 진행형으로 쓸 수 없다.

13 Alex가 깨어 있었다는 말 다음에는 무엇을 하고 있었는지를 나타내는 과거진행형 문장이 이어지는 것이 자연스럽다.

14 ②는 현재진행형이므로 reading을 써야 한다. read는 현재형과 과거형의 형태가 같으므로 나머지는 모두 read가 알맞다.

15 대화의 going은 가까운 미래에 예정된 일을 나타낼 때 사용하는 「be going to+동사원형」의 일부이다. ⑤의 going은 현재진행형의 일부이므로 going to 뒤에 동사가 아닌 명사(장소)가 온다.

16 지금 비가 많이 오고 있다는 말에 이어지는 내용으로 과거진행형인 ③은 알맞지 않다.

17 ④ last week는 과거를 나타내는 부사구이므로 과거시제 didn't see로 써야 한다.

18 ③ 어제 있었던 일인 앞 문장에 이어지는 말로, 과거의 일을 나타내므로 was를 써야 한다.

19 첫 번째 빈칸에는 어디로 가는지 묻는 현재진행형이 되도록 하는 going이 알맞고, 두 번째 빈칸에는 미래를 나타내는 표현인 「be going to+동사원형」의 going이 알맞다.

20 과거진행형으로 답했으므로 Brian을 봤을 당시에 그가 하고 있던 일을 묻는 과거진행형 의문문이 들어가야 한다.

21 예정된 미래의 일을 말할 때는 「be going to+동사원형」으로 쓴다.

22 첫 번째 문장은 과거(this morning)의 일을 나타내므로 과거시제가 알맞고, 특정한 과거 시점(then)에 일어나고 있던 일을 나타내는 두 번째 문장은 과거진행형이 알맞다.

23 (1) 지금(now) 하고 있는 일이므로 현재진행형으로 쓴다.

(2) 과거에 한 일이므로 과거시제로 쓴다.

(3) 미래에 할 일은 be going to나 will을 사용해 나타낸다.

24 (1) 과거의 일을 나타내는 과거시제가 알맞다.

(2) 그곳에 없었다는 내용이 자연스러우므로 과거시제 부정문으로 쓴다.

(3) 그 당시(at that time)에 하고 있었던 일을 말하는 것이 자연스러우므로 과거진행형으로 쓴다.

25 (1) 무엇을 잃어버렸는지 물었으므로 과거시제로 답한다.

(2) 내일 할 일은 「be going to+동사원형」을 사용하여 나타낸다.

내신만점 Level Up Test   p. 74

01 ③   **02** ③   **03** ④

04 (1) I'm going to wear the black jacket.

(2) We were not practicing the guitar then.

(3) Is Amy having breakfast now?

05 ⓐ doing ⓑ swimming ⓒ going ⓓ exercising

---

01 ⓒ are가 있고 현재 하고 있는 일을 묻는 질문이 알맞으므로 현재진행형으로 써야 한다. (→ doing)

02 ① 역사적 사실은 과거시제로 쓴다. (invents → invented)

② know는 진행형으로 쓰지 않는 동사이다. (I'm knowing → I know)

③ 변함없는 진리는 항상 현재시제로 쓴다.

④ be going to 다음에는 동사원형을 써야 한다. (hands → hand)

⑤ 과거시제의 부정은 「didn't(did not)+동사원형」의 형태로 쓴다. (won't → didn't)

03 미래시제는 「will+동사원형」이나 「be going to+동사원형」을 사용하여 표현할 수 있다. be going to를 쓸 경우 주어마다 be동사를 각각 다르게 써야 하기 때문에 빈칸에 공통으로 알맞은 것은 주어에 관계없이 쓸 수 있는 will이다.

04 (1) 「be going to+동사원형」: ~할 예정이다

(2) 「was/were+not+동사원형-ing」: ~하고 있지 않았다

(3) 「Be동사의 현재형+주어+동사원형-ing ~?」: ~하고 있니?

05 ⓐ 「be동사의 현재형+동사원형-ing」: ~하고 있다(현재진행형)

ⓑ 「단모음+단자음」으로 끝나는 동사는 마지막 자음을 한 번 더 쓰고 -ing를 붙여서 -ing형을 만든다.

ⓒ 「Be동사+주어+going to+동사원형 ~?」: ~할 예정이니?

ⓓ -e로 끝나는 동사는 e를 없애고 -ing를 붙여 진행형을 만든다.

CHAPTER 06
조동사

UNIT 01 can, may

개념 QUICK CHECK   p. 76

POINT 01	**1** can	**2** cannot	**3** climb
	4 be able to		
POINT 02	**1** b	**2** a	**3** a	**4** b

실전 연습   p. 77

1 is able to solve **2** may not **3** ③

4 (1) she can't (2) Yes, you (3) I am(we are) **5** ②

1 can이 능력을 나타내는 의미로 쓰일 때는 be able to로 바꿔 쓸 수 있다. 주어가 My sister로 3인칭 단수이므로 be동사는 is를 쓴다.

2 '~가 아닐지도 모른다'라는 뜻의 추측은 「may not+동사원형」으로 나타낸다.

3 ③은 '~해도 된다'라는 허락의 의미를 나타내고, 나머지는 모두 '~일지도 모른다'라는 추측의 의미를 나타낸다.

4 (1) Can she ~?로 묻는 말에는 Yes, she can. 또는 No, she can't.로 답할 수 있다.

(2) May I ~?는 허가를 묻는 표현이며 조동사 may로 답하고 있으므로 Yes, you may.가 알맞다.

(3) Are you able to ~?로 묻는 말에는 Yes, I am(we are). 또는 No, I'm(we're) not.으로 답할 수 있다.

5 ② '~할 수 있니?'라는 의미로 조동사 can이 쓰인 의문문이다.

(① can speak not → cannot(can't) speak, ③ went → go, ④ solves → solve, ⑤ showed → show)

개념 완성 Quiz

1 능력   **2** may   **3** 허가, 약한 추측   **4** Can, May

5 동사원형

UNIT 02 must, should

개념 QUICK CHECK   p. 78

| POINT 03 | **1** a | **2** a | **3** b | **4** a |
| POINT 04 | **1** × | **2** ○ | **3** × | **4** ○ |

실전 연습

1 ① **2** ⓒ, to look → look **3** ③, ⑤

4 (1) must(should) not (2) didn't have to

5 ④

---

1 「have to+동사원형」은 '~해야 한다'라는 뜻으로 「must+동사원형」으로 바꿔 쓸 수 있다.

2 '~해서는 안 된다'는 「should not+동사원형」으로 나타낸다.

3 〔보기〕와 ③, ⑤는 의무를 나타내고, 나머지는 모두 강한 추측을 나타낸다.

4 (1) '~해서는 안 된다'라는 금지의 표현은 must not이나 should not을 사용하여 나타낸다.
(2) '~할 필요가 없다'는 「don't(doesn't) have to+동사원형」으로 나타내며, 과거시제이므로 didn't를 써야 한다.

5 ④ 조동사 will과 must는 연달아 쓸 수 없으므로 '~해야 할 것이다'는 「will have to+동사원형」으로 나타낸다. (has to → have to)

개념 완성 Quiz

1 의무 **2** not, 동사원형 **3** 의무, 추측

4 must not **5** have to

서술형 실전 연습 pp. 80~81

1 (1) can (2) may

2 (1) cannot (2) may not (3) don't have to

3 (1) must not tell (2) has to go

4 (1) don't have to pay (2) have to wear

5 (1) must be (2) won't be able to

6 (1) should(have to) get enough sleep
(2) shouldn't(should not) stay up late

7 (1) climb a tree well
(2) can(is able to) run fast and jump high
(3) able to chase mice

8 (1) You may park here.
(2) You must not take pictures.

---

1 (1) 능력·가능을 나타내는 조동사 can을 동사원형 앞에 쓴다.
(2) 약한 추측을 나타내는 조동사 may를 동사원형 앞에 쓴다.

2 (1) ~일 리가 없다: 「cannot+동사원형」

---

(2) ~이 아닐지도 모른다: 「may not+동사원형」
(3) ~할 필요가 없다: 「don't have to+동사원형」

3 (1) must not 뒤에는 동사원형이 와야 한다.
(2) 주어가 3인칭 단수이므로 has to를 써야 한다.

4 (1) '무료이기 때문에 비용을 지불할 필요가 없다'의 뜻이 되어야 하므로 don't have to가 알맞다.
(2) '추워서 외투를 입어야 한다'의 뜻이 되어야 하므로 의무를 나타내는 have to가 들어가는 것이 알맞다.

5 (1) '~임에 틀림없다'는 조동사 must를 사용해 나타낸다.
(2) '~할 수 있을 것이다'는 「will be able to+동사원형」으로 나타내며, 부정형은 won't(will not)를 사용한다.

6 (1) 잠을 충분히 자야 한다는 내용으로 충고하는 것이 알맞으므로 should나 have to를 사용한다.
(2) 늦게까지 깨어 있지 말라는 내용의 충고가 알맞으므로 shouldn't(should not)을 사용한다. have to의 부정형은 불필요함을 나타내므로 쓸 수 없다.

7 can은 '~할 수 있다'라는 뜻의 능력을 나타내는 조동사로 be able to로 바꿔 쓸 수 있다. 조동사 뒤와 be able to 뒤에는 동사원형을 쓴다.

8 (1) 주차를 허용하는 표지판이므로 허가를 나타내는 may를 사용하여 쓴다.
(2) 사진 촬영을 금지하는 표지판이므로 금지를 나타내는 may not 또는 must not이 알맞다. (1)에서 may를 사용했으므로 〔조건〕에 맞게 must not을 사용한다.

개념 완성 Quiz

1 can, may **2** cannot **3** must, have to

4 ~할 필요가 없다 **5** must **6** should not

7 be able to **8** can, may

실전 모의고사 pp. 82~85

01 ②	**02** ④	**03** ②	**04** ④	**05** ④	**06** ②
07 ③	**08** ①	**09** ③	**10** ③	**11** ②	**12** ③
13 ⑤	**14** ②	**15** ④	**16** ②	**17** ④	**18** ①

19 must

20 You don't have to pay for it.

21 You should(must) exercise every day.

22 (1) may (2) shouldn't

23 (1) must(has to/should) (2) didn't have to

---

24 (1) must be really tired
　　(2) may be her brother
　　(3) have to wait for an hour
25 Should(Must) we wear gym clothes tomorrow?

01 능력·가능을 나타내는 조동사 can이 알맞다. ①은 어법상 틀린 표현이고 주어가 3인칭 단수이므로 ③, ④, ⑤는 알맞지 않다.

02 앞 문장으로 보아 '~일 리가 없다'라는 뜻의 강한 부정적 추측을 나타내는 cannot이 알맞다.

03 '~해야 한다'라는 의미로 의무를 나타내는 have to는 조동사 must와 바꿔 쓸 수 있다.

04 능력·가능을 나타내는 조동사 can은 be able to와 바꿔 쓸 수 있다.

05 ④ 주어가 3인칭 단수이므로 has to를 써야 한다.

06 '~일지도 모른다'라는 의미의 약한 추측을 나타낼 때는 조동사 may를 쓴다.

07 TV를 켜도 되는지 허락을 구하는 질문이므로 I can't.라고 자신의 입장에서 답하는 ③은 어색하다.

08 ① 조동사 should의 의문문은 「Should+주어+동사원형 ~?」으로 쓴다.
② '~해야 한다'는 「have to+동사원형」으로 나타낸다. (told → tell)
③ 허락이나 가능을 묻는 내용이므로 「Can I+동사원형 ~?」이나 「Am I able to+동사원형 ~?」으로 써야 한다. (Can I able to → Can I 또는 Am I able to)
④ 과거의 의무는 「had to+동사원형」으로 나타낸다. (must → had to)
⑤ '~하지 않을지도 모른다'는 「may not+동사원형」으로 나타낸다. (doesn't may → may not)

09 [보기]와 ①, ②, ④, ⑤의 can은 능력·가능(~할 수 있다)을 나타내고, ③의 can은 허락(~해도 된다)을 나타낸다.

10 [보기]와 ①, ②, ④, ⑤의 must는 의무(~해야 한다)를 나타내고, ③의 must는 강한 추측(~임에 틀림없다)을 나타낸다.

11 첫 번째 빈칸에는 능력을 묻는 조동사 can이, 두 번째 빈칸에는 불가능을 나타내는 can't의 과거형 couldn't가 알맞다.

12 ③ 조동사는 두 개를 연이어 쓸 수 없으므로 조동사 will 뒤에는 can이 아니라 be able to를 써야 한다.

13 수영을 하면 안 된다는 금지·불허를 나타내는 표지판이다. ⑤의 don't have to는 '~할 필요가 없다'라는 의미이므로 적절하지 않다.

14 ② have to의 부정은 don't를 앞에 붙여 don't have to로 쓰

며 '~할 필요가 없다'라는 뜻을 나타낸다.

15 ④ don't have to는 '~할 필요가 없다', can't는 '~할 수 없다'라는 뜻이다.

16 울고 있는 것으로 보아 문제가 있는 것이 분명하다는 강한 추측을 나타내는 must를 써서 표현한 ②가 자연스럽다.

17 ⓐ '~임에 틀림없다'라는 의미의 강한 추측은 「must+동사원형」으로 나타낸다. (rich → be rich)
ⓒ '~할 수 있다'는 「be able to+동사원형」으로 나타낼 수 있다. (arriving → arrive)

18 ② '~일 리가 없다'라는 강한 부정적 추측은 cannot으로 나타낸다. (doesn't have to → cannot)
③ '~할 필요가 없었다'는 didn't have to를 사용해 나타낸다. (don't have to → didn't have to)
④ '~할 수 없다'는 「can't(cannot)+동사원형」으로 나타낸다. (runs → run)
⑤ 금지·불허의 표현은 「may not+동사원형」으로 쓴다. (may take not → may not take)

19 의무(~해야 한다)와 강한 추측(~임에 틀림없다)을 나타내는 조동사 must가 공통으로 알맞다.

20 '~할 필요가 없다'는 말이므로 「주어+don't have to+동사원형 ~.」의 어순으로 배열한다.

21 충고나 의무를 나타내는 조동사 should 또는 must를 사용하여 문장을 완성한다.

22 (1) 비가 올지도 모른다는 내용이 자연스러우므로 약한 추측을 나타내는 may가 알맞다.
(2) 건강에 좋지 않으니 밤에 너무 많이 먹지 말라는 충고의 말이므로 '~해서는 안 된다'를 나타내는 shouldn't를 사용한다.

23 (1) 사무실에서 멀리 살기 때문에 매일 일찍 일어나야 한다는 내용이 자연스러우므로 의무를 나타내는 must나 has to 또는 should를 써야 한다.
(2) 날씨가 따뜻해서 외투를 입을 필요가 없었다는 내용이 자연스러우므로 불필요를 나타내는 don't have to의 과거형을 써야 한다.

24 (1) '~임에 틀림없다'라는 강한 추측을 나타내는 must를 사용한다.
(2) '~일지도 모른다'라는 약한 추측을 나타내는 may를 사용한다.
(3) 한 시간을 기다려야 할 것이라는 말이 자연스럽다. '~해야 할 것이다'는 「will have to+동사원형」으로 나타낸다.

25 '~해야 한다'라는 의미를 나타내는 조동사 should 또는 must를 사용하여 문장을 완성한다.

01 ④   **02** ②   **03** ③

04 (1) Can you help me with my homework

 (2) You should take a lot of water.

 (3) I may visit my grandparents.

05 May I sit here?

01 ⓐ '~할 수 있다'라는 의미로 쓰인 can은 be able to로 바꿔 쓸 수 있다. 주어가 3인칭 단수이므로 is able to로 써야 한다.
ⓑ '~해야 한다'라는 의미를 나타내는 must는 have to로 바꿔 쓸 수 있다. 주어가 3인칭 단수이므로 has to로 써야 한다.

02 대화의 흐름상 ②는 '~할 필요가 없다'라는 의미의 don't have to가 알맞다.

03 shouldn't는 '~해서는 안 된다'는 의미의 금지를 나타내므로 ⓒ는 불가능을 나타내는 can't로 써야 자연스럽다.

04 (1) 미안하다고 말하며 거절하는 대답으로 보아 숙제를 도와 달라고 요청하는 말이 알맞다. 요청하는 말은 Can you ~?로 할 수 있다.
(2) 사막을 지나간다는 말에 물을 많이 가져가라고 조동사 should를 사용하여 충고하는 말을 하는 것이 알맞다.
(3) 저녁에 무엇을 할지 모르겠다고 답한 후 조동사 may를 사용하여 아마 조부모님 댁에 갈 것 같다고 말하는 것이 자연스럽다.

05 벤치에 앉아도 되는지 묻는 질문이 알맞으므로 May I ~?로 허락을 구하는 의문문을 쓴다.

CHAPTER 07
의문사

UNIT 01 who, what, which

개념 QUICK CHECK	p. 88

POINT 01	**1** is		**2** can we
	3 likes		**4** did you do
POINT 02	**1** c	**2** a	**3** b **4** d

실전 연습	p. 89

1 What did you buy   **2** Which

3 ②   **4** ③   **5** ①

1 의문사가 있으면서 일반동사가 있는 의문문은 「의문사+do/does/did+주어+동사원형 ~?」의 순서로 나타낸다.

2 '어느 것'이라는 의미로 선택의 범위가 정해져 있을 때는 Which를 쓴다.

3 '누구의' 시계인지 묻고 있는 의문문이므로 Yes나 No로 대답하는 것이 아닌 '~의 것이다'라는 구체적인 내용으로 답을 하는 것이 맞다.

4 첫 번째 빈칸에는 '무엇이'라는 뜻의 의문사인 What이 알맞고, 두 번째 빈칸에는 '누구'라는 뜻의 의문사인 Who가 알맞다.

5 ① 의문사가 있으면서 조동사가 있는 의문문은 「의문사+조동사+주어+동사원형 ~?」의 어순으로 쓴다. (you will do → will you do)

개념 완성 Quiz	

1 do/does/did **2** which **3** '누구의' **4** who

5 what

UNIT 02 when, where, why, how

개념 QUICK CHECK	p. 90

POINT 03	**1** b	**2** c	**3** d	**4** a
POINT 04	**1** tall	**2** water	**3** many	**4** far

실전 연습	p. 91

1 ④   **2** How often

3 (1) ⓒ (2) ⓑ (3) ⓐ **4** ⓑ, much → many

5 ③

1 10분 전에 도착했다고 답한 것으로 보아 때를 물어보는 질문이 와야 하므로 의문사 When이 알맞다.

2 '얼마나 자주'라는 의미의 빈도를 물어보는 표현은 How often이다.

3 (1) '왜'라는 의미의 이유를 물어보고 있으므로 ⓒ가 알맞은 대답이다.
(2) 우산이 '어디에' 있는지 묻고 있으므로 ⓑ가 알맞은 대답이다.
(3) '어떻게'라는 의미의 방법을 물어보고 있으므로 ⓐ가 알맞은 대답이다.

4 How much는 '얼마나 많은 ~'이라는 의미로 셀 수 없는 명사의

양을 물어볼 때 사용하는 표현이다. ticket은 셀 수 있는 명사이므로 How many로 고쳐야 한다.

5 콘서트가 어땠는지와 기차역까지 얼마나 걸리는지 묻는 말이므로 공통으로 들어갈 말은 의문사 How가 알맞다.

개념 완성 Quiz

1 when　2 how　3 where　4 how many
5 how

서술형 실전 연습　　　　　　　　　　pp. 92~93

1 (1) Who is singing　(2) When did, come
2 How many classes do you have
3 ⓐ, which → why
4 (1) Where does　(2) How do you
5 (1) How far　(2) How long
6 (1) Who cleaned the classroom?
　(2) How often do you walk your dog?
7 (1) How many　(2) What　(3) Why do
8 (1) what are you going to do on Saturday
　(2) Who(m) will you go

1 (1) '누구'라는 의미의 의문사는 Who이고, 주어가 의문사인 의문문은 「의문사+be동사/일반동사 ~?」로 나타낸다.
　(2) '언제'라는 의미의 의문사는 When이고, 일반동사가 있는 의문문은 「의문사+do/does/did+주어+동사원형 ~?」으로 나타낸다.

2 How many 다음에는 셀 수 있는 명사의 복수형이 오고 일반동사가 있는 의문문은 「의문사+do/does/did+주어+동사원형 ~?」으로 쓴다.

3 서두르는 이유를 답하고 있으므로 ⓐ에는 이유를 묻는 의문사 why가 들어가는 것이 알맞다.

4 의문사와 일반동사가 있는 의문문은 「의문사+do/does/did+주어+동사원형 ~?」으로 나타낸다.
　(1) 일하는 장소를 답하고 있으므로 의문사 Where를 쓴다.
　(2) 도서관에 가는 방법을 답하므로 의문사 How를 쓴다.

5 각각 거리(3 km), 시간(10 minutes)으로 답하고 있으므로 빈칸에는 거리를 묻는 표현인 How far, 걸리는 시간을 묻는 표현인 How long이 들어가는 것이 알맞다.

6 (1) Who를 사용하여 누가 청소했는지 묻는 의문문으로 쓴다.
　(2) How often을 사용하여 얼마나 자주 개를 산책시키는지 묻는 의문문으로 쓴다.

7 (1) '얼마나 많은 수의 ～'에 해당하는 표현인 How many ~?가 알맞다.
　(2) '무엇'에 해당하는 의문사 What이 알맞다.
　(3) '이유'를 의미하는 의문사 Why가 알맞다. 일반동사(like)가 있고 주어가 you이므로 Why 다음에는 의문문을 만들기 위한 동사 do를 쓴다.

8 (1) '무엇'을 할 계획인지 묻고 있으므로 의문사 what을 사용한다. be동사가 있는 의문문은 「의문사+be동사+주어 ~?」로 나타낸다.
　(2) '누구'와 갈 것인지 묻고 있으므로 의문사 Who(m)를 사용한다. 조동사가 있는 의문문은 「의문사+조동사+주어+동사원형 ~?」으로 나타낸다.

개념 완성 Quiz

1 who, when　2 many　3 선택
4 do/does/did　5 거리, 빈도, 길이, 시간
6 be동사/일반동사　7 what　8 의문사, 조동사

실전 모의고사　　　　　　　　　　pp. 94~97

01 ①　02 ④　03 ②　04 ①　05 ②　06 ②
07 ②　08 ⑤　09 ②　10 ④　11 ②　12 ②
13 ①　14 ③　15 ⑤　16 ⑤　17 ③　18 ②
19 How often
20 Which way do you want
21 Where city → Which(What) city 또는 city 생략
22 (1) When do you have lunch?　(2) Where is he?
23 (1) How do you go to school?
　(2) What time do you go to school?
24 (1) what　(2) Who　(3) When
25 (1) Who sent　(2) When will, end

01 '누가'라는 뜻으로 사람을 물을 때는 의문사 Who를 쓴다.

02 '얼마나 많은 수의 ～?'라는 의미의 수량을 물을 때는 「How many+셀 수 있는 명사 ~?」의 표현을 사용한다.

03 첫 번째 문장은 '무슨'이라는 의미의 의문형용사 What을, 두 번째 문장은 '무엇'을 의미하는 의문사 What을 쓴다.

04 What time은 '몇 시'라는 의미이므로 '언제'라는 의미의 When과 바꿔 쓸 수 있다.

05 형용사(happy)가 있고 주어가 you이므로 첫 번째 빈칸에는 be동사 are가 알맞으며, 일반동사(cry)가 있으므로 두 번째 빈칸에

는 일반동사가 있는 의문문을 만드는 데 필요한 do의 과거형 did가 알맞다.

06 B가 야구를 좋아한다고 답하므로 A의 빈칸에는 어떤 스포츠를 좋아하는지 묻는 질문이 알맞다.

07 의문사 Who가 '누가'라는 의미의 주어 역할도 함께 하므로 뒤에는 동사가 와야 한다.

08 ⑤ 「How many+셀 수 있는 명사」의 형태로 '얼마나 많은 수의 ~'의 의미를 표현한다. (① What → Who, ② does → is, ③ were → did, ④ you don't → don't you do)

09 '누구와 함께 일을 하는가?'라는 의미의 의문문이므로 ②가 알맞다.

10 버스 정류장이 얼마나 먼지 거리를 묻고 있으므로 ④가 알맞다.

11 How는 '어떻게'라는 의미로 상태나 방법을 물을 때 쓰이고 How long은 기간이나 걸리는 시간을 물어볼 때 쓰인다.

12 ② 의문사와 일반동사가 있는 의문문은 「의문사+do/does/did+주어+동사원형 ~?」의 형태로 쓴다. (→ think)

13 ①은 시간을 묻는 의문형용사인 What이 알맞다. ②와 ⑤는 「How+형용사/부사」의 형태로 각각 키와 빈도를 나타낸다. ③과 ④는 '어떻게'라는 의미의 방법을 묻는 How가 들어간다.

14 ③ How long ~?은 길이나 걸리는 시간을 묻는 표현이므로 강의 길이를 묻는 말에 걸리는 시간을 답하는 것은 어색하다.

15 ⑤ How much 다음에는 셀 수 없는 명사가 온다. (much → many)

16 ⑤ 어떻게 출근하는지 묻는 질문이므로 카드를 보고 답할 수 없다.

17 ③ 이어지는 대답으로 보아 '언제'를 뜻하는 When이 자연스럽다. How는 상태나 방법을 물어보는 의문사이다.

18 ⓒ 「Which+명사」의 형태로 '어떤 ~'이라는 뜻의 의문사를 쓸 수 있다. (ⓐ When → Where, ⓑ Whom → Who, Where, How, ⓓ many → much)

19 '한 달에 두 번'이라는 대답을 통해 빈도를 묻는 질문임을 알 수 있으며, 빈도를 물을 때는 How often을 쓴다.

20 둘 중 하나에 대해서 묻는 질문은 「Which ~ do you+동사원형 …?」으로 표현한다.

21 어떤 도시에서 머물렀는지 묻는 경우에는 '어떤'이라는 의미의 「Which(What)+명사」의 형태로 물어본다. 또한 어디에서 머물렀는지 묻는 경우에는 city를 삭제하고 Where만 사용한다.

22 (1) '정오에'라는 시간을 답하고 있으므로 질문하는 문장에는 의문사 When을 쓴다.
(2) '주방에서'라고 장소를 답하고 있으므로 질문하는 문장에는 의문사 Where를 쓴다.

23 (1) 상대방에게 학교에 가는 방법을 물을 때는 의문사 How를 사용하며 '학교에 가다'는 go to school로 표현한다.
(2) 학교에 가는 시각을 물었으므로 What time을 사용한다.

24 (1) '무엇'이라는 의미의 의문사 what을 쓴다.
(2) '누구'라는 의미로, 사람과의 관계를 묻는 의문사인 Who를 쓴다.
(3) '언제'라는 의미의 날짜를 나타내는 의문사인 When을 쓴다.

25 (1) Lena가 Andy에게 초대장을 보냈다고 답하고 있으므로 누가 초대장을 보냈는지 묻는 질문이 알맞다. 의문사 Who가 '누가'라는 의미의 주어 역할을 한다.
(2) 저녁 10시에 끝날 예정이라고 답하고 있으므로 파티가 끝나는 시간이 언제인지 묻는 질문이 알맞다.

내신만점 Level Up Test　　　　　　p. 98

01 ④　　　　**02** ①　　　　**03** ③

04 (1) Who won first prize?
(2) How often does he play soccer?
(3) How long will you stay here?

05 (1) Which, Train Ⓐ
(2) Where, at the museum

---

01 '무엇'은 What, '언제'는 When, 소유를 나타내는 '누구의'는 Whose, '누구'는 Who를 쓴다.

02 ⓐ 어떻게(How) 갈 것인지를 묻고 있으므로 교통수단으로 답하는 것이 알맞다.
ⓑ 미래의 일에 대한 이유(Why)를 묻고 있으므로 '그가 그때 바쁠 것이기 때문'이라고 답하는 것이 알맞다.

03 ③ 가격이 얼마인지 묻는 말이 맥락상 자연스러우므로 How much를 써야 한다.

04 (1) 누가 1등 상을 탔는지 묻는 질문이므로 Who를 사용하여 문장을 완성한다.
(2) once a week으로 보아 '얼마나 자주'를 물어보는 표현이므로 How often을 사용하여 문장을 완성한다.
(3) 3일 동안 머무를 예정이라고 했으므로 '얼마나 오래'를 물어보는 How long을 사용하여 문장을 완성한다.

05 (1) 「Which+명사」는 '어떤 ~'의 뜻으로 정해진 범위가 있을 때 사용한다.
(2) 의문사와 조동사가 있는 문장의 의문문은 「의문사+조동사+주어+동사원형 ~?」의 순서로 완성한다. A가 동물원에 가려고 한다고 말하고 있으므로 '어디에서 갈아타야 하나요?'라고 묻는 질문으로 완성하기 위해서 의문사 Where를 쓴다.

CHAPTER 08
to부정사와 동명사

UNIT 01 명사 역할을 하는 to부정사

개념 QUICK CHECK p.100

POINT 01	1 보어	2 주어	3 주어	4 보어
POINT 02	1 ×	2 ×	3 ○	4 ○

실전 연습 p.101

1 ③ 2 ⑤ 3 It, to learn

4 (1) to meet (2) to play (3) to say 5 ②

1 주어 역할을 하는 to부정사(to＋동사원형)의 형태가 알맞다.

2 is 다음에 나오는 말은 주어인 His dream이 무엇인지 보충 설명하는 말이므로 보어의 역할을 하고 있다. 동사 climb이 보어가 되려면 to부정사 형태로 써야 한다.

3 주어로 쓰인 to부정사구가 길면 문장의 뒤로 보내고 문장의 주어자리에 가주어 It을 쓴다.

4 (1) to부정사구가 동사의 뒤에서 '~하는 것을'의 의미로 목적어 역할을 하고 있다.
(2) to부정사구가 be동사의 뒤에서 주어를 보충 설명하는 보어 역할을 하고 있다.
(3) to부정사구가 '~하는 것은'의 의미로 진주어 역할을 하고 있다.

5 ②의 to부정사는 문장의 실제적인 주어로 쓰였고, ①, ③, ④, ⑤의 to부정사는 동사 hope, need, want, plan의 목적어로 쓰였다.

개념 완성 Quiz

1 to부정사 2 보어 3 it 4 to부정사

5 to부정사

UNIT 02 형용사 · 부사 역할을 하는 to부정사

개념 QUICK CHECK p.102

POINT 03	1 생각할		2 먹을
	3 살		4 읽을
POINT 04	1 b	2 d	3 a	4 c

실전 연습 p.103

1 to 2 ④ 3 ⑤

4 in order to 5 ⑤

1 앞에 있는 명사를 뒤에서 꾸며 주는 형용사 역할을 하는 to부정사 형태가 알맞으므로 빈칸에는 to를 공통으로 쓴다.

2 감정을 나타내는 형용사(sad) 뒤에 오는 to부정사는 '~해서, ~ 때문에'라는 뜻으로 감정의 원인을 나타낸다.

3 -thing, -body, -one으로 끝나는 대명사를 수식해 주는 말로 형용사와 to부정사가 같이 올 때 「대명사＋형용사＋to부정사」 어순으로 쓴다.

4 '~하기 위해서'라는 의미로 쓰인 to부정사에서 to는 in order to로 바꿔 쓸 수 있다.

5 [보기]와 ⑤는 명사를 수식하는 to부정사로 형용사 역할을 한다. 나머지는 모두 부사 역할을 한다. (① 감정의 원인, ② 결과, ③ 목적, ④ 형용사 수식)

개념 완성 Quiz

1 뒤 2 to부정사 3 대명사, 형용사

4 in order to 5 결과

UNIT 03 동명사

개념 QUICK CHECK p.104

POINT 05	1 cleaning		2 going
	3 catching		4 Walking, To walk
POINT 06	1 camping		2 going
	3 watching		

실전 연습 p.105

1 ③ 2 forward to going 3 ③

4 fish → fishing 5 ⑤

1 enjoy는 동명사를 목적어로 취하는 동사이므로 skating이 알맞다.

2 look forward to -ing는 '~하기를 고대하다'라는 뜻의 관용 표현이다.

3 ①, ②, ④, ⑤는 동명사가 '~하는 것을'의 의미로 목적어의 역할로 쓰였고 ③은 '~하는 것(이다)'의 의미로 보어의 역할을 한다.

4 주어진 문장은 'Emily의 가족은 이번 휴가 때 낚시를 하러 갈 계획이다.'의 의미이다. '~하러 가다'는 go -ing로 표현하므로 fishing

으로 고쳐야 한다.

5 ⑤ 「spend+시간+-ing」는 '~하면서 시간을 보내다'라는 뜻의 표현이다. (to pack → packing)

서술형 실전 연습   pp.106~107

1 (1) to move (2) to hear (3) playing
2 It, to follow the school rules
3 to lend → lending
4 (1) something warm to drink (2) a bench to sit on
5 (1) eating out (2) to get good grades
   (3) to save the child
6 (1) James gave up studying abroad.
   (2) Lina looked forward to going to the band's concert.
7 (1) We went to the library to borrow some books.
   (2) We went to the theater to watch an action movie.
   (3) We went to the grocery store to buy vegetables.
8 (1) enjoy listening to music (2) plan to take lessons

1 (1) decide는 to부정사를 목적어로 취하는 동사이다.
   (2) 감정의 원인을 나타내는 부사 역할의 to부정사가 알맞다.
   (3) 전치사 in의 목적어로 동명사를 쓴다.

2 To follow the school rules가 주어이다. 주어로서 to부정사구가 길 경우, to부정사구를 뒤로 보내고 가주어 It을 주어 자리에 쓸 수 있다.

3 '~하는 것을 꺼리다'라는 뜻의 mind는 동명사를 목적어로 취하는 동사이므로 to lend를 lending으로 고쳐야 한다.

4 (1) -thing으로 끝나는 대명사를 to부정사와 형용사가 함께 수식할 경우 「-thing+형용사+to부정사」의 순서로 쓴다.
   (2) to부정사가 수식하는 명사가 전치사의 목적어인 경우 to부정사 뒤에 전치사를 함께 쓴다.

5 (1) feel like -ing는 '~하고 싶다'라는 뜻의 관용 표현으로 문맥상 eating out이 적절하다.
   (2) '좋은 성적을 받기 위해 시험공부했다'는 의미가 자연스러우므로 부사 역할을 하는 to부정사로 목적을 나타내는 to get good

grades가 적절하다.
   (3) '아이를 구하기 위해서 사다리를 탔다'는 의미가 자연스러우므로 부사 역할을 하는 to부정사로 목적을 나타내는 to save the child가 적절하다.

6 (1) give up은 동명사를 목적어로 취하는 동사이므로 to study를 동명사 studying으로 쓴다.
   (2) look forward to -ing는 동명사의 관용 표현이므로 to go를 going으로 쓴다.

7 각 장소에 가는 목적을 나타내는 to부정사가 되도록 내용상 자연스러운 문장을 쓴다.

8 (1) enjoy는 동명사를 목적어로 취하는 동사이므로 listening의 형태로 쓰고, '~을 듣다'라는 뜻의 표현은 listen to로 쓰는 것에 유의한다.
   (2) 동사 plan은 to부정사를 목적어로 취하므로 to take의 형태로 쓴다.

실전 모의고사   pp.108~111

01 ④	02 ③	03 ②	04 ⑤	05 ④	06 ①, ⑤
07 ②	08 ③	09 ⑤	10 ②	11 ③	12 ③
13 ③	14 ②, ⑤	15 ③	16 ④	17 ③	18 ⑤

19 making
20 Star Stadium to see the soccer game
21 (1) It is good for my imagination to read novels.
   (2) It is dangerous and lonely to travel alone.
22 (1) clean water to drink
   (2) mind opening the window
23 history homework to finish today
24 (1) ⓐ, to save → saving (2) ⓒ, doing → do
25 I'm not scared of speaking to other people

01 want는 to부정사를 목적어로 취하는 동사이다.

02 빈칸 다음에 오는 말이 동명사이므로 빈칸에는 동명사를 목적어로 취하는 동사가 와야 한다. ③을 제외한 나머지는 모두 to부정사를 목적어로 취하는 동사이다.

03 첫 번째 문장은 「It ~ to부정사」 구문이므로 진주어인 to부정사,

두 번째 문장은 감정의 원인을 나타내므로 부사 역할을 하는 to부정사의 to를 공통으로 써야 한다.

04 to부정사가 수식하는 명사(paper)가 전치사(on)의 목적어이므로 some paper to write on으로 써야 알맞다.

05 '그가 유명한 배우가 되었다'는 뜻으로 행동의 결과를 나타내므로 being을 to부정사인 to be로 고쳐야 한다.

06 to부정사와 동명사를 모두 목적어로 취하는 love와 to부정사를 목적어로 취하는 agree를 빈칸에 쓸 수 있다.

07 -thing으로 끝나는 대명사를 형용사(important)와 to부정사가 함께 수식할 때는 「대명사+형용사+to부정사」의 순서로 쓴다.

08 전치사 다음에는 동명사가 오며, '~하느라 바쁘다'는 be busy -ing로 표현한다.

09 ⑤ 동명사구가 주어일 때는 단수 취급하므로 are를 is로 써야 한다.

10 ② be good at은 '~을 잘하다'라는 뜻의 표현으로, at이 전치사이므로 뒤에 동명사를 써야 한다. (to play → playing)

11 ③의 to부정사는 동사 likes의 목적어인 명사 역할을 하고 있고, 나머지는 모두 바로 앞의 명사를 수식하는 형용사 역할을 하고 있다.

12 [보기]와 ③의 to부정사는 동사의 목적어이므로 to부정사가 명사 역할을 하는 경우이다. ①, ④는 명사를 수식하는 형용사 역할을 하고 있고, ②, ⑤는 부사 역할을 하고 있다. (② 목적, ⑤ 형용사 수식)

13 ③은 감정의 원인을 나타내는 부사 역할을 하는 to부정사이다. 나머지는 목적을 나타내는 부사 역할을 하는 to부정사로 in order to와 바꿔 쓸 수 있다.

14 주어나 보어로 쓰인 to부정사는 동명사와 바꿔 쓸 수 있다. ①은 형용사, ③은 부사 역할을 한다. ④의 expect는 to부정사를 목적어로 취하므로 동명사와 바꿔 쓸 수 없다.

15 ③ 주어가 to부정사구이므로 단수 취급하여 are를 is로 고쳐야 한다.

16 빈칸에 들어갈 말은 보어로 쓰인 to부정사나 동명사가 알맞다.

17 ⓐ finish는 동명사만 목적어로 취하는 동사이므로 doing으로 써야 한다.
ⓒ to부정사구의 수식을 받는 a house는 전치사 in의 목적어이므로 to live in으로 써야 한다.

18 ⓓ to부정사의 부정은 to부정사 앞에 not을 쓰므로 not to give up이 되어야 한다.

19 '~하느라 바쁘다'는 be busy -ing의 표현을 쓴다. enjoy는 동명사를 목적어로 취하는 동사이다. -e로 끝나는 동사는 e를 빼고 -ing를 붙이는 것에 주의한다.

20 Eric이 Star 경기장에 갈 예정인 것은 축구 경기를 보기 위해서이다. 부사 역할을 하는 to부정사를 써서 목적의 의미를 나타낼 수 있다.

21 It은 주어인 to부정사구를 대신하는 가주어로, 주어로 쓰인 to부정사구는 문장의 뒤로 보낸다.

22 (1) 명사 water를 to부정사가 뒤에서 수식한다.
(2) mind는 동명사를 목적어로 써서 나타낼 수 있다.

23 명사 homework를 뒤에서 수식하는 to부정사구를 사용하여 'Olivia는 오늘 끝내야 할 숙제가 있다'라는 뜻의 문장을 완성한다.

24 (1) 전치사 of 다음에는 동명사가 오므로 to save는 동명사인 saving으로 써야 한다.
(2) 앞의 명사를 수식하는 to부정사구가 되어야 하므로 doing은 동사원형인 do로 써야 한다.

25 '~하는 것을 두려워하다'는 be scared of로 표현하고 전치사 of 뒤에 동명사를 써야 하므로 speak를 동명사 speaking으로 쓴다.

내신만점 Level Up Test   p.112

01 ④   **02** ③, ④   **03** ③

04 (1) catching balls (2) taking(to take) a walk
(3) playing with me

05 (1) to sit → to sit on, to sit이 수식하는 명사가 전치사의 목적어이므로 뒤에 전치사 on을 써야 한다.
(2) to see → seeing, feel like -ing는 '~하고 싶다'는 의미의 관용 표현으로 to see는 동명사 형태로 써야 한다.

---

01 주어진 우리말은 To read(Reading) your handwriting is hard. 또는 It is hard to read your handwriting.. Your handwriting is hard to read.로 쓸 수 있다. 주어진 빈칸의 수와 위치에 맞는 것은 It is hard to read your handwriting. 이다.

02 ⓑ와 ⓔ는 부사 역할을 하는 to부정사, ⓒ와 ⓓ는 명사 역할을 하는 to부정사로 쓰인다.

03 ⓐ는 loves의 목적어로, ⓑ는 be동사의 보어로, ⓓ는 finish의 목적어로 reading이 들어갈 수 있다. ⓒ는 comic books를 꾸며 주는 형용사 역할의 to부정사, ⓔ는 decided의 목적어 역할을 하는 to부정사가 들어가야 한다.

04 (1) 잘하는 것은 be good at -ing로 표현한다.
(2) be동사의 보어는 동명사 또는 to부정사로 나타낼 수 있다.
(3) '~하는 데 시간을 보내다'는 「spend+시간+-ing」로 표현할 수 있다.

05 (1) to부정사가 수식하는 명사가 전치사의 목적어인 경우 to부정사 뒤에 전치사를 써 준다.
(2) feel like -ing는 '~하고 싶다'는 의미의 동명사의 관용 표현이므로 to see를 seeing으로 고친다.

CHAPTER 09
문장의 종류

UNIT 01 명령문, 제안문

개념 QUICK CHECK   p.114

POINT 01 **1** a **2** f **3** b **4** c
POINT 02 **1** Let's **2** have **3** be **4** not

실전 연습   p.115

1 (1) be quiet (2) Don't push
2 ⑤ **3** ② **4** ④ **5** ③

1 (1) 형용사가 있는 문장의 명령문은 형용사 앞에 be를 써서 「be+
형용사 ~.」 형태로 쓴다.
(2) 부정 명령문은 동사원형 앞에 Don't를 쓴다.

2 '~하자'라는 의미의 제안문은 「Let's+동사원형 ~.」으로 나타내며,
제안하는 표현인 「Why don't we+동사원형 ~?」으로 바꿔 쓸
수 있다.

3 「명령문, and ~.」는 '…해라, 그러면 ~할 것이다.', 「명령문, or ~.」
는 '…해라, 그렇지 않으면 ~할 것이다.'라는 의미이다.

4 ④는 빈칸 뒤에 형용사 careful이 있으므로 Be 또는 Let's be를
써야 한다.

5 ③ 부정 명령문은 동사원형 앞에 Don't를 쓴다. (Not step →
Don't step)

개념 완성 Quiz

1 동사원형 **2** Let's **3** or **4** be **5** Don't, Never

UNIT 02 감탄문, 부가의문문

개념 QUICK CHECK   p.116

POINT 03 **1** How **2** What **3** How **4** What
POINT 04 **1** a **2** d **3** b **4** c
             5 e

실전 연습   p.117

1 What **2** (1) isn't it (2) did she
3 ④ **4** ②
5 (1) has eight legs, doesn't it
    (2) delicious cheese it is

1 빈칸 뒤에 「a+형용사+명사」가 있으므로 「What+a(an)+형용사
+명사(+주어+동사)!」 형태의 감탄문으로 나타낼 수 있다.

2 (1) be동사 is가 있고 주어가 It인 긍정문의 부가의문문은 isn't it
이다.
(2) didn't가 있고 주어가 Mary인 부정문의 부가의문문은 did
she이다.

3 주어가 You이고 과거시제(lived)인 긍정문의 부가의문문은 didn't
you이다.

4 첫 번째 문장은 부사 fast를 강조하는 감탄문이므로 「How+부사
+주어+동사」의 순서로 쓴다.
두 번째 문장은 주어가 Mr. Cruise이고 likes가 있으므로 부가의
문문은 doesn't he가 알맞다.

5 (1) 주어가 A spider이고 동사가 has인 긍정문의 부가의문문은
doesn't it이다. 부가의문문에서 주어는 대명사로 바꿔 쓴다.
(2) What으로 시작하는 감탄문이므로 「What+a(an)+형용사+
명사+주어+동사」의 순서로 쓴다.

개념 완성 Quiz

1 What **2** do/does/did **3** 부정형
4 인칭대명사 **5** 명사

서술형 실전 연습   pp.118~119

1 (1) Do → Be (2) waters → water
2 (1) isn't it, it isn't (2) can he, he can
3 (1) Don't draw pictures (2) Let's not hurry.
4 (1) What a beautiful (2) How strong
5 Leave right now, or
6 (1) Don't park (2) Throw (3) Don't swim
7 (1) You will buy a new smartphone, won't you?
    (2) What a lovely kitten (it is)!
8 (1) Let's eat vegetables.
    (2) Let's walk around the park.
    (3) Don't stay up late.

1 (1) 형용사가 있는 문장의 명령문은 형용사 앞에 be를 써서 「Be+ 형용사 ~.」 형태로 쓴다.
(2) 제안문은 「Let's+동사원형 ~.」의 형태로 써야 하므로 waters 를 water로 고친다.

2 (1) 문장의 주어가 This이고 동사가 is이므로 부가의문문은 isn't it 을 쓴다. B가 자신의 것은 저쪽에 있다고 답했으므로 부정의 대답 인 No, it isn't.를 쓴다.
(2) 문장의 주어가 David이고 조동사 can't가 있으므로 can he 를 부가의문문으로 쓴다. 수영을 빨리 한다고 했으므로 긍정의 대 답인 Yes, he can.을 쓴다.

3 (1) 부정 명령문은 「Don't+동사원형 ~.」의 형태로 쓴다.
(2) 부정 제안문은 「Let's not+동사원형 ~.」의 형태로 쓴다.

4 (1) 명사(flower)를 강조하는 감탄문이므로 「What+a(an)+형용 사+명사+주어+동사!」의 순서로 쓴다.
(2) 형용사(strong)를 강조하는 감탄문이므로 「How+형용사+주 어+동사!」의 순서로 쓴다.

5 '지금 떠나지 않으면 너는 기차를 놓칠 것이다.'라는 뜻의 문장이 되어야 하므로 「명령문, or ~.」의 형태로 쓴다.

6 (1) 주차 금지 표지판이므로 부정 명령문 「Don't+동사원형 ~.」의 형태로 쓴다.
(2) 쓰레기는 쓰레기통에 버리라는 내용이 되어야 하므로 긍정 명 령문의 형태인 「동사원형 ~.」으로 쓴다.
(3) 수영 금지 표지판이므로 부정 명령문 「Don't+동사원형 ~.」의 형태로 쓴다.

7 (1) 긍정문의 부가의문문은 부정형으로 쓴다.
(2) What으로 시작하는 감탄문은 「What+a(an)+형용사+명사 (+주어+동사)!」의 형태로 쓴다.

8 (1), (2) '~하자.'는 「Let's+동사원형 ~.」의 형태로 쓴다.
(3) 부정 명령문은 「Don't+동사원형 ~.」의 형태로 쓴다.

개념 완성 Quiz

1 동사원형 **2** Yes, No **3** Let's not **4** 형용사

5 or **6** Don't, Never **7** 긍정형, 부정형

8 동사원형, 동사원형

실전 모의고사
pp. 120~123

01 ④	02 ②	03 ①	04 ⑤	05 ③	06 ④
07 ⑤	08 ②	09 ①, ④	10 ⑤	11 ④	12 ③
13 ⑤	14 ②	15 ③	16 ②	17 ⑤	18 ④

19 Don't

20 What a wonderful idea he has

21 (1) Let's not buy it. (2) What a kind boy he is!
(3) Don't be nervous.

22 No, I don't. → Yes, I do.

23 (1) Study hard, and you'll get a good grade.
(2) Put on your coat, or you'll catch a cold.

24 (1) did he → does he (2) No, he doesn't.

25 What a beautiful gold crown it is!

01 밖이 춥다고 했으므로 창문을 열지 말라는 내용의 부정 명령문이 알맞다. 부정 명령문은 「Don't(Never)+동사원형 ~.」의 형태로 쓴다.

02 주어와 동사가 That computer와 is인 긍정문의 부가의문문은 주어를 대명사로 바꿔 isn't it으로 쓴다.

03 첫 번째 문장은 '서둘러라, 그렇지 않으면 늦을 것이다.'라는 의미 이므로 「명령문, or ~.」의 형태로 쓴다. 두 번째 문장은 '서둘러라, 그러면 늦지 않을 것이다.'라는 뜻으로 「명령문, and ~.」의 형태로 쓴다. 명령문 뒤에 이어지는 내용이 긍정의 결과이면 and(그러면) 를, 부정의 결과이면 or(그렇지 않으면)를 쓴다.

04 부정 명령문은 「Don't(Never)+동사원형 ~.」의 형태이며 be동 사가 있는 문장의 부정 명령문은 「Don't(Never) be ~.」의 형태 로 쓴다.

05 「How+형용사/부사(+주어+동사)!」의 형태인 How nice (the picture is)! 또는 「What+a(an)+형용사+명사(+주어+동사)!」 의 형태인 What a nice picture (it is)!가 알맞다.

06 제안을 나타내는 표현으로 「Let's+동사원형 ~.」 외에 「Shall we +동사원형 ~?」, 「Why don't we+동사원형 ~?」, 「How(What) about -ing ~?」 등이 있다.

07 What으로 시작하는 감탄문은 「What+a(an)+형용사+명사(+ 주어+동사)!」의 순서로 쓰며, 명사가 복수인 경우 a(an)을 쓰지 않는다.

08 ②를 제외한 모든 문장이 긍정의 과거시제이므로 빈칸에는 과거시 제이면서 부정형의 부가의문문을 만드는 didn't가 알맞다. ②에는 doesn't를 써야 한다.

09 「How+형용사(+주어+동사)!」 또는 「What a(an)+형용사+명 사(+주어+동사)!」의 순서로 쓴 감탄문이 알맞다.

10 ⑤ 주어가 That man이고 be동사의 현재시제인 긍정문의 부가 의문문은 주어를 인칭대명사로 바꿔 부정형 isn't he로 써야 한다.

11 첫 번째 빈칸에는 과거시제이면서 부정형의 부가의문문을 나타 내는 didn't가 알맞고, 두 번째 빈칸에는 제안하는 표현인 why don't we 뒤에 동사원형이 오는 것이 알맞다.

12 부정 제안문은 「Let's not+동사원형 ~.」의 형태로 쓴다.
(① Not → Don't, ② How → What, ④ to → 삭제, ⑤ did →
didn't)

13 ⑤ 긍정문의 뒤에는 부정형 부가의문문을 써야 한다. (can you
→ can't you)

14 제안을 나타내는 표현으로 「Let's+동사원형 ~.」 외에 「Shall we
+동사원형 ~?」, 「Why don't we+동사원형 ~?」, 「How(What)
about -ing ~?」 등이 있다.

15 ③ 문장의 동사가 wasn't이므로 부가의문문의 did를 was로 고
쳐야 한다.

16 플래시 사용 금지를 나타내는 표지판이므로, 「Don't+동사원형
~.」 형태의 부정 명령문을 쓰는 것이 자연스럽다.

17 (A) 긍정문이면 부정형의 부가의문문을 쓴다. 이때 동사와 시제를
문장과 일치시킨다.
(B) 「Why don't we+동사원형 ~?」은 '~하는 게 어때?'라는 의
미로 제안을 나타낸다.
(C) How 감탄문은 「How+형용사/부사(+주어+동사)!」의 어순
으로 쓴다.

18 ⓑ 명령문은 동사원형으로 문장을 시작한다.
ⓓ 제안을 나타내는 표현은 「What about+-ing ~?」이다.
ⓔ 부정 명령문인 「Don't+동사원형 ~.」 또는 부정 제안문인
「Let's not+동사원형 ~.」의 형태로 써야 한다.

19 지하철에서 하지 말아야 할 행동들이므로 Don't로 시작하는 부
정 명령문의 형태로 쓴다.

20 What으로 시작하는 감탄문의 어순인 「What a(an)+형용사+
명사+주어+동사!」의 순서로 배열한다.

21 (1) '~하지 말자.'라는 뜻의 부정 제안문 「Let's not+동사원형
~.」의 형태로 나타낸다.
(2) 감탄문으로 표현하고 「What a(an)+형용사+명사+주어+
동사!」의 순서로 쓴다.
(3) '~하지 마라.'라는 뜻의 부정 명령문이므로 Don't 다음에 be
동사의 원형을 써서 나타낸다.

22 부가의문문이 포함된 물음에 답할 때 대답 내용이 긍정이면 Yes,
부정이면 No로 답한다. 뒤에 이어지는 말로 보아 긍정의 대답이
알맞다.

23 (1) '…해라, 그러면 ~할 것이다.'라는 의미가 자연스러우면 「명령
문, and ~.」로 나타낸다.
(2) '…해라, 그렇지 않으면 ~할 것이다.'라는 의미가 자연스러우
면 「명령문, or ~.」로 나타낸다.

24 (1) 3인칭 현재시제 부정문의 부가의문문은 긍정형으로 써야 한다.

(2) 빈칸에 이어지는 문장으로 보아 부정의 대답이 알맞다.

25 The gold crown을 강조하는 감탄문이므로 「What a(an)+형
용사+명사+주어+동사!」의 어순으로 쓴다.

내신만점 Level Up Test p.124

---

01 ④   **02** ⑤   **03** ②

04 (1) How wonderful this picture is!
(2) What a good photographer (he is)!

05 (1) The mountain is really high, is it?
→ The mountain is really high, isn't it?
(2) Let's takes a picture together.
→ Let's take a picture together.

---

01 주어진 문장을 How 감탄문으로 바꾸면 How brave the
children are!가 되므로 다섯 번째에 오는 단어는 are가 된다.
What으로 시작되는 감탄문은 What brave children they
are!이므로 이 경우도 are가 정답이 된다.

02 How 감탄문은 「How+형용사/부사(+주어+동사)!」의 형태이
므로 ⓔ는 「What+a(an)+형용사+명사(+주어+동사)!」 형태인
What 감탄문이 알맞다.

03 ⓐ What으로 시작하는 감탄문은 「What+a(an)+형용사+명사
(+주어+동사)!」의 순서로 쓴다.
ⓒ 「명령문, or ~.」는 '…해라, 그렇지 않으면 ~할 것이다.'라는 의
미이다.
ⓔ 부가의문문에서 주어는 대명사로 쓴다.

04 (1) 형용사(wonderful)를 강조하는 How 감탄문으로 나타낸다.
How로 시작하는 감탄문은 「How+형용사/부사(+주어+동사)!」
의 어순으로 쓴다.
(2) 명사구를 강조하는 What 감탄문으로 나타낸다. What으로
시작하는 감탄문은 「What+a(an)+형용사+명사(+주어+동
사)!」의 어순으로 쓴다.

05 (1) 긍정문의 부가의문문은 부정형으로 쓴다.
(2) Let's 다음에는 동사원형을 쓴다.

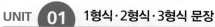

CHAPTER 10
문장의 구조

1 ②, ③   **2** (1) to (2) for

3 (1) us (2) to help   **4** ②   **5** ③

1 4형식 문장일 때 수여동사 show는 뒤에 「간접목적어(~에게)+직접목적어(…을)」를 취한다. 3형식 문장일 때는 「주어+show+직접목적어+전치사(to)+간접목적어」 순서로 쓴다.

2 (1) 동사 send는 4형식 문장을 3형식 문장으로 바꿀 때 간접목적어 앞에 전치사 to를 쓴다.
(2) 동사 buy는 4형식 문장을 3형식 문장으로 바꿀 때 간접목적어 앞에 전치사 for를 쓴다.

3 (1) 「주어+수여동사+간접목적어+직접목적어」로 이루어진 4형식 문장이다.
(2) ask는 5형식 문장에서 목적격보어로 to부정사를 쓰는 동사이다.

4 첫 번째 문장은 「주어+동사+간접목적어+직접목적어」로 이루어진 4형식 문장이므로 전치사 없이 간접목적어를 쓴다. 두 번째 문장은 5형식 문장으로 tell은 목적격보어로 to부정사를 쓰는 동사이다.

5 〔보기〕 문장과 ③은 「주어+동사+목적어+목적격보어」 형태의 5형식 문장이다. ①은 「주어+동사+목적어」로 이루어진 3형식 문장이고, ②, ④, ⑤는 「주어+동사+간접목적어+직접목적어」 형태의 4형식 문장이다.

개념 완성 Quiz

1 수여동사   **2** 전치사   **3** to부정사

4 형용사, to부정사   **5** 목적어, 목적격보어

개념 QUICK CHECK   p.126

POINT **01**   **1** ○   **2** ×   **3** ○

POINT **02**   **1** sad   **2** great   **3** my dad

POINT **03**   **2** We/want/to eat pizza.
            주어 동사 목적어(to부정사구)

         3 She/bought/a backpack.
            주어 동사 목적어(명사)

실전 연습   p.127

1 (1) ⓐ (2) ⓒ (3) ⓑ   **2** ⑤

3 ④   **4** ②   **5** ③

1 (1) 주어와 동사로 이루어진 1형식 문장이다.
(2) 주어, 동사, 목적어로 이루어진 3형식 문장이다.
(3) 주어, 감각동사, 주격보어(형용사)로 이루어진 2형식 문장이다.

2 2형식 문장에서 감각동사(look, smell, feel, taste, sound 등)의 주격보어로는 형용사가 와야 하며 부사는 올 수 없다.

3 〔보기〕 문장과 ①, ②, ③, ⑤는 주어, 동사, 목적어로 이루어진 3형식 문장이고, ④는 주어, 동사, 보어로 이루어진 2형식 문장이다.

4 첫 번째 문장은 1형식이므로 빈칸에 부사가 올 수 있다.
두 번째 문장은 3형식이므로 빈칸에 목적어로 명사(구/절), 동명사(구), to부정사(구)가 올 수 있다.

5 ③ 주어, 감각동사, 보어로 이루어진 2형식 문장에서 감각동사의 주격보어로 부사는 쓸 수 없다. (strangely → strange)

개념 완성 Quiz

1 주격보어   **2** 부사   **3** 목적어   **4** 부사구
5 감각동사

서술형 실전 연습   pp.130~131

1 (1) sleepy (2) beautifully

2 (1) Big Daddy (2) brightly (3) open

3 (1) I need a(one) red umbrella.
     (2) Lisa likes cats a lot.

4 (1) The pizza tastes delicious.
     (2) Josh allowed me to use his smartphone.

5 (1) is very sweet
     (2) found the movie boring
     (3) showed me her family pictures

6 (1) look good (2) sound fun (3) felt light

개념 QUICK CHECK   p.128

POINT **04**   **1** ×   **2** to   **3** ×   **4** for

POINT **05**   **1** to be   **2** Coco   **3** warm
         4 interesting

7 (1) her to prepare food

(2) him to set up the tent

(3) to do the dishes

8 (1) me a (birthday) cake

(2) a cap to me

(3) me a letter〔card〕

1 (1) become은 상태·변화동사로 2형식 문장에서 주격보어로 명사나 형용사를 쓴다. 주어의 상태를 나타내고 있으므로 형용사를 써야 한다.

(2) 주어와 동사로 이루어진 1형식 문장으로 빈칸에는 동사를 수식하는 부사를 써야 한다.

2 (1) call은 목적격보어로 명사를 쓰는 동사이다.

(2) 1형식 문장으로 빈칸에는 동사를 수식하는 부사가 알맞다.

(3) keep은 목적격보어로 형용사를 쓰는 동사이고, 의미상 open이 빈칸에 알맞다.

3 3형식 문장은 「주어＋동사＋목적어」로 이루어진 문장이다. (2)의 a lot은 부사이다.

4 (1) 감각동사 taste의 주격보어로 형용사를 써야 하며 부사는 쓸 수 없다.

(2) 동사 allow는 5형식 문장에서 목적격보어로 to부정사를 쓴다.

5 (1) 「주어＋동사＋주격보어」로 이루어진 2형식 문장으로 쓴다.

(2) find의 목적격보어로 형용사가 오는 5형식 문장으로 쓴다.

(3) 간접목적어가 me, 직접목적어가 her family pictures이므로 「주어＋동사＋간접목적어＋직접목적어」 순서의 4형식 문장으로 쓴다.

6 look, feel, sound 등의 감각동사 뒤에는 주격보어로 형용사를 쓴다. 맥락에 맞는 감각동사와 형용사를 사용하여 대화를 완성한다.

7 (1), (2) tell과 ask는 5형식 문장에서 목적격보어로 to부정사를 취한다.

(3) want는 목적어로 to부정사를 취할 수 있다.

8 4형식 문장은 「주어＋동사＋간접목적어＋직접목적어」의 어순이지만 3형식 문장으로 바꿔 쓸 때는 간접목적어와 직접목적어의 순서를 바꾸고 간접목적어 앞에 적절한 전치사를 쓴다. give는 간접목적어 앞에 전치사 to를 쓰는 동사이다.

개념 완성 Quiz

1 형용사　　**2** 명사　　**3** 목적어

4 주어＋동사＋목적어＋목적격보어

5 간접목적어, 직접목적어　　**6** 형용사　　**7** to부정사

8 to

실전 모의고사　　pp. 132~135

01 ②	**02** ①	**03** ②	**04** ③	**05** ①	**06** ⑤
07 ④	**08** ⑤	**09** ④	**10** ②	**11** ①, ③	**12** ①
13 ②	**14** ①	**15** ⑤	**16** ②	**17** ⑤	**18** ③

19 send an email to Chris

20 (1) a sandwich for me　(2) me a silver ring

21 (1) became　(2) keep

22 (1) Brad to come home by 4

(2) Jane to clean her room

23 (1) show his picture to you / show you his picture

(2) is small and white

(3) call him Rocco

24 (1) I want you to have a good time here.

(2) They taste so good.

25 I asked him to be quiet

01 감각동사 feel은 2형식 문장으로 쓸 때 보어로 형용사(tired)를 써야 한다. ①은 명사이며, ③, ④, ⑤는 부사이다.

02 「주어＋동사＋목적어＋목적격보어」의 5형식 문장으로, 빈칸에는 call의 목적격보어로 명사가 알맞다. ③은 문맥상 맞지 않다.

03 수여동사 write은 3형식 문장으로 쓸 때 간접목적어 앞에 전치사 to를 쓴다. tell은 5형식 문장으로 쓸 때 목적격보어로 to부정사를 쓰는 동사이다.

04 ask는 3형식 문장으로 쓸 때 간접목적어 앞에 전치사 of를 쓰는 동사이다.

05 like는 목적어를 필요로 하는 3형식 동사이며, 목적어의 형태로 명사(구), 대명사, to부정사(구), 동명사(구)가 올 수 있다. ①은 '많이'라는 의미의 부사이다.

06 5형식 문장에서 목적어의 상태를 나타내는 목적격보어로 형용사를 써야 한다. ⑤는 '분노'라는 의미의 명사이다. (anger → angry)

07 ④ cook은 3형식 문장으로 쓸 때 간접목적어 앞에 전치사 for를 쓰는 수여동사이다. (of → for)

08 ⑤ 「주어＋동사＋부사구」로 이루어진 1형식 문장이다.

(① he → him, ② English her → her English / English to her, ③ badly → bad, ④ taking → taking 뒤에 a picture 등의 목적어 필요)

09 ④ 2형식 문장에서 감각동사 sound 뒤에는 주격보어로 형용사를 써야 하므로 interest는 interesting으로 써야 알맞다.

10 「make＋목적어＋목적격보어」의 5형식 문장으로 써야 하며, make는 목적격보어로 명사나 형용사를 쓰는 동사이다. 목적어의

상태를 나타내므로 목적격보어는 형용사가 와야 한다.

11 수여동사 give는 「give+간접목적어+직접목적어」 또는 「give+직접목적어+to+간접목적어」의 형태로 쓸 수 있다.

12 show는 4형식 문장에서 3형식 문장으로 바꿔 쓸 때 간접목적어 앞에 전치사 to를 쓰는 수여동사이다.

13 ②는 「주어+동사+주격보어」로 이루어진 2형식 문장이고, 나머지는 모두 「주어+동사+목적어」로 이루어진 3형식 문장이다.

14 동사 buy, find, cook, make는 3형식 문장을 쓸 때 간접목적어 앞에 전치사 for를 쓰고, ask는 간접목적어 앞에 of를 쓴다.

15 ⑤ want는 5형식 문장에서 목적격보어로 to부정사를 쓰는 동사이다. (going → to go)

16 [보기]의 문장과 ②는 「주어+동사+목적어+목적격보어」 형태의 5형식 문장이다. (① 4형식 문장, ③ 2형식 문장, ④ 3형식 문장, ⑤ 1형식 문장)

17 ⓐ는 「주어+수여동사+간접목적어+직접목적어」 형태의 4형식 문장이고, ⓑ는 「주어+동사+목적어+목적격보어」 형태의 5형식 문장이다. ⓒ와 ⓓ는 「주어+동사+목적어」 형태의 3형식 문장이다.

18 ⓑ want는 목적격보어로 to부정사를 취하는 동사이다. (join → to join)
ⓒ 감각동사 smell 뒤에 명사가 왔으므로 전치사 like를 써야 한다. (smells → smells like)

19 수여동사를 3형식 문장으로 쓸 때 동사에 따라 간접목적어 앞에 전치사 to, for, of를 쓴다. send는 전치사 to를 쓰는 동사이다.

20 (1) 수여동사 buy는 4형식 문장에서 3형식 문장으로 바꿔 쓸 때 전치사 for를 쓴다.
(2) 수여동사 give가 있는 3형식 문장은 「주어+give+간접목적어+직접목적어」 형태의 4형식 문장으로 바꿔 쓸 수 있다.

21 (1) 빈칸 뒤에 형용사 tired가 있고 과거시제이므로 형용사를 보어로 쓰는 상태·변화동사 became이 알맞다.
(2) 목적격보어로 형용사 awake가 쓰였으므로 keep이 알맞다.

22 (1) 아버지가 Brad에게 집에 4시까지 오기를 바라는 내용이므로 to부정사를 목적격보어로 취하는 5형식 문장으로 쓴다.
(2) 어머니가 Jane에게 방을 청소하기를 바라는 내용이므로 to부정사를 목적격보어로 취하는 5형식 문장으로 쓴다.

23 (1) show는 수여동사이며 「주어+동사+간접목적어+직접목적어」 형태의 4형식 문장과 「주어+동사+직접목적어+to+간접목적어」 형태의 3형식 문장으로 쓸 수 있다.
(2) 「주어+동사+주격보어」로 이루어진 2형식 문장이다. 주어가 He이므로 be동사 is를 쓴다.
(3) call은 5형식 문장에서 목적격보어로 명사(구)를 쓰는 동사이다. 「call+목적어+목적격보어(명사)」의 형태로 쓴다.

24 (1) 「want+목적어+목적격보어(to부정사)」의 5형식 문장이 되도록 쓴다.
(2) taste는 주격보어로 형용사를 쓰는 감각동사이므로 부사 well은 good으로 써야 한다.

25 문맥상 Nick에게 조용히 해 달라고 요청했다는 내용이 알맞고 과거시제이므로 동사 asked 다음에 목적어로 him을 쓴다. ask는 5형식 문장에서 목적격보어로 to부정사를 쓰는 동사이므로 to be quiet로 써야 한다.

내신만점 Level Up Test   p.136

01 ④   **02** ②   **03** ⑤
04 (1) happily → happy (2) scoring → to score
05 (1) will send a letter to Amy
(2) will show his garden to the neighbors
(3) will buy lunch for Mina

---

01 ⓒ 감각동사 뒤에 전치사 like가 오면 명사가 오므로 형용사인 funny는 명사인 fun으로 고쳐야 한다. 또는 fun을 형용사로 사용하여 like를 삭제하고 ~ looks fun으로 쓸 수도 있다.

02 ①, ⑤ 2형식, ② 1형식, ③ 3형식, ④ 4형식 문장이다. 1형식 문장은 「주어+동사」로 이루어진 문장이다.

03 ⓐ 「주어+동사+목적어+목적격보어」로 이루어진 5형식 문장이며 목적격보어로 형용사를 쓴다. (openly → open)
ⓑ 「주어+감각동사+형용사」로 이루어진 2형식 문장이며 감각동사의 주격보어는 형용사를 쓴다. (salt → salty)
ⓒ 수여동사 make는 3형식 문장에서 전치사 for를 쓴다.
(to → for)

04 (1) 「주어+동사+목적어+목적격보어」로 이루어진 5형식 문장이며 목적격보어로 형용사가 온다.
(2) want는 목적격보어로 to부정사를 쓰는 동사이다.

05 4형식 문장에서 send, show, buy는 뒤에 「간접목적어+직접목적어」를 취하는 수여동사이다. 4형식 문장은 3형식 문장으로 바꿔 쓸 수 있는데 이때 간접목적어 앞에 전치사를 쓴다. send와 show는 to를, buy는 for를 쓴다.

CHAPTER 11
형용사, 부사, 비교

UNIT 01 형용사

개념 QUICK CHECK　　　　　　　　　p. 138

POINT 01　**1** b　　**2** a　　**3** c　　**4** d
POINT 02　**1** many　**2** lots of　**3** a few　**4** little

실전 연습　　　　　　　　　　　　　p. 139

1 ④　　　　**2** ①, ⑤　　　**3** met someone humorous
4 ⑤　　　　**5** ④

1 빈칸에 명사(boy)를 꾸며 주는 형용사가 필요하므로 부사인 wisely는 알맞지 않다. 부사는 명사를 수식할 수 없다.

2 balloon과 rose는 셀 수 있는 명사이므로 '많은'이라는 뜻의 수량형용사 many와 a lot of를 쓸 수 있다.

3 형용사가 -one으로 끝나는 대명사를 수식하는 경우에는 「-one으로 끝나는 대명사+형용사」의 어순으로 쓴다.

4 a little은 '약간의, 조금 있는'이라는 뜻으로 셀 수 없는 명사 앞에 쓰인다. girls는 셀 수 있는 명사의 복수형이므로 a few나 few 등을 쓸 수 있다.

5 ④ 수량형용사 much는 셀 수 없는 명사 앞에 쓰이므로 복수명사인 onions 앞에는 쓸 수 없다.

개념 완성 Quiz

1 형용사　**2** a lot of, lots of　**3** 뒤　**4** a few
5 much

UNIT 02 부사

개념 QUICK CHECK　　　　　　　　　p. 140

POINT 03　**1** beautifully　　**2** very busy
　　　　　　3 fast　　　　　**4** Luckily
POINT 04　**1** usually　　　**2** sometimes
　　　　　　3 always　　　　**4** often

실전 연습　　　　　　　　　　　　　p. 141

1 ②　　　　　　**2** (1) often takes　(2) will never forget
3 ③　　　　　　**4** ③　　　　**5** ②

1 ②는 명사와 형용사의 관계이고, 나머지는 모두 형용사와 부사의 관계이다. lovely는 -ly로 끝나지만 형용사이다.

2 (1) '자주'라는 의미의 빈도부사 often을 일반동사 앞에 쓴다.
(2) '결코 ~ 않는'이라는 의미의 빈도부사 never를 조동사와 일반동사 사이에 쓴다.

3 ③은 명사를 수식하는 형용사이고, 나머지는 모두 부사이다. (① 동사 수식, ② 형용사 수식, ④ 부사 수식, ⑤ 문장 전체 수식)

4 빈도부사는 주로 be동사의 뒤, 일반동사의 앞에 온다. ③의 usually는 is 뒤에 오는 것이 알맞다.

5 첫 번째 문장은 역에 늦게 도착했다는 의미가 자연스러우므로 late가 알맞다. lately는 '최근에'라는 의미이다.
두 번째 문장은 앞 문장의 내용으로 보아 다른 사람을 항상 돕는다는 의미가 자연스러우므로 always가 알맞다.

개념 완성 Quiz

1 -ly　　**2** 빈도부사　　**3** 동사, 형용사　　**4** 뒤, 앞
5 hard, late, near

UNIT 03 비교

개념 QUICK CHECK　　　　　　　　　p. 142

POINT 05　**1** higher　　　　**2** hottest
　　　　　　3 better　　　　**4** most dangerous
POINT 06　**1** highest　　　**2** longer
　　　　　　3 most difficult　**4** more important

실전 연습　　　　　　　　　　　　　p. 143

1 ②　　　　　**2** (1) heavier　(2) greatest　　**3** ①
4 ④　　　　　**5** ③

1 「자음+y」로 끝나는 형용사의 비교급과 최상급은 y를 i로 바꾸고 -er, -est를 각각 붙여 만든다.

2 (1) 「비교급+than」은 '…보다 더 ~한'이라는 의미이다. heavy의 비교급은 heavier이다.
(2) 「one of the+최상급+복수명사」는 '가장 ~한 … 중 하나'라는 뜻이다. great의 최상급은 greatest이다.

3 '훨씬'이라는 의미로 비교급을 강조할 때는 much, still, far, a lot, even 등의 부사를 쓴다. very는 비교급을 강조하지 않는다.

4 ④를 제외한 나머지는 비교 대상 앞에 쓰는 than이 들어간다. ④는 「the+최상급+명사+of+복수명사」의 형태로, 빈칸에는 '~ 중에서'를 뜻하는 of가 알맞다.

5 ① '…보다 더 ~한'이라는 의미는 「비교급+than」의 형태로 쓴다. (fastest → faster)
② bad의 비교급은 worse이다. (badder → worse)
④ popular는 3음절 이상인 단어이므로 최상급은 앞에 most를 붙인다. (popularest → most popular)
⑤ cheap의 비교급은 -er을 붙인 cheaper이다. (more cheap → cheaper)

개념 완성 Quiz

1 more, most   **2** the   **3** 앞   **4** than
5 worse, worst

서술형 실전 연습   pp. 144~145

1 (1) a few (2) little
2 (1) interesting nothing → nothing interesting
  (2) beautiful → beautifully
3 (1) smaller than   (2) the biggest
4 (1) swims well (2) drives very carefully
5 New York is one of the busiest cities in the world.
6 (1) ⓑ, a little eggs → a few eggs
  (2) ⓒ, many butter → much(a lot of/lots of) butter
7 (1) always walks her dog
  (2) often eats out
  (3) never exercises
8 (1) more difficult than swimming
  (2) safer than swimming

1 (1) a few는 '조금 있는'이라는 뜻으로 셀 수 있는 명사 앞에 쓰인다.
  (2) little은 '거의 없는'이라는 뜻으로 셀 수 없는 명사 앞에 쓰인다.

2 (1) -thing으로 끝나는 대명사는 형용사가 뒤에서 수식한다.
  (2) 동사(sang)를 수식할 때에는 부사를 쓴다.

3 (1) C는 B보다 작으므로 「비교급+than」 표현을 사용한다. small의 비교급은 -er를 붙인 smaller이다.
  (2) A가 동그라미 셋 중 가장 크므로 「the+최상급+of+복수명

사」 표현을 사용한다. big의 최상급은 g를 한 번 더 쓰고 -est를 붙인 biggest이다.

4 명사는 동사로, 형용사는 동사를 수식하는 부사로 바꿔 같은 의미의 문장을 나타낸다.
  (1) 형용사 good의 부사는 well이다.
  (2) 형용사 careful의 부사는 carefully이다.

5 '가장 ~한 … 중 하나'라는 뜻은 「one of the+최상급+복수명사」로 쓴다. busy의 최상급은 busiest로 쓰고, city도 복수형인 cities로 쓴다.

6 ⓑ eggs는 셀 수 있는 명사의 복수형이므로 '약간 있는'이라는 의미는 a few로 써야 한다.
  ⓒ butter는 셀 수 없는 명사이므로 '많은'이라는 의미는 much나 a lot of, lots of로 써야 한다.

7 (1) 일정표에 개를 매일 산책시킨다고 되어 있으므로, 빈도부사 always를 동사 앞에 쓴다. 동사는 주어에 맞춰 3인칭 단수 현재형으로 쓴다.
  (2) 일주일에 다섯 번을 밖에서 식사하므로 '자주'라는 의미의 빈도부사 often을 사용한다.
  (3) 일주일 내내 운동하지 않으므로 빈도부사 never를 사용한다.

8 (1) 요가가 수영보다 더 난이도 있는 운동이므로 difficult의 비교급을 써서 「비교급+than+비교 대상(swimming)」의 형태로 쓴다. 3음절 이상인 형용사는 앞에 more를 붙여 비교급을 쓴다.
  (2) 요가가 수영보다 더 안전한 운동이므로 safe의 비교급을 쓴다. -e로 끝나는 형용사는 -r을 붙여 비교급을 쓴다.

개념 완성 Quiz

1 little, few   **2** 앞, 뒤   **3** than   **4** 동사
5 최상급, 복수명사   **6** much, many   **7** 뒤, 앞
8 more, most

실전 모의고사   pp. 146~149

01 ③	02 ①	03 ③	04 ④	05 ④	06 ④
07 ③	08 ⑤	09 ④	10 ①	11 ⑤	12 ①
13 ③	14 ④	15 ③	16 ④	17 ④	18 ③

19 (1) nicely (2) nicer (3) nice
20 (1) a blue car (2) an honest girl
   (3) a colorful plate
21 soccer player → soccer players
22 (1) few (2) a lot of (3) a little

23 (1) younger than (2) heavier than

　　(3) the heaviest

24 (1) longer than (2) oldest

25 (1) carefully (2) many → much(a lot of/lots of)

01 감각동사인 look 뒤에 보어로 형용사가 오므로 lovely가 알맞다. 나머지는 부사로 감각동사의 보어로 쓸 수 없다.

02 동사 speaks를 수식하는 부사 fast가 알맞다. fast는 형용사와 부사의 형태가 같은 단어이다.

03 children이 셀 수 있는 명사의 복수형이므로 '많은'이라는 뜻의 a lot of는 many로 바꿔 쓸 수 있다.

04 첫 번째 빈칸은 동사 fix를 수식하는 부사 easily가 알맞고, 두 번째 빈칸은 명사 seafood를 수식하는 형용사 good이 알맞다.

05 ④ 조동사 will과 일반동사 break 사이에 빈도부사 never를 쓴다. (→ will never break)

06 many의 최상급이면서 3음절 이상인 형용사 앞에 쓰여 최상급을 만드는 단어는 most이다.

07 -thing으로 끝나는 대명사는 형용사가 뒤에서 수식한다.

08 ⑤ pretty는 y를 i로 바꾸고 -er을 붙여서 비교급을 만드므로 prettier가 올바른 형태이다.

09 friends는 셀 수 있는 명사의 복수형이므로 앞에 few, a few, many, a lot of를 쓸 수 있다. a little은 '약간의, 조금 있는'이라는 의미이며 셀 수 없는 명사 앞에 쓴다.

10 3음절 이상인 단어나 -ous, -ful, -less, -ive 등으로 끝나는 2음절 이상인 형용사는 비교급을 만들 때 앞에 more를 붙인다.
　　① tall의 비교급은 taller이다.

11 ⑤ little의 비교급인 less(덜 ～한)를 사용해서 나타낸다. least는 최상급이다.

12 ① slowly는 동사인 walks를 꾸미는 부사이며, very는 부사 slowly를 꾸미는 부사이다. (② hardly → hard, ③ Lucky → Luckily, ④ lately → late, ⑤ nearly → near)

13 Jake가 매우 정직하다는 문장과 어울리는 문장은 남들에게 거짓말을 절대 하지 않는다는 내용의 ③이 알맞다.

14 「the+최상급+in+장소[집단]」 구문을 사용하여 '세계에서 가장 큰 동물'이라는 뜻을 나타낸다. big의 최상급은 biggest이다.

15 ⓒ 뒤에 「than+비교 대상」이 있으므로 fast의 비교급인 faster를 써야 한다.

16 ④ 농구는 배구보다 선호도가 높으므로 Basketball is more popular than volleyball.로 써야 알맞다.

17 ④ 주어를 설명하는 보어이며 부사 very의 수식을 받으므로 형용사로 써야 한다. (→ friendly)

18 ⓒ -thing으로 끝나는 대명사는 형용사가 뒤에서 꾸며 준다.
　　ⓓ information은 셀 수 없는 명사이므로 much(a lot of/lots of)로 양을 나타낸다.

19 (1) 동사 spoke를 수식하는 부사 nicely가 알맞다.
　　(2) 빈칸 뒤에 than이 있으므로 비교급인 nicer로 써야 한다.
　　(3) 명사 day를 수식하는 형용사 nice가 알맞다.

20 형용사는 be동사 뒤에서 주어를 설명하는 보어로 쓰이거나 명사 앞에서 명사를 수식할 수 있다.

21 「one of the+최상급+복수명사」는 '가장 ～한 … 중 하나'라는 뜻의 최상급 표현이다.

22 (1) 셀 수 있는 명사의 복수형(friends) 앞에 '거의 없는'이라는 의미로 few를 쓴다.
　　(2) 셀 수 있는 명사의 복수형(cookies) 앞에 '많은'이라는 의미로 a lot of를 쓴다. many나 lots of로 바꿔 쓸 수 있다.
　　(3) 셀 수 없는 명사(water) 앞에 '조금 있는'이라는 의미로 a little을 쓴다.

23 (1) Elsa는 Eric보다 나이가 어리므로 비교급 younger than을 쓴다.
　　(2) Joel은 Elsa보다 몸무게가 더 나가므로 heavier than을 쓴다.
　　(3) Eric은 셋 중에서 가장 몸무게가 많이 나가므로 the heaviest를 쓴다.

24 (1) 글의 문맥상 고양이가 개보다 더 오래 산다는 문장이 자연스러우므로 빈칸에는 longer than이 알맞다.
　　(2) 가장 오래 산 고양이와 개에 관한 문장이므로 빈칸에는 old의 최상급이 공통으로 알맞다.

25 (1) care는 '주의, 조심'이라는 의미의 명사이므로 think를 수식하는 부사 carefully가 알맞다.
　　(2) time이 셀 수 없는 명사이므로 '많은'의 의미를 나타낼 때는 much(a lot of/lots of)로 써야 한다.

내신만점 Level Up Test　　　　　　　　　　　p.150

01 ①　　　　　　**02** ②　　　　　　**03** ②

04 (1) the biggest

　　(2) more expensive than

　　(3) lighter than

05 (1) Jack is a very lovely child.

　　(2) I want to read something interesting.

　　(3) You should never lie to anyone.

01 ⓐ juice는 셀 수 없는 명사이므로 '거의 없는'이라는 의미를 나타낼 때는 little로 써야 한다.

02 ② '최근에'라는 의미의 부사는 lately이며 late는 '늦게'라는 의미이다.

03 ⓑ '거의'라는 의미의 부사는 nearly이고, near는 '가까이'라는 의미이다. (near → nearly)
ⓒ 목적어의 상태를 설명하는 목적격보어는 형용사를 쓴다. (happily → happy)
ⓔ lots of는 복수명사와 함께 쓰인다. (student → students)

04 (1) A가 가장 크기가 크므로 최상급인 the biggest로 쓴다.
(2) B가 A보다 가격이 더 비싸므로 「비교급+than」 표현을 사용한다. expensive는 3음절 이상이며 -ive로 끝나는 단어이므로 more를 붙인다.
(3) C는 B보다 가벼우므로 lighter than으로 쓴다.

05 (1) 명사를 수식해야 하므로 형용사인 lovely로 바꾸고, 부사 very가 lovely를 앞에서 수식하는 어순으로 쓴다.
(2) -thing으로 끝나는 대명사가 있으므로 형용사 interesting이 뒤에서 수식한다. read는 want의 목적어이므로 to부정사로 쓴다.
(3) 빈도부사 never가 조동사 should와 일반동사 lie 사이에 오도록 쓴다.

CHAPTER 12
접속사와 전치사

UNIT 01 접속사 (1)

개념 QUICK CHECK p. 152

| POINT 01 | **1** or | **2** and | **3** but | **4** and |
| POINT 02 | **1** before | **2** when | **3** after | **4** when |

실전 연습 p. 153

| **1** ⓒ | | **2** (1) and (2) or (3) but |
| **3** ③ | **4** ② | **5** ③ |

1 등위 접속사 and는 세 단어 이상을 연결할 때 *A*, *B*, and *C*의 형태로 마지막 단어 앞에 쓴다.

2 (1) 두 가지 증상을 나열하므로 접속사 and가 알맞다.
(2) 선택 사항을 연결하는 접속사 or가 알맞다.
(3) 상반되는 내용을 연결하는 접속사 but이 알맞다.

3 '~할 때'라는 의미로 문장에서 시간을 나타내는 부사절을 이끄는 접속사 when이 알맞다.

4 첫 번째 빈칸은 문맥상 접속사 When(집에 도착했을 때)이나 After(집에 도착한 후에)가 알맞다.
두 번째 빈칸은 상반되는 내용을 연결하는 접속사 but이 알맞다.

5 ③ 집에 있을지 나가서 놀지 묻는 내용이므로 둘 이상의 선택 사항을 연결하는 접속사 or가 알맞다.

개념 완성 Quiz

| **1** 등위 | **2** but | **3** when | **4** and | **5** or |

UNIT 02 접속사 (2)

개념 QUICK CHECK p. 154

POINT 03	**1** Because		**2** don't run
	3 if		**4** because
POINT 04	**1** c	**2** b	**3** c	**4** a

<table>
<tr><td colspan="2">**실전 연습**</td><td>p. 155</td></tr>
</table>

1 ④　　**2** that　　**3** (1) that (2) If (3) because
4 (1) that (2) because　　　　　**5** ④

1 다리를 다쳤기 때문에 축구를 하지 못한다는 내용이 자연스러우므로 이유를 나타내는 접속사 because가 알맞다.

2 문장에서 목적어로 쓰이는 명사절을 이끄는 접속사 that이 공통으로 알맞다.

3 (1) think의 목적어인 명사절을 이끄는 접속사 that이 알맞다.
(2) '~한다면'이라는 의미로 조건을 나타내는 접속사 If가 알맞다.
(3) '~하기 때문에'라는 의미로 이유를 나타내는 접속사 because가 알맞다.

4 (1) 문장의 주어로 쓰이는 명사절을 이끄는 접속사 that이 알맞다.
(2) 이유를 나타내는 문장 앞에 접속사 because를 사용해서 두 문장을 연결한다.

5 〈보기〉와 ④의 that은 보어로 쓰인 명사절을 이끄는 접속사로 쓰였다. ①, ③은 목적어, ②와 ⑤는 주어 역할을 하는 명사절을 이끈다.

개념 완성 Quiz

1 절　　**2** that　　**3** because　　**4** that　　**5** 목적어

UNIT 03 위치 · 장소 · 시간의 전치사

개념 QUICK CHECK　　　　p. 156

POINT 05　**1** at　　**2** on　　**3** behind　**4** in
POINT 06　**1** at　　**2** by　　**3** in　　**4** on

실전 연습　　　　p. 157

1 (1) during (2) at (3) on　　**2** (1) in (2) under
3 ④　　　　　**4** ②　　　　　**5** ①

1 (1) 특정 기간을 나타내는 명사 앞에서 '~ 동안'의 의미를 나타내는 전치사 during이 알맞다.
(2) 특정 시점을 나타내는 night 앞에는 전치사 at을 쓴다.
(3) 요일 앞에는 on을 쓰며, on Saturdays는 '토요일마다'를 의미한다.

2 (1) '~ 안에서'라는 의미로 쓰이는 전치사 in이 알맞다.
(2) '~ 아래에서'라는 의미로 위치를 나타내는 전치사 under가 알맞다.

3 '~까지'라는 완료의 의미를 나타내는 전치사 by가 알맞다. until도 '~까지'의 의미를 나타내지만 계속하는 일을 나타낼 때 쓴다.

4 첫 번째 빈칸에는 구체적인 시간의 길이 앞에서 '~ 동안'의 의미로 쓰이는 전치사 for가 알맞다. 두 번째 빈칸에는 비교적 좁은 장소 앞에서 '~에서'의 의미로 쓰이는 전치사 at이 알맞다.

5 ① 구체적인 시점이나 시각 앞에는 전치사 at을 쓴다.
(② → in, ③ → in, ④ → for, ⑤ → and)

개념 완성 Quiz

1 on　　**2** in　　**3** by　　**4** for　　**5** in

서술형 실전 연습　　　　pp. 158~159

1 (1) in (2) under (3) in front of, at
2 (1) until (2) during (3) for
3 to write → writing
4 (1) that she wanted to go
(2) If he studies harder
5 (1) Nobody told me that Tim was not there.
(2) I was almost an hour late because it was raining so hard. / Because it was raining so hard, I was almost an hour late.
6 (1) next to (2) in front of (3) on
7 (1) on July 5th (2) in(at) Seoul Park
8 (1) Our team's problem is that we don't have enough time.
(2) I play with my dog when I have free time. / When I have free time, I play with my dog.
(3) It is possible that he will come to the party.

1 (1) '~에서'라는 의미로 비교적 넓은 장소 앞에는 전치사 in을 쓴다.
(2) '~ 아래에서'라는 의미로 전치사 under를 쓴다.
(3) '~ 앞에'는 전치사 in front of로 나타내고, 구체적인 시각 앞에는 at을 쓴다.

2 (1) '10시 30분까지' 침대에 머물렀다는 의미가 자연스러우므로 until이 알맞다.
(2) '~ 동안'이라는 뜻으로 특정 기간을 나타내는 명사 앞에 쓰는 전치사는 during이다.
(3) '~ 동안'이라는 뜻으로 숫자를 포함한 구체적인 기간 앞에 쓰는 전치사는 for다.

3 등위 접속사 and는 문법적으로 대등한 말을 연결하므로 to write를 playing과 동일한 동명사 형태로 써야 한다.

4 (1) 동사 said의 목적어로 쓰이는 명사절을 쓴다. that 뒤에는 주어와 동사로 이루어진 절이 온다.
(2) '(만약) ~한다면'이라는 뜻의 접속사 if가 사용된 부사절을 완성한다.

5 (1) 접속사 that을 사용하여 두 번째 문장을 동사 told의 직접목적어 역할을 하는 명사절로 만든다.
(2) 첫 번째 문장은 결과, 두 번째 문장은 원인을 나타내므로 두 번째 문장 앞에 이유를 나타내는 접속사 because를 써서 연결한다.

6 (1) 소파가 화분 옆에 있으므로 전치사 next to를 쓴다.
(2) 고양이가 소파 앞에 있으므로 전치사 in front of를 쓴다.
(3) 세 권의 책이 탁자 위에 있으므로 전치사 on을 쓴다.

7 (1) 구체적인 날짜 앞에는 전치사 on을 쓴다.
(2) park(공원) 앞에는 장소 앞에 쓰는 전치사 in 또는 at을 쓴다.

8 (1) 접속사 that이 이끄는 절이 문장에서 보어 역할을 하도록 쓴다.
(2) '~할 때'의 의미로 두 문장을 연결하는 접속사 when을 쓴다.
(3) 접속사 that이 이끄는 절이 문장에서 주어 역할을 하도록 쓴다.

개념 완성 Quiz

1 in, at   **2** during, for   **3** 비슷한   **4** if, that
5 절, 명사(구)   **6** next to, on   **7** on   **8** 목적어, 주어

실전 모의고사   pp. 160~163

01 ②	02 ②	03 ④	04 ④	05 ④	06 ④
07 ②	08 ④	09 ③	10 ④	11 ⑤	12 ④
13 ②	14 ②	15 ②	16 ③	17 ⑤	18 ④

19 that   **20** before my mom comes back
21 (1) cheer → cheerful (2) tall and → tall but
22 (1) across from (2) next to (3) between, and
23 (1) on (2) in (3) in (4) on
24 (1) but (2) before
25 (1) Billy is hungry now because he exercised in the morning.
(2) The window will open if(when) you push the button.

01 7시까지 완료되는(집에 도착하다) 일에 대한 문장이므로 전치사 by가 알맞다.

02 많은 상점들이 있었지만 애완동물 가게는 찾을 수 없었다는 흐름이 자연스러우므로 상반되는 내용을 연결하는 접속사 but이 알맞다.

03 '~했을 때'라는 의미로 부사절을 이끄는 접속사 When이 알맞다.

04 특정 기간을 나타내는 명사구 앞이므로 '~ 동안'을 의미하는 전치사 during이 알맞다.

05 ④의 That은 주어로 쓰인 명사절을 이끄는 접속사이며 생략할 수 없다. 나머지는 모두 that이 목적어를 이끄는 접속사이므로 생략 가능하다.

06 3시에 숙제를 시작해서 6시에 마쳤다고 했으니 3시간 동안 숙제를 한 것이다. 구체적인 시간의 길이(three hours) 앞에는 전치사 for를 사용한다.

07 겨울에 스키와 스케이트를 타러 가는 것을 좋아한다는 내용이 되도록 첫 번째 빈칸에는 '그리고'를 의미하는 접속사 and, 두 번째 빈칸에는 계절 앞에 쓰이는 전치사 in이 각각 알맞다.

08 뉴욕을 '사랑하지만' 너무 혼잡하기 '때문에' 그곳에서 살고 싶지 않다는 내용이므로 반대·대조를 나타내는 접속사 but과 앞 문장에 대한 이유를 나타내는 접속사 because가 각각 알맞다.

09 각각 '시험 전에', '길을 건너기 전에'의 의미가 되도록 전치사 before와 접속사 before가 쓰이는 것이 알맞다.

10 첫 번째 빈칸에는 명사 앞에서 '~ 때문에'의 의미를 나타내는 because of의 of가 알맞고, 두 번째 빈칸에는 '~ 앞에'의 의미로 쓰이는 in front of의 of가 알맞다.

11 ⑤ 도시와 같은 비교적 넓은 장소 앞에는 전치사 in을 쓴다. (At → In)

12 ④ Jane과 Kate가 함께 마을을 방문했다는 내용이 적절하므로 or를 and로 써야 한다.

13 ② 접속사 앞뒤 내용이 상반되므로 but이 알맞다.
(① apples and melons, grapes → apples, melons, and grapes, ③ go → he goes, ④ because → because of, ⑤ she'll come → she comes)

14 첫 번째 문장의 at은 비교적 넓은 장소 앞에 쓰이는 전치사 in으로, 두 번째 문장의 on은 좁은 장소 앞에 쓰이는 전치사 at으로 고쳐야 한다.

15 ② 조건을 나타내는 if절에서는 미래의 의미를 나타내더라도 현재 시제로 쓴다. (you'll miss → you miss)

16 ③은 지시형용사이고, 나머지는 모두 명사절을 이끄는 접속사이다.

17 ⑤ 책 여러 권이 의자 앞에 있으므로 전치사 in front of를 쓰는 것이 알맞다. (① wall → desk, ② near the chair → next to the desk, ③ in → on, ④ next to → on)

18 ⓑ 목적어 역할을 하는 명사절을 이끄는 접속사 that은 생략할 수 있다.
ⓓ '~ 아래에서'라는 의미로 전치사 under를 쓰는 것이 알맞다.
(ⓐ staying → stay, ⓒ when → in, ⓔ because of → because)

19 각각 목적어, 주어, 보어 역할을 하는 명사절을 이끄는 접속사 that이 공통으로 알맞다.

20 '~하기 전에'라는 의미의 접속사 before 뒤에는 주어와 동사를 갖춘 문장이 온다. 시간을 나타내는 부사절에서는 현재시제로 미래를 나타낸다.

21 (1) and는 문법적으로 동일한 형태를 연결하므로 kind와 동일한 품사인 형용사 cheerful이 와야 한다.
(2) 상반되는 내용이 이어지고 있으므로 접속사 but이 알맞다.

22 (1) 도서관은 학교 맞은편에 있으므로 across from(~의 맞은편에)을 쓴다.
(2) 은행은 꽃 가게 옆에 있으므로 next to(~ 옆에)를 쓴다.
(3) 꽃 가게는 은행과 우체국 사이에 있으므로 between *A* and *B*(A와 B 사이에)를 쓴다.

23 (1) 날짜 앞에는 전치사 on을 쓴다.
(2) 연도 앞에는 전치사 in을 쓴다.
(3) 도시와 같은 비교적 넓은 장소 앞에는 전치사 in을 쓴다.
(4) 요일 앞에는 전치사 on을 쓴다. on Saturdays는 '토요일마다'를 의미한다.

24 (1) 빈칸 앞뒤 내용이 대조되므로 빈칸에는 접속사 but이 알맞다.
(2) 이사 오기 전의 상황을 말하는 내용이므로 접속사 before가 알맞다.

25 (1) 아침에 운동을 했기 때문에 지금 배가 고프다는 내용이 적절하므로 이유를 나타내는 접속사 because를 사용하여 문장을 연결한다.
(2) 버튼을 누르면 또는 누를 때 창문이 열릴 것이라는 내용이 적절하므로 접속사 if 또는 when을 사용하여 문장을 연결한다.

---

01 ②　　　　　**02** ③　　　　　**03** ⑤
04 that, but
05 (1) ⓐ → or　(2) in front of your classroom

01 ⓐ '~ 옆에'는 전치사 next to로 나타낸다.
ⓑ 월 앞에는 전치사 in을 쓴다.
ⓒ 구체적인 숫자로 쓰인 기간 앞에는 전치사 for를 쓴다.

02 ⓐ 펭귄은 새이지만 날지 못한다는 내용이 적절하므로 접속사 but이 알맞다. (or → but)
ⓒ 선택 사항을 연결하는 접속사 or가 쓰여야 한다. (but → or)

03 ① over: (조금 떨어져서) ~ 위에
② behind: ~ 뒤에
③ on+요일(복수형): ~요일마다
④ on: (접촉하여) ~ 위에
⑤ 조건을 나타내는 부사절에서는 미래의 일이라도 현재시제로 쓴다. (will hurry → hurry)

04 Simon은 소풍이 오늘이라고 생각하고 소풍 장소로 갔지만 아무도 없었다는 내용의 요약문이 되어야 한다. 첫 번째 빈칸에는 문장에서 목적어의 역할을 하는 명사절을 이끄는 접속사 that을, 두 번째 빈칸에는 문장 앞뒤의 내용이 상반될 때 사용하는 접속사 but을 쓴다.

05 (1) 두 가지 선택 사항을 연결하는 접속사 or가 알맞다.
(2) '~ 앞에서'는 in front of를 쓴다.

1 ⑤	**2** ⑤	**3** ④	**4** ②	**5** ②
6 ④	**7** I wasn't(was not) good at swimming.			
8 Was there a cup on the table?		**9** ①		**10** ⑤
11 ②	**12** ③	**13** ①	**14** ⑤	
15 in taking pictures of cats		**16** to go to Canada		
17 ③	**18** ①	**19** ②	**20** ③	**21** ④
22 (1) Why (2) How		**23** listening to		
24 food to eat		**25** watching → are watching		

1 Mr. Brady를 받는 인칭대명사는 He이고, 주어가 3인칭 단수일 때 be동사의 현재형은 is를 쓴다.

2 1인칭 복수인 Kevin and I가 주어이고 빈칸 뒤에 lunch가 있으므로 'have lunch(점심을 먹다)'의 과거시제인 ⑤가 알맞다.

3 빈칸 뒤의 be동사가 are이므로 주어는 명사의 복수형이 알맞다. ④의 mice는 mouse의 복수형이고 불규칙 변화한다.

4 ②의 It은 인칭대명사이고 ①, ③, ④, ⑤의 It(it)은 각각 계절, 날씨, 시간, 날짜를 나타내는 비인칭 주어이다.

5 '나의'는 소유격 인칭대명사 my를, '나'는 주격 인칭대명사 I를 쓴다. 토마토는 -o로 끝나는 명사이므로 복수형은 -es를 붙인 tomatoes이다.

6 미래의 일에 대해서 '~하지 않겠다'라는 의지를 나타낼 때는 will 뒤에 not을 쓴다. will not은 줄여서 won't로 쓸 수 있다.

7 am의 과거형은 was, 부정형은 wasn't(was not)으로 나타낸다.

8 There is(are) 구문의 의문문은 be동사를 문장의 맨 앞에 써서 Is(Are) there ~? 형태로 쓴다. 주어가 3인칭 단수일 때 과거형은 Was로 쓴다.

9 첫 번째 문장에서 information은 셀 수 없는 명사이므로 '많은'이라는 의미를 나타낼 때 much, a lot of, lots of를 쓸 수 있다. 두 번째 문장에서 -thing, -one, -body로 끝나는 대명사를 수식하는 형용사는 대명사 뒤에 온다.

10 be going to는 '~할 예정이다'라는 의미이며 오늘 밤의 계획에 대해서 물었으므로, 대답은 미래시제인 I'm going to take a walk.가 알맞다.

11 '~할 예정이다'라는 의미의 be going to는 be동사 뒤에 not을 붙여 부정형을 만든다.

12 ③은 '~해 줄 수 있니?'라는 뜻으로 요청을 나타내는 can이며 나머지는 '~할 수 있다'라는 의미의 능력이나 가능을 나타낸다.

13 ①은 문장에서 주어 역할을 하고 있으므로 to부정사구나 동명사구로 고쳐야 한다. (Make foreign friends → Making(To make) foreign friends)

14 ① air는 셀 수 없는 명사이므로 부정관사를 쓸 수 없다. (→ Without air)
② 악기 이름 앞에는 관사 the를 쓴다. (played piano → played the piano)
③ 명사를 수식하는 최상급 앞에는 정관사 the를 쓴다. (fastest → the fastest)
④ 과목 이름 앞에는 관사를 쓰지 않는다. (a mathematics → mathematics)
⑤ 앞에 한 번 언급한 대상(A bear)을 반복해서 말할 때는 정관사 the를 쓴다.

15 '~에 흥미가 있다'는 be interested in으로 나타내며 전치사 in 뒤에는 동명사가 온다. take pictures of는 '~의 사진을 찍다'라는 뜻이다.

16 plan은 to부정사를 목적어로 취하는 동사이다.

17 월(October) 앞에는 전치사 in을 쓰고 요일(Sunday) 앞에는 on을 쓴다.

18 첫 번째 빈칸의 앞 문장은 결과를, 빈칸 뒤의 문장은 원인을 나타내고 있으므로 이유를 나타내는 접속사 because(~ 때문에)를, 두 번째 빈칸에는 조건을 나타내는 If(만약 ~한다면)를 쓴다.

19 부정의 부가의문문이고 현재시제이므로 앞 문장은 일반동사의 현재시제 긍정문을 써야 한다. ②는 일반동사가 쓰인 과거시제 긍정문이므로 부가의문문은 didn't she?로 쓴다.

20 목적을 나타내는 to부정사가 되어야 하므로 to 뒤에는 동사원형이 와야 한다.

21 ④는 '목적'의 의미로 쓰였으며 to부정사가 부사 역할을 한다. 나머지는 to부정사가 명사나 대명사를 뒤에서 수식하는 형용사 역할을 한다.

22 (1) '~하자'라는 뜻의 제안문 「Shall we+동사원형 ~?」은 「Why don't we+동사원형 ~?」으로 바꿔 쓸 수 있다.
(2) 「What+a(an)+형용사+명사(+주어+동사)!」 형태의 What 감탄문은 「How+형용사/부사(+주어+동사)!」 형태의 How 감탄문으로 바꿔 쓸 수 있다.

23 '~을 듣다'는 listen to인데 enjoy는 동명사를 목적어로 취하는 동사이므로 listening to로 쓴다.

24 명사 food를 수식하는 to부정사인 to eat이 알맞다. 이때 to부정사는 문장에서 형용사의 역할을 한다.

25 Tim과 Andy가 지금 무엇을 하고 있는지 물었으므로 '~하는 중이다'라는 의미의 현재진행형인 「be동사+-ing」 형태로 쓴다.

1 ①   **2** ③   **3** ③   **4** ③

5 didn't she   **6** ⑤   **7** ⑤   **8** ②

9 ③   **10** ⑤   **11** ④   **12** ③

13 He was playing soccer with his friends.

14 She doesn't(does not) like to read science fiction books.   **15** ③   **16** ⑤

17 (1) Who (2) What (3) When (4) How   **18** ⑤

19 to be, writing   **20** ④, ⑤

21 everything to me

22 good → better, than으로 보아 비교하는 문장이므로 good 을 비교급 better로 고쳐야 한다.   **23** ⑤

24 (1) meeting at 4 on Friday
    (2) meet at 4 on Friday

25 (1) fast (2) well (3) slowly, steadily

---

1 주어가 3인칭 단수이므로 현재시제로 쓸 때는 goes가 와야 한다.

2 부정관사 a는 셀 수 있는 명사 앞에 쓴다. juice는 셀 수 없는 명사이다.

3 There is(are) 구문은 '~가 있다'라는 의미이며 be동사 뒤에 단수명사가 오면 is, 복수명사가 오면 are를 쓴다.

4 ③은 주어가 복수이므로 are(were)가 알맞고 나머지는 모두 주어가 3인칭 단수이므로 is(was)가 알맞다.

5 주어가 Sally이고 일반동사가 쓰인 과거시제 긍정문이므로 부가의문문은 didn't she로 써야 한다.

6 ⓑ, ⓓ, ⓔ는 '~해야 한다'라는 의미의 의무를, ⓐ는 '~해도 좋다'라는 의미의 허가를, ⓒ는 '~해 줄래?'라는 요청을 나타낸다.

7 일반동사 과거형 의문문은 「Did+주어+동사원형 ~?」의 형태이므로 Did he meet이 알맞다.

8 [보기]와 ②의 to부정사는 목적어 역할을 하고 있으며, ①, ④는 주어 역할, ③, ⑤는 보어 역할을 한다.

9 ③ 과목명 앞에는 관사를 생략한다.
   ① 유일한 것 앞에 the를 쓴다.
   ②의 a는 '~마다'의 의미로 쓰였다.
   ④ 악기 이름 앞에는 the를 쓴다.
   ⑤ uniform의 u는 자음으로 소리 나므로 관사 a를 쓴다.

10 ⑤ -thing으로 끝나는 명사는 형용사가 뒤에서 수식하므로 something interesting이 되어야 한다.
   ① a little은 셀 수 없는 명사(money) 앞에 쓴다.

---

   ② 주어가 You이므로 재귀대명사 yourself로 쓴다.
   ③ 국가와 같은 비교적 넓은 장소 앞에는 전치사 in을 쓴다.
   ④ '~ 때문에'라는 의미의 이유를 나타내는 접속사 because가 쓰였다.

11 ④는 '그것'이라는 구체적으로 가리키는 대상이 있는 인칭대명사이고, ①, ②, ③, ⑤는 각각 요일, 월, 명암, 거리를 나타내는 비인칭주어이다.

12 '…해라, 그러면 ~할 것이다.'라는 문장은 「명령문, and ~.」의 형태로 표현한다. 명령문은 주어를 생략하고 동사원형으로 시작한다. '열릴 것이다'라고 했으므로 미래를 나타내는 조동사 will을 사용한다.

13 주어진 문장이 과거시제이고 주어가 3인칭 단수이므로 be동사는 was로 쓴다. 과거진행형은 「was/were+동사원형 -ing」로 표현한다.

14 일반동사의 현재시제 부정문은 「don't(do not)+동사원형」으로 쓰며 주어가 3인칭 단수일 때 doesn't(does not)를 쓴다.

15 [보기]와 ③의 문장은 「주어+동사+목적어+목적격보어」의 형태인 5형식 문장이다. ①은 1형식, ②는 4형식, ④는 2형식, ⑤는 3형식 문장이다.

16 ⑤ postcards를 지칭하며, 같은 종류의 불특정한 것이므로 부정대명사의 복수형인 ones가 되어야 한다.

17 (1) '누구'인지를 묻는 표현이므로 Who를 쓴다.
   (2) '무엇'을 하고 있는지 묻는 표현이므로 What을 쓴다.
   (3) '언제'가 생일인지 묻고 있으므로 When을 쓴다.
   (4) 나이를 묻는 표현이므로 How를 쓴다.

18 ⑤ 과거를 나타내는 부사 yesterday가 있으므로 과거시제 문장으로 쓴다.
   ① 미래를 나타내는 will 뒤에는 동사원형을 쓴다. (to go → go)
   ② '누가' 가장 친한 친구인지 묻고 있으므로 Who를 쓴다.
   (What → Who)
   ③ 수여동사 give는 3형식 문장으로 쓸 때 간접목적어 앞에 전치사 to를 쓴다. (of me → to me)
   ④ 주어가 3인칭 복수이므로 과거진행형의 be동사는 were를 써야 한다. (was → were)

19 want는 to부정사를 목적어로 취하는 동사이다. 「spend+시간+-ing」는 '~하면서 시간을 보내다'라는 의미의 표현이다.

20 '~해서는 안 된다'라는 금지의 의미를 표현하는 조동사는 must not과 should not이다. ①과 ②는 '~해야 한다'의 의미로 의무를 나타내며 ③은 will의 부정형으로 '~하지 않을 것이다'라는 뜻이다.

21 「주어+수여동사+간접목적어+직접목적어」 순서의 4형식 문장을 3형식 문장으로 바꿔 쓸 때는 간접목적어와 직접목적어의 위치를 바꾸고 간접목적어 앞에 전치사(to/for/of)를 쓴다. 동사 tell은 전치사 to를 쓴다.

22 than으로 보아 비교하는 문장이므로 good을 비교급 better로 고쳐야 한다.

23 ⓔ '그들을 행복하게 만들었다'가 '나는 나 자신이 자랑스러웠다'라는 내용의 원인을 나타내므로 이유를 나타내는 접속사 because가 알맞다.

24 Why don't we ~?는 제안을 나타내는 문장으로 「How(What) about -ing ~?」 또는 「Let's+동사원형 ~.」으로 바꿔 쓸 수 있다.

25 빈칸에는 동사를 수식하는 부사가 알맞다.
(1) fast는 형용사와 부사의 형태가 같다.
(2) good의 부사형은 well이다.
(3) slow의 부사는 -ly를 붙여 만들고, steady의 부사는 y를 i로 바꾸고 -ly를 붙여 만든다.

Final Test ❸회

pp. 5~6

1 ③ **2** ② **3** ④ **4** her → herself

5 a few → a little **6** ④ **7** ②, ③ **8** ③

9 ③ **10** gave me some advice **11** ①

12 three pieces of, a(one) bottle of **13** ⑤

14 studies Chinese every morning **15** ③

16 (1) Was (2) he was (3) did, do (4) it

17 ① **18** ③

19 a strange idea (this is), strange this idea is

20 ① **21** ④

22 There is always a lot of work to do.

23 ④ **24** ② **25** I found her my real friend.

1 조동사 may 뒤에는 동사원형을 쓴다.

2 '얼마나 오래'라는 의미는 How long으로 표현한다.

3 ④는 be동사 뒤에 장소가 와서 '~에 있었다'라는 의미를 나타내고, 나머지는 '~였다, ~했다'라는 의미로 주어의 상태를 나타낸다.

4 문장의 주어와 목적어가 같을 때 목적어 대신 재귀대명사를 쓴다. 주어가 대명사 she이므로 재귀대명사 herself로 써야 한다.

5 water는 셀 수 없는 명사이므로 '약간, 조금 있는'이라는 의미는 a little로 써야 한다.

6 빈칸 뒤에 '이곳에서 수영을 하는 것은 너무 위험하다.'라는 문장이 이어지므로 금지를 표현하는 ④가 알맞다. ⑤는 '~할 필요가 없다'라는 뜻이다.

7 ②, ③ -ch, -o로 끝나는 동사는 3인칭 단수형으로 만들 때 -es를 붙인다.
① -y로 끝나는 단어는 y를 i로 바꾸고 -es를 붙이므로 tries로 쓴다.
④ 주어가 3인칭 단수이므로 have의 3인칭 단수형 has가 알맞다.
⑤ -sh로 끝나므로 finishes로 쓴다.

8 첫 번째 빈칸에는 '언제'라는 의미의 의문사 When을, 두 번째 빈칸에는 '~할 때'라는 의미의 접속사 When을 쓰는 것이 알맞다.

9 ⓐ, ⓔ는 앞에 나온 명사를 수식하는 형용사 역할의 to부정사이고 나머지는 부사 역할을 한다. ⓑ는 결과, ⓒ는 감정의 원인, ⓓ는 목적을 나타낸다.

10 4형식 문장은 「주어+수여동사+간접목적어+직접목적어」의 어순으로 나타낸다.

11 ① Chris가 67kg이고 Eric이 71kg이므로 Chris is lighter than Eric. 또는 Eric is heavier than Chris.가 되어야 한다.

12 cake와 juice는 셀 수 없는 명사이므로 단위를 써서 수량을 표현한다. cake는 단위로 piece(조각)를, juice는 단위로 bottle(병)이나 glass(잔)를 쓴다.

13 ⑤는 「주어+동사+목적어」 형태의 3형식 문장이고, 나머지는 「주어+동사+주격보어(명사/형용사)」 형태의 2형식 문장이다.

14 주어가 1인칭 복수인 My friend and I에서 3인칭 단수인 One of my classmates로 바뀌므로 study를 3인칭 단수 현재형 studies로 바꿔 쓴다.

15 빈도부사는 주로 조동사와 be동사 뒤 또는 일반동사 앞에 위치하므로 ③은 sometimes snows in winter의 순서로 쓰는 것이 맞다.

16 (1) 'Tom이 어제 공원에 있었니?'라고 묻는 표현으로 주어가 3인칭 단수이고 어제의 일이므로 Was가 알맞다.
(2) Yes로 대답하고 있으므로 he was를 연결해서 쓴다.
(3) 이어지는 대답으로 보아 무엇을 했는지 묻는 표현이므로 What did he do there?가 되어야 한다.
(4) 의문문의 this나 that은 대답할 때 it으로 바꿔 대답한다.

17 ①은 현재진행형을 나타내는 현재분사이고, 나머지는 동사의 목적어 역할을 하는 동명사이다.

Answers **39**

18 ③ 조동사 will 뒤에는 동사원형이 와야 하므로 goes가 아니라 go로 쓴다.

19 감탄문은 「What+a〔an〕+형용사+명사(+주어+동사)!」 또는 「How+형용사/부사(+주어+동사)!」의 형식으로 쓴다.

20 ① 뒤에 명사가 없으므로 「소유격+명사」의 역할을 하는 소유대명사가 알맞다.
② 주어가 복수형 지시대명사인 These이므로 be동사는 aren't가 되어야 한다.
③ 조동사 will이 있고 긍정의 평서문이므로 부가의문문은 won't you로 쓴다.
④ 과거를 나타내는 부사구 two years ago가 있으므로 동사는 과거형 built로 써야 한다.
⑤ 추상명사인 love 앞에는 관사를 쓰지 않는다.

21 ④ to부정사의 부정은 to부정사 앞에 not을 쓴다.
① '늦게'라는 의미의 부사는 late이며 lately는 '최근에'라는 의미이다.
② now가 있는 현재진행형이므로 be동사를 Are로 써야 한다.
③ 동사 finish는 목적어로 동명사를 취한다.
④ 빈도를 묻는 표현은 How often ~?이다.

22 '~가 있다'라는 의미의 There is〔are〕 구문이며 뒤에 셀 수 없는 명사인 a lot of work가 있으므로 be동사는 is를 쓴다. to do는 a lot of work를 뒤에서 수식하는 to부정사의 형용사 역할로 쓰였다. 빈도부사는 주로 조동사와 be동사 뒤 또는 일반동사 앞에 위치한다.

23 ④ 서로 대조되는 내용이 연결되므로 but이 알맞고 나머지는 서로 비슷한 내용이 연결되거나 결과가 이어지므로 and가 알맞다.

24 ② What about -ing ~?는 '~하는 게 어때?'라고 제안하는 질문이므로 '그것은 내 잘못이 아니야.'라는 대답은 어색하다.

25 목적어(her)와 목적어에 대해서 보충 설명하는 목적격보어(my real friend)가 있는 5형식 문장으로, 「주어+동사+목적어+목적격보어」의 형태로 쓴다.

빠르게 통하는
영문법 핵심 1200제
LEVEL 1

Answers

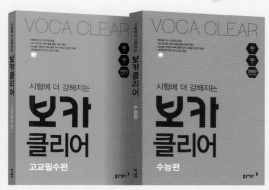

영어 실력과 내신 점수를 함께 높이는

중학 영어 클리어 시리즈

 문법 영문법 클리어 | LEVEL 1~3

 최신 개정판

문법 개념과 내신을 한 번에 끝내다!

- 중등에서 꼭 필요한 핵심 문법만 담아 시각적으로 정리
- 시험에 꼭 나오는 출제 포인트부터 서술형 문제까지 내신 완벽 대비

 쓰기 문법+쓰기 클리어 | LEVEL 1~3

영작과 서술형을 한 번에 끝내다!

- 기초 형태 학습부터 문장 영작까지 단계별로 영작 집중 훈련
- 최신 서술형 유형과 오류 클리닉으로 서술형 실전 준비 완료

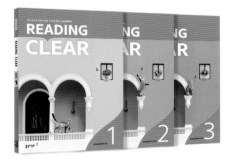

 독해 READING CLEAR | LEVEL 1~3

문장 해석과 지문 이해를 한 번에 끝내다!

- 핵심 구문 32개로 어려운 문법 구문의 정확한 해석 훈련
- Reading Map으로 글의 핵심 및 구조 파악 훈련

 듣기 LISTENING CLEAR | LEVEL 1~3

듣기 기본기와 듣기 평가를 한 번에 끝내다!

- 최신 중학 영어듣기능력평가 완벽 반영
- 1.0배속/1.2배속/받아쓰기용 음원 별도 제공으로 학습 편의성 강화